De la séduction

L'interrogation philosophique

Collection dirigée
par Michel Meyer

Professeur à l'Université libre de Bruxelles

De la séduction littéraire

FLORENCE BALIQUE

PRESSES UNIVERSITAIRES
DE FRANCE

« Où est l'éclair qui vous léchera de sa flamme ? Où est la folie contre laquelle vous faire inoculer ? »

Nietzsche, *Ainsi parlait Zarathoustra*.

« Je me révolte, donc je suis. »

Albert Camus.

« On ne peut devenir fou dans une époque forcenée mais on peut être brûlé vif par un feu dont on est l'égal. »

René Char.

ISBN 978-2-13-054502-6

Dépôt légal — 1re édition : 2009, avril

6, avenue Reille, 75014 Paris

Marche d'approche : la séduction littéraire, art de parler de loin[1]

À la source de la passion des fables, une souffrance de l'esprit qui paralyse l'action, la conscience impliquant une séparation : aveu de ne pouvoir exister qu'à distance du monde, tout en y restant rivé, dès lors que l'emprise s'avère impossible, voire qu'il n'est plus de prise du tout. Le bloc de l'univers s'effrite sous la main qui voudrait le saisir et c'est tout l'être qui ressent la chute en son propre précipice d'ignorance. Irrémédiablement étranger au voyage intérieur, solitaire, de l'existence humaine, le monde suit son mouvement autonome : en cette conscience soudaine ou progressive, s'éprouve, avec violence, la distance d'abord douloureuse entre l'horizon tracé idéalement, dans le rêve cérébral délimité par les ombres mêmes du savoir qui échappe, et la réalité rugueuse sans cesse réveillée, rappelée à la perception comme une étrange évidence.

Le discours philosophique est tentative, recherche d'une prise, quelle que soit la face abordée. Escalade par la face nord du monde, l'élaboration d'un système doit composer avec le risque fatal de la faille : une seule erreur d'estimation, et ce n'est pas le monde qui s'écroule mais l'esprit qui s'évanouit de peur dans le vide, avant même

1. *Cf.* La Fontaine, *Fables,* X, 1, « L'homme et la couleuvre », vers 89-90 :
[...] Mais que faut-il donc faire ?
– Parler de loin, ou bien se taire.

de se briser, aspiré sous le silence de la roche. L'écriture trace une voie ou emprunte des sentiers existants, s'aidant des cairns qui balisent son cheminement, évacuant les incertitudes à l'approche du nuage qui engloutit les formes de son voile léger.

À constater, en ses recherches enthousiastes, l'indifférence de la pierre, qui ne connaît que l'érosion et la gravitation, l'esprit laissera échapper la voix de l'imprécation ou celle de la déploration, mouvement de colère ou de tristesse, fureur de Roland ou mélancolie d'Amadis, modalités antagonistes d'une même persistance de la déclaration d'amour au monde, élan d'impatience où s'entend encore le désir de comprendre.

Il est des voix plus sages, moins torturées, laissant percer une acceptation du gouffre, un aveu de vertige. À l'inverse des lamentations d'Héraclite, le rire de Démocrite résulte du constat raisonné d'une impossibilité, non acceptation-résignation, devant les spectacles du dérèglement de l'esprit humain, mais calcul d'intérêt en faveur de la joie d'exister, puissance à réaliser, à sauver de la chute, en dépit du régime de l'erreur transformé en empire dans l'ordre social. Rire cynique et sourire ironique proviennent d'une même reconnaissance de la distance entre réalité et idéal, dépassement du règne avéré du mensonge, par invention d'une nouvelle voie, qui frôle, effleure, refuse l'escalade, si ce n'est du regard, art de parler de loin.

C'est comprendre que la déception existe non en réalité mais dans les mirages de l'esprit livré à lui-même, s'égarant en ses labyrinthes géométriques. Forger des mondes pour échapper à ce qui se vit comme une platitude environnante ne libère en rien l'esprit mais l'enlise dans un cercle de frustrations, dès lors que le réel est perçu toujours comme en deçà des beautés fictionnelles, imparfait, limité, à la fois logiquement borné et recouvert d'un réseau de sens erroné. La fable n'est ni explication livrant les clés de l'univers, ni solution qui laverait de la poix des contingences par l'évasion, elle est re-création jouissive née d'une conscience sereine à la fois de la résistance et de l'effritement des êtres et des choses, l'esprit acceptant de lâcher prise, ne cherchant plus à s'emparer d'un monde à gravir, à dominer par le sens, mais optant pour le regard attentif, relayé par la voix, façonnée jusqu'à faire entendre une parole défigurée d'où émerge une subjectivité impersonnelle apte à chanter la distance avouée, infranchissable, de soi au monde, acte de foi en la matérialité même des choses, appréhendées comme foncièrement mystérieuses.

Élire la fable implique non d'opter pour un régime de séduction rhétorique, mensongère, voilant la réalité de filtres qui tamisent la lumière ou rehaussent agréablement les teintes du monde, piégeant l'esprit dans les rets de l'illusionnisme, mais de chercher une parole poétique attentive au miroitement phénoménologique, embellissement sans trahison du monde, faisant résonner, à distance, les échos diffractés dans l'espace infranchissable qui sépare les sommets. Embellir par le langage n'est pas recouvrir d'un voile attirant, stratégie érotique qui est l'apanage de la séduction physique, mais faire voir, rendre possible, révéler le beau, rendre visible ce que l'œil peut percevoir, la parole poétique n'étant pas valeur ajoutée à la chose, par élucubration, mais découverte d'un nouvel angle, d'un autre regard, par attention artiste.

Voir s'entend comme trouver en soi la force d'un point de vue, accès à une dimension jusqu'alors non perçue, restée dans l'ombre, opération qui suscite le vertige et l'extase, projetant tout l'être hors de soi. La séduction littéraire résulte de cet élan, rendu possible par la distance d'abord reconnue, et elle constitue un affranchissement, puisqu'elle évacue l'obsession narcissique en rivant le regard à ce qui entoure dans un mouvement permanent de jaillissement. Parce qu'elle s'avoue mensonge qui dit la vérité, elle échappe à l'accusation qui frappe le discours sérieux, obligé de répondre de chacun de ses gestes. Poser la main sur le bloc, c'est risquer de s'en dessaisir. Dans son effort permanent pour s'emparer de la vérité des choses, la philosophie ne craint que son propre effondrement ; en son escalade périlleuse, visant la transparence des cimes, elle risque à chaque instant de se perdre et ne s'attarde guère à deviner les mille et une facettes de la roche à gravir.

À rebours, la littérature se plaît à décliner à l'infini les formes changeantes que l'imagination active donne à percevoir, ou fait disparaître, évanouies dans la lumière vaporeuse d'un nuage avant même d'être clairement identifiées. Elle ne connaît de vérité que de passage, transitoire, phénoménologique. Figure accomplie, Zarathoustra, poète-philosophe, combine la sagesse des sommets et la parole fascinante, qui fait entendre, en son chant d'amour à la montagne, l'antidote contre la séduction factice des arrière-mondes. Socrate, au seuil de la mort, découvre cette étrange vérité de la fable-mensonge, en un songe prophétique (raconté dans le *Phédon*) qui ordonne, *in extremis,* et contre toute attente, un ultime renversement, du *logos* au *muthos* : « Écrire des poèmes, donc obéir au rêve », dernier impératif exécuté comme un devoir par le philosophe qui s'engage sur la voie incertaine de la fiction. Sanctionné par la Cité, portant en lui la loi morale jusqu'à entériner la sentence qui le condamne, Socrate trouve une nouvelle obéissance, non retour à soi, mais acceptation d'un ultime cheminement, improbable, vers l'inconnu de la fable. « Chercher fortune au pays des romans » n'est pas affaire de raisonneur, comme il est montré en imagination dans la fable de La Fontaine, X, 13, « Les deux aventuriers et le talisman ». La passion littéraire commence par l'abandon d'un savoir inapproprié dès lors que l'espace fictionnel est, par essence, celui qui ne se peut appréhender comme délimité, cerné par la raison. Écrire procède d'un effort exceptionnel pour sortir du carcan personnel : l'autofiction se situe, en ce sens, aux antipodes de l'enjeu littéraire majeur, lorsqu'elle prend la forme d'un déballage des émois dérisoires qui composent une vie ressassée.

La séduction que nous voudrions défendre risque fort d'avoir été entachée par les impératifs de séduction médiatique, qui confinent la littérature dans l'autisme de l'autofiction, du récit de vie livrant de maigres réponses, illusoirement rassurantes, au lieu d'aborder les questions à la source de l'intranquillité. La paralittérature alimente ainsi la déperdition réflexive et la dépression collective tout en faisant croire au progrès culturel (à partir du simple calcul du nombre des ventes). Qui lit vraiment les livres achetés, dont on parle tant ? Faut-il adopter la posture facile, artificiellement insolente, de ce professeur vantant l'art de « parler des livres que l'on n'a pas lus »[1] ? À quoi bon tant de discours, si ce n'est pour parler encore de soi, et refuser le vertige

1. Pierre Bayard, *Comment parler des livres que l'on n'a pas lus ?,* Paris, Minuit, « Paradoxe », 2007.

d'une expérience réflexive authentique, d'une confrontation avec l'idée inconnue ?

Défendre la séduction littéraire relève sans doute d'un double défi : tenter d'extraire la littérature de la gangue du savoir critique qui risque de l'asphyxier lorsqu'il fait abstraction de la saveur vitale des textes, envisagés comme *exempli* dans l'ordre argumentatif qu'il tisse pour bâtir un édifice extérieur à la littérature – mur qui l'entoure, la protège mais l'enferme aussi et la confisque au regard étranger. En même temps, il s'agit de montrer comment le refus de l'objectivisation des faits littéraires ne saurait coïncider avec un retour au mirage de l'expression de soi : si la critique, obsédée par l'impératif d'objectivité sur lequel elle compte asseoir son sérieux, manque parfois l'essentiel, parce qu'elle n'ose plus jouir des textes, elle a bien compris que la littérature commence là où cessent la ratiocination sur la personne, la séduction simplette d'un moi dérisoire. S'il est une séduction littéraire, elle résiderait dans ce que nous appellerions volontiers « subjectivité impersonnelle » : on ne parle pas de soi en littérature, on cherche à échapper au carcan de la personne en déployant, dans et par le style, un espace réflexif ouvrant le champ des possibles, amenant à abandonner les réponses dépassées, en vue d'une expérience où s'éprouve le sujet lui-même dans son aptitude esthétique. Différent de l'*ethos* rhétorique, qui définit une personnalité oratoire élaborée en fonction d'un auditoire visé (donc identifiable), le « je » littéraire, qu'il soit ou non linguistiquement exprimé, dessine une posture de questionnement, instable, d'autant plus séduisante qu'elle échappe dès que le discours cherche à la saisir, en la soumettant au régime de ses propres classifications codées, préétablies. Proposant une série de questions sur les questions posées à la littérature, nous espérons offrir à d'autres l'audace d'emprunter les voies non tracées que ce livre suggère ou omet : en cette ouverture asystématique, une invite à écouter les mensonges du vent, éclats de vérités brisées en harmoniques glissés à l'oreille attentive à la parole littéraire.

Prologue

Ô MES CHERS LIVRES, IREZ-VOUS AU FEU ?

> Les gens sensés ne devraient pas apprendre à lire, de peur d'être corrompus par les autres.
>
> Antisthène[1].

Au commencement était le désir du texte, livre fermé, à la fois attente et ouverture, parole endormie dans la nuit des pages, voix qui sommeille en un tombeau de papier. Objet posé là, comme un secret à déchiffrer, mais qui se dérobera toujours, puisque vient s'y lire, en un jeu de miroirs, la fiction du lecteur affabulé, pris à son propre piège imaginatif. Car tout commence par cette séduction de l'*ob-jet* : souvenez-vous de vos lectures d'enfance ; la couverture du livre comme la porte d'un monde hallucinant, inquiétant, livre silencieux étrangement attirant. Cette chose sans raison pratique, recelant des hiéroglyphes énigmatiques, qui s'offre encore à moi dans ma vie d'adulte, que je vais élire, posant la main dessus, livre orphelin sur les tables des librairies ou perdu dans une trop grande famille sur les rayonnages : je vais aller vers toi, te choisir, te faire mien, t'extraire aux flots des mots, je vais même respirer ton odeur, toucher ton papier, et je te tiendrai dans ma main en signe d'élégance. Vais-je en toi apprendre quelque chose ? Vais-je seulement m'amuser – « beluter » le temps, dirait Rabelais ? Vous lisez

1. Chrie citée dans *Les Cyniques grecs. Fragments et témoignages,* Paris, Le Livre de poche, « Classiques de philosophie », choix, traduction, introduction et notes par Léonce Paquet, avant-propos de Marie-Odile Goulet-Cazé, 1992.

à la plage, dans le train, sur les quais dans l'attente, comme si ce roman que vous avez acheté n'était qu'un passe-temps, une façon de ne pas perdre le temps, ou d'occuper le temps sinon perdu. Et pourtant vous exhibez le livre, comme signe noble, de distinction, parce que lire vous semble, en soi, activité respectable. Et s'il valait mieux ne pas lire, suivant la chrie du cynique Antisthène ? Si trop de livres gâtait l'esprit ? Si vous ne saviez pas *vraiment* déchiffrer les hiéroglyphes... Songez aux précieuses ridicules, à don Quichotte, à Madame Bovary. Qui vous dit que vous n'êtes pas en train de vous farcir la tête de billevesées ? Qui vous dit que le livre ne vous laissera pas couvert de stigmates ? Et si le livre vous laisse indemne, à quoi bon lire, gaspillage d'heures précieuses, étrange activité qui vous cloue dans un fauteuil, vous extrait au temps, vous arrachant au mouvement vital ? La fiction vous prend dans sa parenthèse séduisante, laissant en suspens les impératifs du moment, votre esprit s'évade vers des îles où s'incarnent les idées, ou la pensée respire de ne plus s'enliser dans le pragmatisme ambiant.

La menace d'autodafé ou le livre à la question

> Là où on brûle des livres, on finit aussi par brûler des hommes.
>
> Heinrich Heine.

Le livre ne vaut que s'il mérite d'être brûlé : la censure ne se trompe guère lorsqu'elle sanctionne la puissance d'une pensée, la force de vie d'une fiction qui ébranle la loi, fait vaciller ses fondements en révélant le sable sous la pierre. Plus que tout prix littéraire, la mise à l'index est reconnaissance inquiète du pouvoir littéraire d'une œuvre qui s'impose comme création géniale, genèse du livre en soi sacrilège parce que rivalisant avec celle du monde. *Index librorum prohibitorum,* collection de noms dont la plume est reconnue comme arme dangereuse, signe que le mot porte, que la pensée trace de nouvelles voies, que la science met en question les préjugés et ose proposer de nouvelles hypothèses explicatives.

La littérature porte en elle cette force subversive, cet élan de liberté, pouvoir que l'on omet peut-être parfois à l'ère de la médiatisation des textes : le livre, perçu comme produit de consommation, semble accessible à tous, il s'acquiert, on le possède facilement. À mesure que la lecture se démocratise et se désacralise, les mots lancés sur le marché du livre, noyés dans un océan d'opinions, suivent des trajets plus incertains, s'apprivoisent, s'utilisent, se perdent ou meurent dans la distraction des esprits qui les traînent jusqu'à la plage, comme des compagnons d'ennui ; et si viennent se forger des interprétations multiples, c'est souvent sans heurt, sans que la déflagration souveraine du langage n'ait lieu. On aurait pourtant tort de craindre l'agonie littéraire : depuis le temps que l'on déclare la mort de la littérature, jadis assassinée[1], aujourd'hui en péril, proclamations émanant de prophètes de malheur qui semblent confondre déplacement stratégique sur l'échiquier littéraire et chronique d'une mort annoncée.

Oui, la littérature perd son influence dès lors que l'Éducation nationale n'est plus capable d'en assurer la transmission aux générations d'élèves qui passent à travers nos classes sans avoir eu parfois l'occasion d'éprouver cette flamme d'intelligence que le livre apporte, parce que l'enseignement littéraire, complexé par rapport aux disciplines scienti-

1. Voir « C'est la littérature qu'on assassine rue de Grenelle », article publié dans *Le Monde,* le 3 mars 2000. Plus récemment : William Marx, *L'Adieu à la littérature,* Paris, Minuit, 2005 ; Tzvetan Todorov, *La Littérature en péril,* Paris, Flammarion, 2007. On lit dans ces deux ouvrages l'oraison funèbre non de la littérature comme pouvoir fabuleux de penser librement, mais d'une certaine idée de la littérature, qui accorde une importance capitale à l'institution littéraire et à la reconnaissance du fait littéraire, au statut de l'écrivain dans la société. Sans doute le premier article visait-il un péril plus grand, puisque c'est d'abord dans la conscience de chacun que la littérature peut prendre son sens ; si le lycée n'est plus le lieu de cette découverte qui change la vie, alors effectivement la littérature n'est plus qu'une île secrète réservée à quelques chanceux qui ont eu l'occasion d'en aborder les rives. On comprend mal enfin le sens du geste de Tzvetan Todorov, écrivant un livre pour avouer et déplorer les méfaits de l'analyse structurale des textes qu'il a si farouchement défendue. Ce pessimisme qui fait recette nous semble peu servir la passion littéraire, telle qu'on l'éprouve à chaque jour de la vie, comme une force joyeuse qui fait voir autrement jusqu'à la banalité. Il n'est pas sûr enfin que la reconnaissance institutionnelle de l'écrivain constitue en soi un atout : le prestige s'accompagne d'une dépendance qui oriente la plume dans la direction du succès et non de la qualité esthétique en soi. Le diagnostic de la critique littéraire concerne en fait le statut qui est le sien : il lui incombe de s'interroger sur les raisons de son isolement. Si la littérature lui échappe en temps qu'objet, c'est précisément pour éviter la mort par asphyxie que le carcan scientiste lui fait encourir.

fiques, se transforme en une pseudo-science rebutante qui, voulant évacuer la subjectivité, vide le texte littéraire de son énergie créatrice.

Oui, le livre se consomme, se gaspille, se prend et se jette[1] quand chacun s'accroche à une pensée pragmatique personnelle, souvent dérisoire, et, croyant lire, ne sait pas, mais juge, réaffirme, à travers les mots qu'il engloutit, ses propres limites intellectuelles.

Oui, la littérature n'est plus écoutée sur la scène politique, puisque la fonction de conseil, autrefois dévolue aux poètes, aux écrivains[2], revient à des chargés de communication formés à l'école des pseudo-savoirs, qui affirme sa résolue modernité, omettant souvent de reconnaître sa dette envers une Antiquité à qui elle doit tout. Ère rhétorique qui ne veut plus de ce mot mais le refaçonne dans un jargon publicitaire, qui se veut novateur parce qu'il méconnaît la beauté des marbres sous la poussière.

Oui, la littérature ne sait plus parler à des esprits frappés d'amnésie qui, ignorant le devoir de mémoire en même temps que l'ancienneté de l'école des lettres, glanent non des idées mais des préjugés suspendus dans cette masse dont le tissu se construit au gré de décisions mercantiles.

Oui, la littérature attend un nouveau style après La Fontaine, Proust et Céline, mais qui pourrait encore le déceler à l'ère où le neutre l'emporte, décrété valeur monnayable, où l'édition même est moins affaire d'avis d'écrivain que de chiffres de vente ? Évidemment, cela n'a rien de radicalement nouveau et les siècles passés vivaient déjà cette articulation difficile entre le métier de poète et celui d'éditeur, mais songeons tout de même à la mainmise sans précédent de ceux qui disposent de compétences commerciales sur le littéraire, dont ils réorganisent le

1. *Cf.* Frédéric Badré, *L'Avenir de la littérature,* Paris, NRF-Gallimard, « L'Infini », 2003. « Tous les ouvrages de littérature, qu'ils soient bons ou mauvais, géniaux ou médiocres, qui sont publiés aujourd'hui, et cela sans aucune exception, semblent destinés à finir très vite leur aventure à la poubelle. La poubellification, tel est, dans le champ littéraire, l'effet du ravage. »

2. On pense évidemment au *Prince* de Machiavel, mais aussi au *Bréviaire des politiciens* du cardinal de Mazarin, à *L'Homme de Cour* de Baltasar Gracián et, comme nous le montrerons plus en détail, aux *Fables* de La Fontaine.

système de valeurs en fonction de critères de reconnaissance plus médiatiques que fondamentalement esthétiques.

Oui, la littérature vit aujourd'hui dans des pratiques insulaires et ne participe plus activement au journalisme : nous ne sommes plus à l'ère de Camus et le langage des médias s'est radicalement coupé du style littéraire dans sa forme la plus travaillée. Plus encore, les stylèmes du journalisme déteignent à présent sur l'espace littéraire, les écrivains les plus lus adoptant résolument une posture démagogique et publicitaire qui rend la lecture aisée : le texte s'affuble d'une phraséologie orale vulgaire qui permet un accès direct au sens, souvent cantonné à la littéralité, ou usant de métaphores usées dénuées d'invention (« ça se lit bien », jugement donné comme argument publicitaire, qui signale le peu de densité littéraire du texte). C'est à ce prix, en flattant la médiocrité ambiante, que l'on devient écrivain de métier – entendons, par là, que l'on fait fortune en écrivant des best-sellers.

Oui, la littérature s'utilise comme mention à valeur d'autorité par ceux-là mêmes qui la méconnaissent complètement, au point qu'ils confondent sans cesse apprentissage de la langue et réflexion littéraire. Combien d'hommes politiques, de publicitaires employant le mot « littérature », ou évoquant le fait littéraire, parlent avec gaucherie, de manière décalée, signe d'un discours qui s'aventure en terre inconnue. Évoquant les *Fables* de La Fontaine dans sa « Lettre aux éducateurs » du 4 septembre 2007, le président de la République semble seulement signaler le peu de nocivité de la mémorisation[1], précisant ensuite que la formation culturelle ne peut se réduire à un tel travail sans questionnement ; mais la récitation des fables n'est pas inoffensive, ni aucune récitation, dès lors que la voix incarne ce pouvoir des fables que La Fontaine défend. Un chef d'État qui manifestement ignore la force à la fois esthétique et politique[2] d'un des textes les plus fascinants de sa propre littérature et entend réveiller la conscience culturelle par cette

1. « Et qui peut se plaindre d'avoir gravé dans son souvenir quelques fables de La Fontaine ou quelques vers de Verlaine [...] ? »

2. Pour exemple : III, 4, « Les Grenouilles qui demandent un roi ». Nous évoquerons plus en détail « Le Pouvoir des fables », texte essentiel où se revendique la force fictionnelle comme arme politique majeure.

seule mention consensuelle accomplit précisément un geste d'incompétence littéraire : voulant exhiber un intérêt, il trahit une incompréhension de l'enjeu profond, une inaptitude à incarner, dans son texte, la passion littéraire. Trahi par son non-style (ou celui de son conseiller..., non corrigé), assénant des poncifs dans un français affligeant : « Éduquer c'est difficile » (*sic,* sans virgule !), il ne peut s'ériger en modèle, pris au piège d'une rhétorique qui le dépasse, parce qu'il joue ici aux apprentis sorciers en s'adressant à ceux qui sont justement aptes à évaluer la qualité *littéraire* de sa parole. Le mot « culture » est une fois encore l'objet d'un malentendu, qu'il convient de dissiper.

Que la culture est obscène

« Quand j'entends le mot "culture", je sors mon revolver », phrase attribuée tantôt à Goebbels, tantôt à Himmler, qui fut en fait prononcée devant des sympathisants nazis par Baldur von Schirach, chef de la Jeunesse hitlérienne et *Gauleiter* (administrateur) de Vienne. Le propos a fait depuis couler beaucoup d'encre, et les dirigeants politiques en ont, semble-t-il, tiré une leçon rhétorique majeure : se gargariser du mot « culture », quitte à l'utiliser en tous sens, au risque de susciter des malentendus. La formule percutante du chef nazi s'inscrivait, rappelons-le, dans un projet d'abrutissement sans précédent, visant, en collaboration avec le ministère de la Propagande dirigé par Goebbels, à former une élite... *inculte,* l'éducation physique, idéologique et morale de la jeunesse *élue* s'entendant comme un matraquage cérébral, un dressage s'appuyant sur un entraînement à l'endurance qui est d'abord acceptation volontaire de la souffrance, perte de soi, affaiblissement de la conscience dans l'effort gratuit, absurde, oubli de l'individualité dans une course folle vers la gloire promise, le statut héroïque contre lequel se troque la vie.

Suivant un merveilleux consensus politiquement correct, le mot « culture » aurait ainsi retrouvé ses lettres de noblesse ; heureuse atmosphère démocratique où se loue la pensée, du moins en paroles, car qui oserait aujourd'hui dénigrer ce substrat intellectuel donné comme ciment d'une société ? Je m'étonne donc de ne pas voir plus de gens savourer Rabelais comme l'auteur du suprême raffinement culturel et non comme un joyeux drille ; c'est qu'en vérité, par sa complexité géniale, le texte résiste et qu'il est peu de « beuveurs tresillustres » et de « Verolez tresprecieux ». C'est surtout que, une fois officialisée, la culture devient inoffensive, se fossilise, perdant sa force subversive (« Qui peut se plaindre de... »). Avec un paternalisme déplacé, car n'est pas de Gaulle qui veut, un président qui s'autorise, par ailleurs, des pratiques politiques adolescentes, nous rebat les oreilles de cette culture, inflation de langage suspecte : comme il faut *du social,* il faut *du culturel,* entendons par là tout et n'importe quoi. La *grande* culture d'abord, je veux dire celle qui vient mourir au Panthéon, celle qui demande à chaque citoyen un psittacisme intellectuel que refuserait peut-être le singe, une culture qui se vénère plus qu'elle ne se pratique, celle qui, dans la *grande* tradition de Louis XIV, assure le rayonnement solaire d'une nation. À celle-là, les nazis n'avaient rien à redire, puisqu'elle sert utilement le nationalisme exacerbé. Certains aujourd'hui déplorent la perte du sentiment d'appartenance culturelle, identité, selon eux, seule à même de cimenter une Europe qui, jusqu'à présent, à surtout permis la circulation de billets de banque. S'accrochant à l'ancien rêve d'une citoyenneté européenne, actuellement chimérique, ils ne trouvent rien de mieux que de dépoussiérer ce concept, feignant d'oublier qu'il a pu être à la source des pires entreprises haineuses. Dans le discours hitlérien, la nation allemande pouvait se prévaloir, rappelons-le, d'une supériorité intellectuelle, artistique, philosophique qui autorisait la domination des autres. Je ne vois guère que l'univers sportif pour s'accrocher encore à de tels élans nationalistes, pour jubiler encore dans l'inertie des cérémonies patriotiques.

Contre le Rousseau de la *Lettre à d'Alembert,* je défends le spectacle vivant, ce théâtre qu'il refuse parce qu'il y voit une école de débauche[1], et je fuis les fêtes communautaires où vient mourir la pensée, engluée

1. Rousseau, *Lettre à d'Alembert,* Paris, Flammarion, GF, 1967, p. 157, pour exemple : « [...] je vois en général que l'état de comédien est un état de licence et de mauvaises mœurs ; que les hommes y sont livrés au désordre ; que les femmes y mènent une vie scandaleuse [...]. »

dans une communion d'esprit asphyxiante. L'Antiquité nous a appris le sens de la joute, du débat, de cette culture active qui se façonne sur la place publique, faisant lutter des individus. Faux également, ce refrain sur l'individualisme forcené qui caractériserait notre époque : peu d'êtres libres dans leurs choix, beaucoup à souffrir de se sentir piégés comme de simples rouages dans le cercle infernal d'une machine économique qui n'est plus utile à chacun, suivant le principe premier qui devrait régir la gestion d'un État, mais l'entraîne à l'inverse dans une fuite en avant sans retour. Liberté truquée et culture falsifiée, que l'on sert comme un mets à la saveur sans surprise, ragoût traditionnel d'une esthétique recuite, qui nous laisse assoupis sur les confortables fauteuils du Français où se donna, entre autres, une représentation des *Fables* de La Fontaine, d'une élégance sans consistance, spectacle consensuel s'il en est, propre à satisfaire « petits et grands », où la saveur du texte disparaît, fondue dans le décor *design* et le comique déplacé de classe primaire, mais, fort de son nom, Bob Wilson peut se permettre d'affadir le texte qu'il met en scène. Difficulté du spectacle vivant, donc, d'une culture sur la scène, qui épouse la vie, qui bouleverse le paysage trop conformiste, en ressuscitant toujours le pouvoir des textes à faire réfléchir.

Mais qu'est-ce au juste qu'être cultivé ? Posez la question, et la réponse vous renseignera précisément sur le degré culturel de votre interlocuteur. Pour celui qui n'en a pas, la culture est inaccessible, souvent respectable ; il croit la repérer chez ceux qui lui en imposent, qui étalent un savoir incompréhensible. Pour celui qui n'a pas eu la chance d'accéder au savoir, la culture est cette distance qui autorise les autres à parader ; ressenti comme une blessure, le seul mot de « culture » lui dit son incomplétude, son handicap, voire sa débilité intellectuelle. Toute référence culturelle lui est une gifle qu'il ne peut rendre, souffleté par le jargon, la citation, le ton de componction qui s'y assortit, l'air magistral des « cerveaux à bourrelets », « cafards », « cagots » fustigés par Rabelais : pour qui en est dénué, la culture de l'autre est d'abord une humiliation, la honte de se reconnaître comme un homme qui n'est pas accompli. C'est sur la rancœur, le ressentiment envers une élite fantasmée que s'est ainsi construit le discours de propagande nazie, que se construisent encore aujourd'hui les discours démagogiques faisant miroiter une éventuelle revanche de celui qui se sent exclu de la sphère intellectuelle.

Puisqu'il ne dispose pas de la culture, il la fantasme, il cherche à repérer le phénomène culturel tel qu'il se l'imagine, c'est-à-dire comme ce qui lui échappe, qui le nie, qui n'est pas lui : distinction dans la parole, le geste, l'attitude, la culture se théâtralise, l'usage restreint des mains pour s'exprimer, l'emploi de tournures données communément comme recherchées, l'ampleur des phrases surtout, la *copia* créant l'illusion d'une pensée complexe, bien souvent pour masquer le vide. C'est un simulacre de culture qui lui en impose, un savoir qui s'exhibe, se quantifie même, se récite à grand renfort de périodes. Il saluera aussi bien l'heureux gagnant au jeu télévisé, brillant par son aptitude à recracher à vitesse grand V un savoir non digéré, encore tout cru ; il croira à l'apprentissage linguistique par les mots fléchés ou le Scrabble, comme il dira admirer le style inimitable de Proust, précisément parce que celui-ci lui reste hermétique.

C'est précisément pour lui que j'écris ! Non pour m'en moquer, mais dans l'espoir de lui dessiller les yeux, et contre vous, messieurs les « cerveaux à bourrelets », qui savez très bien de quoi je parle, de votre imposture, de votre étalage culturel dénué de sens, de votre prétention à un savoir que vous ne maîtrisez pas mais que vous utilisez comme pouvoir pour asservir, pour abêtir même, si vous le pouvez, de votre cynisme qui nuit à l'enjeu démocratique par affirmation de privilèges linguistiques illégitimes, car avec vos mots mal sonnants vous n'attrapez que du vent, mais vous confisquez cette culture vivante qui ne vous appartient d'aucun droit.

Je crois à la culture comme à la nécessité de respirer, je regarde mes livres comme l'espoir d'un avenir plus lumineux, j'y côtoie avec plaisir la pensée des autres dont je nourris la mienne, mais plus je navigue sur la mer des idées, mieux je perçois le gouffre entre ce qui s'appelle « culture », sur les écrans, dans les magazines, sur vos ondes, et ce miel subtil que chacun peut essayer de faire, à la manière de Montaigne, avec patience, en soi-même, et loin du jeu des communications théâtralisées.

En jouant sur les mots, contre l'étymologie, pour faire enrager les pédants (vous pourrez vérifier : *obscène,* « qui est de mauvais augure »), je suggérerai donc que, s'il est une culture, elle est aujourd'hui *obscène,* hors jeu, sur la touche, hors de la scène, elle ne peut se montrer, elle se cache dans l'esprit de ceux qui résistent contre vents et marées à ce qui est pré-pensé, pré-jugé, culture de rebelle, toujours fragile, parce qu'enviée, suscitant les piques alors même qu'elle s'efface, elle implique de savoir fermer les écoutilles, pour se retrouver soi-même. La culture n'a rien à voir, ni avec le ministère de la Culture, si l'on songe que l'ancien ministre encensait un Houellebecq, en qui il reconnaissait l'*écrivain du corps* (étrange idée du libertinage que cette désolation charnelle !), ni surtout avec la culture de masse, expression aberrante qui gomme, me semble-t-il, l'enjeu culturel majeur : se trouver soi-même, individuellement, et non fondu dans une aspiration communautaire. Ni avec tous les emplois dérivés du mot, mis à toutes les sauces (*culture automobile* ou *culture d'entreprise,* expressions qui me laissent rêveuse), comme pour rassurer : oui, vous êtes tous tellement cultivés !

Merveilleuses, les émissions culturelles, si du moins elles sont suivies d'une recherche personnelle, inutile ici d'accuser les médias de la flemmardise des auditeurs ou téléspectateurs qui se contentent de ce qu'on leur sert en une heure au mieux. Démagogie de faire croire aux gens qu'ils pourront s'en tenir à cette *fast culture,* pour naviguer plus à l'aise sur les eaux sociales.

Chacun trouvera sa voie culturelle favorite parmi les arts ; certains, fuyant la raison dialectique, jugée ennuyeuse, préfèrent les pensées non démonstratives, le film notamment, pour les traumatisés du carcan scolaire, si tant est qu'il vise autre chose que le divertissement. Mais la même réserve s'applique aussi bien au livre, puisque l'on voit aujourd'hui se développer une paralittérature qui conforte les idées reçues plus qu'elle ne les sape, délivrant une pseudo-culture, entreprise commerciale qui permet à Michel Houellebecq d'utiliser Schopenhauer dans sa dimension caricaturale, usurpation d'autorité qui rentre parfaitement dans la logique d'une écriture de la *mediocritas.* Permettons-nous d'aboyer avec Antisthène.

Quant aux « élites », elles se condamnent elles-mêmes, enfermées dans leur tour d'ivoire, nous dit-on, « la Faculté, c'est une armoire bien fermée. Des pots en masse, peu de confiture » ; nous pourrions renchérir en prolongeant l'analogie de Bardamu : le savoir se périmerait aussi, il finirait par sentir le renfermé ! Sans doute, l'Université, devenue schizophrénique entre ses velléités de professionnalisation et sa prétention à assurer encore le rôle de conservatoire des savoirs, ne sait plus à quel saint se vouer. Non seulement prise entre deux feux, mais surtout atteinte de deux maladies pour l'instant incurables – j'entends le pédagogisme, maladie contractée, semble-t-il, au collège, répandue dans les Instituts universitaires de formation des maîtres, lieu où le pédantisme atteint des sommets d'outrecuidance et d'imposture, de quoi réveiller Rabelais, Montaigne, Molière et La Bruyère pour une guerre contre les galimatias, et bien sûr l'érudition gratuite, prétentieuse et vaine, autre fléau, celui-là nettement plus ancien, qui discrédite la majeure partie d'une élite, ronronnante, se confortant dans ses thèses vétustes, craignant les innovations du savoir comme la peste, se sentant menacée dès qu'un esprit s'aventure avec audace sur une terre qu'elle juge sienne, chasse gardée de son confort intellectuel poussiéreux. Ce second mal s'appuie comme le premier sur l'usage éhonté d'un jargon incompréhensible, arme brandie contre toute invasion extérieure qui menacerait d'effriter l'ivoire de la tour. Maladie de la consanguinité intellectuelle qui dégénère la pensée, vidée de son sens, tandis que les nouveaux pédants gagnent du terrain et imposent partout le non-sens.

Où penser encore aujourd'hui ? Mais comme cela s'est toujours fait, chez soi, seul, ou entre esprits curieux disposés à s'ouvrir, non à se montrer, ni à tenir salon. Apprendre à jouer d'un instrument de musique, à peindre, à goûter les saveurs, les œuvres d'art, autant de pratiques culturelles actives où l'on s'essaie soi-même, où l'on engage ses facultés, où l'on teste ses aptitudes, ses limites. Cette culture souterraine donne une ascèse, un pouvoir, qu'il est toujours urgent de protéger, force menacée, guettée, traquée par ceux qui s'attaquent à tout ce qui pense librement, à l'écart. Dans ce loisir, loin des loisirs[1] dont on fait sans cesse la publicité,

1. Voir E. Bury, M. Fumaroli, J. Salazar, *Le loisir lettré à l'âge classique,* Genève, Droz, 1997.

se trouve la volupté intellectuelle, le goût étonnamment divers des idées en mouvement, étrangères aux recettes traditionnelles.

Éloge nécessaire du livre, surtout, irremplaçable, car il offre le vrai luxe, celui d'une pensée choisie, dans un temps silencieux qui vous appartient, que vous lui consacrez, mais aussi le luxe de dire *non* si les mots s'avèrent inutiles, sans plaisir, insipides. La culture est discrète, effacée, elle confère la seule distinction qui m'intéresse, celle que je cherche à trouver en moi-même par rapport à ce que je veux devenir, elle est la vraie audace, dangereuse, la brise libertaire qui faisait trembler les nazis, le refuge des consciences libres qui ne disent *oui* qu'à ce qu'elles ont choisi. Je la souhaite à tous, et la pratique, indifférente aux titres, aux statuts, attentive seulement à ce qui se pense et se vit tout à la fois.

Le vray miroir de nos discours est le cours de nos vies.

Penser en littérature

Pensée alternative au discours systématique, empruntant les voies de traverse pour se faire entendre, précisément parce que la machine commerciale, dans sa bêtise aveugle, risque de la broyer, la littérature réinvente sa parole ironique, menacée, poursuit son chemin dans les esprits qui passent et pensent par elle, parce qu'ils y trouvent un inaliénable pouvoir, un lieu de liberté intellectuelle, une force joyeuse qui porte la quintessence de la vie : la pensée en acte d'une imagination qui façonne un autre monde où vient se réfléchir le nôtre, suivant une feinte ingénieuse, l'esprit qui sait s'y livrer trouvant en lui-même une saveur *gratuite, inutile, essentielle*.

Le diagnostic complet indique sans doute les symptômes d'une crise du littéraire : déconsidération de la valeur littéraire en soi, inversion des valeurs par reconnaissance de la médiocrité puisqu'elle se vend bien, déficit culturel dans l'éducation où la littérature, autrefois placée au sommet des savoirs, est reléguée au rang des disciplines mineures ou envisagée à titre de culture décorative[1] ; le sourire

1. On pourrait lire à ce sujet le texte d'Henri Poincaré, « Les sciences et les humanités », publié dans *L'Opinion,* 46, le 18 novembre 1911, p. 641-644. L'argument porte

de l'esprit[1] n'en est que plus précieux, à l'image de celui de Chaplin piégé dans les rouages de la machine infernale des *Temps modernes*.

Le sourire risqué, raison profonde de l'autodafé

Saisir le véritable enjeu à la source du livre implique de considérer la dimension de risque inhérente à toute parole effectivement littéraire. Songeons au rire rabelaisien, comme à la quintessence d'un livre qui respire d'humanité, plongeant le lecteur dans une déréalisation fictionnelle d'une force telle qu'elle impose une surréalité imaginaire propre à façonner le monde, à le ré-former par le regard. Condamnation par la Sorbonne de *Pantagruel,* pour obscénité, en 1533, du *Tiers Livre* en 1546, par les théologiens qui y voient un discours d'hérésie, censure (par la Sorbonne toujours) de *Gargantua,* du *Quart Livre* en 1552, le livre étant interdit à la vente ; *Pantagruel* est mis à l'*Index librorum prohibitorum* de 1544 par la Faculté de théologie de Paris : l'œuvre en son entier est envisagée comme blasphématoire ; derrière les attaques précises, affichées, n'est-ce pas avant tout cette liberté verbale de tout dire, de jouer avec les codes – sociaux, philosophiques, religieux – et même seulement littéraires qui fait voir le livre comme foncièrement dangereux ?

La question de l'engagement telle qu'elle est posée par Sartre dans *Qu'est-ce que la littérature ?* présuppose un point de vue antilittéraire, puisque le texte est perçu comme le canal par lequel passe l'idée, comme si l'écriture s'évaluait en fonction d'une utilité idéologique à la source du projet, préexistante. C'est poser la supériorité du politique,

sur cette intuition : « [...] tous sentent confusément que ce n'est pas seulement à l'homme, mais au savant même que les humanités sont utiles. » *Cf.* Rabelais, *Œuvres, Pantagruel,* chap. 8 : « Sapience n'entre point en ame malivole, et science sans conscience n'est que ruine de l'ame... » (p. 354). Plus que la maîtrise linguistique, c'est la conscience critique indispensable que les lettres façonnent par le déploiement des possibles fictionnels, mode de pensée alternatif au *logos* philosophique.

1. V. Jankélévitch, *L'Ironie ou la bonne conscience,* Paris, PUF, 1950, p. 12 : « Bien que toute connaissance n'ironise pas ouvertement sur son objet, on peut appeler la conscience une ironie naissante, un sourire de l'esprit. »

du philosophique sur le littéraire (placé sous tutelle), c'est envisager la fiction non pour elle-même mais comme un moyen, un artifice, c'est surtout méconnaître le pouvoir des fables en liberté. Sartre parle en philosophe et n'écrit pas en littéraire, comme réticent à entendre tous les accords de la musique née du déploiement imaginaire ; voulant à toute force libérer les esprits, il en vient à brider les mots d'une raison toute-puissante, leur imposant la nécessité d'une signification renvoyant à une théorisation de l'œuvre elle-même. On entend, évidemment, l'urgence de la résistance politique, dans ce souhait d'une parole pragmatique où se cisèlerait une plume de combat ; mais le texte tel qu'il s'énonce comme définition orientée et exclusive de la littérature porte atteinte à la liberté littéraire elle-même par une généralisation dogmatique qui risque fort d'enrégimenter les œuvres, soumises à un jugement idéologique amenant une forme de censure. L'engagement est alors entendu comme résistance au fascisme, mais c'est omettre que la littérature peut aussi s'engager dans cette voie totalitaire. C'est surtout astreindre la littérature à un didactisme contraire à la liberté qu'il s'agit même de défendre[1] : certains liront la mauvaise conscience bourgeoise d'un professeur de philosophie qui, découvrant un peu tardivement la nécessité de la lutte, érige en leçon ce que d'autres réalisent en acte, au péril de leur vie. Plus que la polémique au sujet de l'engage-

1. *Cf.* Alain Robbe-Grillet, *Pour un Nouveau Roman,* Paris, Minuit, « Critique », 1963, et notamment « Sur quelques notions périmées », L'engagement (p. 33-39), où le romancier revient sur les désastres littéraires du réalisme socialiste, constatant la désolante stagnation (voire régression artistique), pour conclure en ces termes :

> « [...] Sartre, qui avait vu le danger de cette littérature moralisatrice, avait prêché pour une littérature morale qui prétendait seulement éveiller les consciences politiques en posant les problèmes de notre société, mais qui aurait échappé à l'esprit de propagande en rétablissant le lecteur dans sa liberté. L'expérience a montré que c'était là encore une utopie : dès qu'apparaît le souci de signifier quelque chose (quelque chose d'extérieur à l'art), la littérature commence à reculer, à disparaître.
>
> « Redonnons donc à la notion d'engagement le seul sens qu'elle peut avoir pour nous. Au lieu d'être de nature politique, l'engagement c'est, pour l'écrivain, la pleine conscience des problèmes actuels de son propre langage, la conviction de leur extrême importance, la volonté de les résoudre de l'intérieur. C'est là, pour lui, la seule chance de demeurer un artiste et sans doute aussi, par voie de conséquence obscure et lointaine, de servir un jour peut-être à quelque chose – peut-être même à la révolution » (p. 38-39).

ment effectif de Sartre[1], on retiendra la difficulté du choix, au cœur de sa philosophie, Sartre ayant pratiqué un existentialisme politique qui l'amena à soutenir, après la cause communiste, Mao, Castro puis l'ayatollah Khomeyni. Rage de l'engagement ou nécessité du choix, au risque de l'erreur ? Il est certain que le philosophe, remarqué, durant ses études à l'École normale supérieure, pour son esprit de combat et sa fibre anarchiste, a cherché ensuite, en toute circonstance de sa vie, si ce n'est une adhésion, à tout le moins un soutien à l'idéologie qui, dans un moment politique donné, était jugée la plus susceptible de renverser un ordre ancien, d'espérer un progrès.

Réponse élaborée dans l'urgence, *Qu'est-ce que la littérature ?* impose une définition de l'enjeu littéraire qui vaut peut-être face à la menace totalitaire, mais n'a pas produit effectivement la parole-arme de combat

1. Voir, à ce sujet, Michel Winock, *Le Siècle des intellectuels,* Paris, Le Seuil, « Points Histoire », 1997 1999, et particulièrement la troisième partie du livre, « Les années Sartre ». On lit notamment, p. 496, après l'évocation de la représentation des *Mouches* en juin 1943, admirable tour de force énonciatif, forme de résistance ironique qui ne fit pourtant pas d'emblée unanimité (si l'on songe à la critique de Vercors, que rappelle ici Winock) : « Sartre n'a pas été le héros de la Résistance qu'il aurait voulu être. Il s'est même laissé aller à donner un article au journal collaborateur *Comoedia* – tout comme Jean Paulhan, il est vrai. Sa compagne, [...] Simone de Beauvoir [...], ne s'est pas toujours embarrassée de scrupules : révoquée de l'Éducation nationale, pour une liaison avec une de ses élèves, elle n'a pas hésité à accepter, avec les encouragements de Sartre, un poste à la radio de Vichy. Sartre peut se prévaloir néanmoins de son engagement précoce dans une action de Résistance et de ses écrits clandestins, qui lui ouvrent légitimement les portes du CNE. Le public prend soudain conscience de son importance dans la France libérée. » Voir également les chapitres 43 (« Les combats de Camus », p. 500-512) et 52 (« Sartre Compagnon de route », p. 610-622) où il est question des liens qui se sont tissés puis rompus (p. 617) entre Sartre et Camus, pour la question de l'engagement, depuis leur rencontre lors de la générale des *Mouches*. Commentaire de l'article qui déclenchera la rupture, paru dans *les Temps modernes* sous le titre « Albert Camus ou l'âme révoltée », signé Francis Jeanson, sous l'autorité de Sartre : « Jeanson, tout en louant l'art de Camus, s'interroge, brutal, sur ce qu'il appelle l' "inconsistance de la pensée". Une révolte métaphysique incapable de passer à la révolte historique. En somme, une "belle âme", Camus ! » (p. 616). Tel est le diagnostic proposé par Winock, pour marquer la différence de Camus : « À Camus, on ne peut faire le coup de l'attendrissement sur la classe ouvrière pour mieux accepter le Parti communiste : il vient de cette classe ouvrière, et il a connu de l'intérieur le Parti communiste au temps de sa jeunesse. Il ne nourrit aucun complexe bourgeois de culpabilité, aucune illusion sur le salut de l'humanité par le prolétariat. Immunisé contre les dérives terroristes et les nécessités inhumaines de la révolution, il cultive moins la théorie de l'engagement que l'impératif moral » (p. 616). Voir encore le chapitre 50 (« Contre la littérature engagée »), autour de la figure de Jean Paulhan et de « ses positions contre les canons sartriens de la littérature engagée » (p. 592), p. 585-596.

apte à éradiquer le mal. Plus encore, cette canalisation de l'imagination qui fait violence à la diversité littéraire et place au second plan l'invention esthétique n'est pas sans rappeler les méfaits des politiques d'État sur l'espace littéraire, lorsque seule la vérité admise a droit d'être défendue en terre fictionnelle. L'URSS réalisa l'exploit d'appauvrir la parole littéraire (et, plus largement, artistique) d'une civilisation qui porte en elle une imagination fantasque, une liberté poétique que des années de tsarisme n'avaient pas su éteindre. La résistance, précisément, était de l'autre côté : Alexandre Soljenistyne, quoi qu'on en dise, livre en son *Archipel du goulag* un témoignage accablant, qui fait plus que relativiser la certitude des engagements.

Écrivain engagé s'il en est, Vladimir V. Maïakovski éprouva jusqu'à en perdre la voix la déchirure entre la certitude de vouloir livrer sa parole poétique à la cause qu'il défendit et le constat d'une incompréhension, qui ne venait pas du peuple auquel il s'adressait, mais bien d'une bureaucratie qui s'inquiétait de la force suggestive de ses vers, hors normes, tintant d'un surréalisme taxé d'excès. Une fois encore, c'est la liberté du verbe, celle-là même qui pouvait toucher et émanciper, qui se trouve sanctionnée comme charme, là où seul le message devait s'entendre. Et, pourtant, la conviction inspirée du poète se grave jusque sur le mur de sa maison[1] :

TOUTE MA FORCE SONNANTE DE POÈTE
JE TE LA DONNE,
CLASSE À L'ATTAQUE.

Parce qu'il voulait en finir avec ce qu'il appelait les « vieilleries » artistiques, se proclamant « futuriste », il fond dans un même moule et la voix et le corps rebelle, et cette démesure le perd : visé par la presse littéraire, comme suspecté par ceux-là mêmes qui confisqueront la révolution et l'accusent d'hermétisme, sans doute inquiétés par la virulence sauvage qu'il manifeste, en dépit de son attachement profond à l'État en qui il se reconnaît. Les *Vers sur le passeport soviétique*[2] disent ce

1. V. V. Maïakovski, *Vers et proses,* choisis, traduits, commentés par Elsa Triolet, et précédés de ses souvenirs sur Maïakovski, p. 11.
2. *Ibid.,* p. 321-324.

qui résonne aujourd'hui pour nous comme un paradoxe et explique en partie cette déchirure intérieure. Fierté d'appartenir à l'URSS qui clôt le poème :

> Lisez bien,
> enviez –
> je suis
> un citoyen
> de l'Union soviétique.

Mais haine farouche pour ce qui ronge déjà le rêve de progrès :

> Je dévorerais
> la bureaucratie
> comme un loup,
> je n'ai pas
> le respect
> des mandats,
> et j'envoie
> à tous les diables
> paître
> tous les « papiers ».

L'expérience de Maïakovski est engagement absolu qui confond la voix, le verbe et la volonté révolutionnaire en un souffle de vie qu'il fut peut-être le seul à savoir incarner ; s'il est difficile de démêler les raisons – personnelles, politiques – qu'il l'amenèrent au suicide, il est certain que le poète, trop lucide, souffrit de mesurer l'écart entre cet idéal défendu de tout son être et les attaques mesquines d'esprits procéduriers refusant un engagement vécu avec tant de ferveur. C'est qu'il y avait en cette poésie non un message idéologique, au sens sartrien, mais une réalisation, dans le verbe même, de la liberté à faire naître de la révolution, le texte futuriste étant conçu comme révolution littéraire en acte, balayant la « vieille poésie », celle qui, précisément, ne parlait pas au peuple (qui ne savait pas lire), même si elle s'énonçait clairement, sans alchimie verbale. On reprocha au poète d'être un poète, jusqu'à le faire douter, à en éteindre sa voix, cette « force sonnante » qu'il voulait donner, à la fois énergie et intelligence libératrices. Et dans le culte de Maïakovski, devenu personnage mythique dans l'imaginaire littéraire, que reste-t-il de cette évidence simple et forte de la voix, de la puissance oratoire ? Une littérature faite parole, qui touche, transporte, séduit sans tromper, qui s'entend, plutôt qu'elle ne se lit – cette invention de Maïakovski engage tout l'être dans son combat pour que chacun ait le droit d'entendre.

Soumise à la question politique, sommée de répondre par une adhésion sans ambiguïté à la cause prétendument juste, la littérature se voit jugée, non pour ce qui la définit foncièrement mais en fonction de l'idéologie qu'on lui impose, bien souvent sans respect pour la finesse même d'une énonciation qui dépasse les vérités de banderoles et s'engage autrement. C'est croire encore qu'un texte peut être le simple prétexte d'un message politique, et oublier que l'acte d'écrire est suprême engagement, pour le questionnement en soi, c'est-à-dire contre toutes les formes d'asservissement intellectuel, d'endoctrinement.

L'hebdomadaire communiste *Action* propose en 1946 une enquête ainsi intitulée : « Faut-il brûler Kafka ? », question en elle-même effarante, en ce qu'elle en appelle à un tribunal de la raison politique pour évaluer l'orientation recevable ou non d'un texte littéraire. L'article donne lieu à une réponse, protestation collective d'écrivains s'insurgeant contre cette forme de procès en intention : « Les brûlots de la peur », texte qu'Arthur Adamov transmet à René Char, qui répond, à son tour, à l'enquête, en réaffirmant la souveraineté littéraire, le refus de textes enrégimentés :

Je crois qu'il serait mortel pour le progrès (c'est-à-dire le signe +) d'assigner à l'écrivain un choix préalable, une obéissance, une discipline, des directives dont le résultat serait, à n'en pas douter, un renforcement éperdu des pouvoirs de l'asphyxie, de la névrose, de la stupidité. D'autant que la souveraineté politique a toujours, sans qu'elle les appelle, à son service, en quantité suffisante, un nombre d'écrivains fonctionnaires convenables, pour traduire les méandres de sa bonne volonté et ses intérêts immédiats.

La politique sera, on le sait, une science parvenue bientôt au terme de sa conquête ; l'homme qui la fait appliquer ou la supporte, demeure un tableau noir à fleur de frisson.

Rien de plus houleux, de plus insaisissable, de plus contrariant, à partir d'une certaine brise, que la surface affamée d'un tableau noir placé à proximité de la lumière du jour. Les grands Russes savent que les choses ne sont pas si simples ?

Laissons librement le jeu fantastique s'accomplir.

Les sources d'inspiration auront la couleur et la matière qu'il plaira aux dés et à la conscience des arbitres qu'elles aient.

La littérature noire est justifiable. L'existence du soleil, de la lune, des orages et de l'homme qui les relie répond de sa durée. Je trouve pour ma part cette forme d'intelligence admirable[1].

Parole d'écrivain engagé s'il en est, résistant en action, qui lutte inlassablement pour la liberté, dans sa forme la plus exacte.

Si la littérature sert effectivement la liberté, c'est peut-être lorsqu'elle ne répond pas à des impératifs de propagande, lorsqu'elle combat par le rire ou le délire l'enfermement doctrinaire, lorsqu'elle n'est pas vérité voilée en fiction, mais voile volant librement où le regard apprend à voir autrement, à lire les plis et replis essentiels, sans quête d'invisible.

Ainsi, sans banderole ni slogan, Rabelais s'engage toujours, dans l'élégance et la liberté, par-delà les causes qui brideraient le texte ; il enlace chaque chose d'une intelligence active, risquée. Le danger nous semble, effectivement, plus acceptable comme critère pour envisager cet engagement littéraire qui est condition *sine qua non* de la qualité du livre (digne d'aller au feu !). En ouverture à son autobiographie *L'Âge d'homme,* Leiris développe une analogie qui expose dans une clarté littéraire cette spécificité qui distingue l'œuvre en acte. « De la Littérature considérée comme une tauromachie » dramatise cette réalité essentielle : la corne du taureau qui dit la mort imminente, à chaque instant contrecarrée, représente le geste d'écriture lorsqu'il prend effectivement sens, non parce qu'il médiatise l'idée, mais parce qu'il engage toute la personne, son authenticité, la vie d'une pensée, qu'il se met à nu et doit avouer jusqu'à ses incohérences, ou l'invention d'un monde qui est déclinaison poétique des chemins imaginaires que d'autres laissent dormir dans le secret du cerveau[2].

1. R. Char, *Dans l'atelier du poète,* Paris, Gallimard, « Quarto », 2007, p. 503-504.

2. Le Prière d'insérer écrit pour *L'Âge d'homme* posait le problème qui « tourmentait » l'écrivain, au risque de figer le geste d'écrire : « Ce qui se passe dans le domaine

Choisir la littérature est en soi engagement ; croire que l'écriture renvoie à une cause supérieure au geste d'écrire, c'est méconnaître précisément la spécificité littéraire, c'est adopter une posture étrangère à l'expérience poétique par crainte ou refus de la liberté qui accompagne le tracé de la plume, parce que, parmi les chemins possibles du livre, l'esprit lui-même doit d'abord oser se perdre – autrement dit, s'égarer en lui-même dans l'espoir de trouver sa voie vers un point de fuite, vers l'accomplissement toujours visé d'une subjectivité qui se façonne par l'écriture.

Écrire et lire n'ont de sens que si l'on est persuadé du pouvoir du livre, ce qui ne signifie pas que l'on sacralise l'objet lui-même, mais qu'on l'envisage comme essentiel et vital, que l'on ne puisse imaginer une existence sans ces hiéroglyphes mystérieux découverts dans le silence des pages où l'on vient connaître sa propre voix, muette et authentique.

Ce pouvoir littéraire ne va pas sans risque pour qui cherche à y « limer sa cervelle » : reflet reformant le monde, il nous embarque dans les entrelacs du langage, toile d'araignée où vient parfois mourir la chose, évidence happée dans sa fragilité, perdue dans la tissure rationnelle qui interdit la gratuité des phénomènes. Danger pour soi, le livre piège les apparences de la réalité dans l'ordre explicatif qu'impose la fiction cohérente, belle histoire qui recouvre le désordre du monde, gomme les imperfections par un travail d'enluminure permanent qui fait voir autrement, sous la lumière rassurante de l'histoire.

de l'écriture n'est-il pas dénué de valeur si cela reste esthétique, anodin, dépourvu de sanction, s'il n'y a rien, dans le fait d'écrire une œuvre, qui soit un équivalent (et ici intervient l'une des images les plus chères à l'auteur) de ce qu'est pour le torero la corne acérée du taureau, qui seule – en raison de la menace matérielle qu'elle recèle – confère une réalité humaine à son art, l'empêche d'être autre chose que grâces vaines de ballerine ? » (Paris, Gallimard, « Folio », 1939, p. 10). L'analogie avec la corrida traduit une orientation résolument virile de l'écriture, comme en témoigne la référence-repoussoir à la danse. C'est méconnaître le risque inhérent à cet art, où la chute, voire le seul écart dans le mouvement, trahit soudain la pesanteur et s'entend ainsi comme une mort symbolique de la danseuse.

Dangereuse passion littéraire

Don Quichotte, admirable lettre errante égarée dans le flot d'une trivialité insoutenable, trace comme le sillage fou du livre ouvert qui soumet la vie au souffle épique, lui demande de répondre à l'impératif du sens, lui extorque les preuves de sa propre vérité fictionnelle. La passion littéraire du héros de Cervantès est hommage aux pouvoirs du livre et non simple signe d'une maladie livresque dont le roman stigmatiserait les risques. Lire n'a de sens que si le lecteur exige des pages parcourues une fascination propre à changer la vision qu'il se faisait du monde, si le livre sculpte le regard au point de révéler les simulacres du réel par anamorphose. Réfléchir le monde en un miroir qui le réforme, tel est le sortilège exigé du livre, sans quoi il ne mérite pas même l'autodafé, mais reste bon à moisir dans la poussière d'un grenier. La folie raisonnante de don Quichotte atteste sa foi absolue dans le pouvoir des fables : le livre dit la vérité du monde à la manière d'un révélateur. Scène inaugurale, l'autodafé du chapitre VI se lit comme une tentative pour extirper la folie du cerveau jugé malade (opération réalisée pendant le sommeil de don Quichotte), mais la flamme ne peut rien contre la mémoire livresque du héros lancé sur les chemins du monde fictionnel ; c'est armé de cette culture déraisonnable que don Quichotte s'attaque à la trivialité d'un univers désenchanté. Enfant tyrannique qui ne croit qu'à la force du rêve éveillé, il s'ingénie à vouloir trouver le charme là où l'intérêt, désolant, l'emporte toujours, à enluminer de vermillon les peintures délavées d'une modernité décevante. Loin de confirmer la banalité ambiante, le livre l'affronte et la refuse, il donne droit à la voyance, dessille les yeux de celui-là seul qui ose ressusciter le souffle épique – entendons : réveiller l'âme du monde par un acte de foi poétique sans concession à la logique pragmatique qui régit l'ordre du réel tel qu'il est posé, comme pétition de principe, par l'opinion commune. La culture romanesque que le personnage porte en lui suscite un enthousiasme angoissé qui interdit l'acceptation tacite du conformisme fondé sur l'ordre objectivisé, c'est-à-dire défait du regard, de la larme, de l'épanchement de soi, caresse offerte à la beauté émouvante des choses. S'il se trompe, c'est pour s'acharner à défendre une lecture analogique du monde qui le conduit sans cesse à une erreur d'appréciation d'ordre scientifique, mais l'embarque seul dans une aventure poétique qui confine à la folie idéaliste, l'amenant à osciller entre fureur et mélancolie.

Autre fou inspiré, drogué de livres, le personnage du roman de Canetti, *Auto-da-fé*[1], le Pr Kien, sinologue de renom, réincarnation du Chevalier à la Triste figure et figure de kantien atteint d'une forme d'autisme intellectuel. À vivre dans la mémoire sacrée de ses chers livres, il sombre dans une folie analogue, dépouillé par les créatures mercantiles, dénuées de culture, qui ne cherchent qu'à capitaliser. Humanisant les livres au point qu'il assimile l'objet à son auteur et croit voir les volumes venir à lui, pour lui parler, Kien ne dialogue qu'avec les pages qu'il vénère et adopte un autisme volontaire, par mépris pour la réalité humaine qui l'entoure, misanthropie justifiée par le peu de respect accordé au savoir qu'il diagnostique alentour. Fantasmant la destruction, voire la dévoration des livres dans des visions pour lui douloureuses et cauchemardesques, il témoigne, dans sa folie, en faveur de l'idée contre le pragmatisme vulgaire. On retiendra notamment l'invention du personnage de Fischerle, suprême imposteur-manipulateur, faux champion du monde d'échecs qui est aussi vrai stratège : pour inquiéter Kien, il lui fait croire à l'existence d'un Cochon-démon sévissant dans l'Enfer du Mont-de-Piété, figure qui suscite l'effroi du sinologue parce qu'elle incarne cette terrible menace d'engloutissement de la connaissance : « Avez-vous vu son ventre ? [...] Il y a des gens qui disent que le ventre fait des angles. [...] Il... – dévore les livres ! »[2]

Avaleur, consommateur, le chimérique Cochon à l'estomac rectangulaire dit le risque qu'encourt la pensée silencieuse, couchée sur les pages qui conservent l'histoire de l'humanité : mots et noms broyés par une machine implacable, nouveau Messer Gaster, qui ingurgite et tue sans comprendre le sens même de cette destruction. Le livre digéré par l'ogre devient nourriture, voire combustible alimentant un mécanisme qui ne vise que l'élimination systématique des penseurs. Menace

1. Elias Canetti, *Auto-da-fé,* traduit de l'allemand par Paule Arthex, Paris, Gallimard, « L'Imaginaire », 1968.
2. *Ibid.,* p. 324.

moderne s'il en est, à distinguer de l'autodafé qui trahit la reconnaissance d'un secret à ne pas révéler[1], ainsi que le représente le personnage d'Umberto Eco, bibliothécaire du *Nom de la Rose.* On se souvient du suicide théâtralisé de ce vénérable Yorgué, avalant les pages empoisonnées pour faire mourir avec lui le savoir caché, bientôt parti en flammes : « Je scelle ce qui ne devait pas être dit dans la tombe que je deviens. » « Faire son miel », à la manière de Montaigne, ce n'est pas avaler le livre et mourir avec lui, mais reconnaître que l'on ne peut posséder le livre, s'y trouver même dépossédé d'anciennes croyances, y vivre la passion du livre et sa désacralisation tout à la fois.

En finir avec les chefs-d'œuvre ?

Dans sa virulence géniale et excessive, Antonin Artaud s'insurgeait contre la fossilisation des textes envisagés comme chefs-d'œuvre[2] – entendons : si bien encensés qu'ils en perdaient toute saveur vitale, comme si la page déjà partait en poussière. Répétons après lui, en notre mode mineur, que plus nous aimons les livres, plus il est impératif d'en finir avec les chefs-d'œuvre, de lire un texte en mouvement, à jamais en allé, qu'aucune parole, si docte soit-elle, ne saurait emmurer. Gloire du Panthéon, que s'octroient les lecteurs par ricochet, qui trahit les auteurs par le jeu d'une classicisation[3] qui décolore, affadit, par un discours trop concertant, s'efforçant de gommer les contradictions, de combler les vides du sens, de classer à toute force. La Fontaine y a-t-il gagné, affublé un peu vite de l'étiquette de moraliste, devenu puits de

1. À propos des méthodes modernes de censure, voir l'ouvrage collectif dirigé par Emmanuel Pierrat, *Le Livre noir de la censure,* Paris, Le Seuil, 2008.

2. Voir Antonin Arthaud, *Œuvres,* Paris, Gallimard, « Quarto », 2004. « En finir avec les chefs-d'œuvre », *in Le Théâtre et son double,* p. 549 : « Une des raisons de l'atmosphère asphyxiante, dans laquelle nous vivons sans échappée possible et sans recours – et à laquelle nous avons tous notre part, même les plus révolutionnaires d'entre nous –, est dans ce respect de ce qui est écrit, formulé ou peint, et qui a pris forme, comme si toute expression n'était pas enfin à bout, et n'était pas arrivée au point où il faut que les choses crèvent pour repartir et recommencer. »

3. À propos du processus de classicisation, dirigé par Alain Viala, *Qu'est-ce qu'un classique ?,* n° 19 de la revue *Littératures classiques,* Toulouse, Klincksieck, 1993.

récitations ânonnées sans que ne se goûte l'intelligence d'un poète-philosophe ? Laissons agir les effets de tremblé, les hésitations, les clairs-obscurs du livre, qui nous rappellent l'étrangeté même de notre lecture, si confiante, et pourtant si hasardeuse[1].

Ce rien poussiéreux qui m'obsède, m'accable, me tire des larmes ou me fait rire dit la distance souveraine du livre, objet trouvé là sur mon chemin, qui relie l'instant au passé. Rêvant d'un spectacle total, d'un théâtre de la cruauté qui s'inventerait dans le seul présent, Arthaud croit pouvoir gommer ce qui nous apparaît comme une des séductions premières du livre, à laquelle il est difficile de ne pas succomber. Tombeau qui parle en silence, le livre garde la mémoire d'un moment de pensée que seule la lecture ressuscite, qui sombre dans la nuit une fois la page tournée. Séduction de la ruine qui revit en une apparition fugitive ; ainsi, Montaigne, parlant des ruines de Rome, réinvente un monde à partir de la contemplation d'une absence ; ainsi, dans la scène merveilleuse de *Fellini Roma,* les fresques à peine découvertes s'effacent dans la lumière, comme anéanties par l'air du temps présent ; ainsi, devant ce qu'il reste du temple d'Apollon à Délos, l'imagination active restaure dans l'instant, avec émotion, non seulement l'édifice consacré au dieu de la poésie, mais les textes eux-mêmes, entendus comme en écho alors qu'alentour certains touristes se disent déçus par le vide. « Qui peut se plaindre de... ? », formule falote. La récitation donne la liberté de porter avec soi les voix des poètes, compagnons de voyage qui interdisent l'autisme intellectuel, la pensée négligente, font exiger la rigueur parce qu'ils en donnent le plus bel exemple.

La littérature ne vise pas l'utile, plus encore dans un monde où tout ou presque s'évalue suivant ce critère ; choisir d'écrire, c'est parler de plus haut, à qui veut bien entendre des mots pour eux-mêmes, dans la gratuité du sens à inventer sans barrières, sans mesquinerie intellectuelle, non pour imposer une explication englobante des phénomènes, mais pour les enluminer d'une couleur poétique qui confère à toute expérience vécue une densité, la beauté d'un langage. La science a ses

1. Voir Umberto Eco, *« Lector in fabula » ou la coopération interprétative dans les textes narratifs,* Paris, Grasset, 1985, et *Les Limites de l'interprétation,* Paris, Grasset, 1992.

vérités que la fable ne reconnaît pas. Ainsi, dans une lettre adressée à la duchesse de Bouillon, La Fontaine ironise-t-il sur l'un des points de la physique cartésienne (explication des phénomènes lumineux dans *La Dioptrique* et *Les Météores*), en ce qu'elle aboutit à une vision dépoétisée du monde, pour ainsi dire décoloré par les avancées d'une « nouvelle science » dont il signale, au passage, la dette envers l'Antiquité (Descartes reprend en effet les écrits d'Alhazen, comparant la réfraction lumineuse au rebond d'une balle) : « Tous les jours je découvre ainsi quelque opinion de Descartes répandue de côté et d'autre dans les ouvrages des Anciens, comme celle-ci : qu'il n'y a point de couleur au monde ; ce ne sont que de différents effets de la lumière sur de différentes superficies. Adieu les lis et les roses de nos Amintes. Il n'y a ni peau blanche ni cheveux noirs ; notre passion n'a pour fondement qu'un corps sans couleur. Et après cela, je ferai des vers pour la principale beauté des femmes ! »[1]

Apprendre sans s'en apercevoir

Cette formule empruntée à La Fontaine[2] nous semble convenir à merveille pour définir l'enjeu de la littérature qui invite à penser dans et

1. La Fontaine, *Œuvres, Sources et postérité d'Ésope à l'Oulipo,* édition établie et présentée par André Versaille, préface de Marc Fumaroli, de l'Académie française, Paris, 1995, Complexe, p. 1379.

2. Voir La Fontaine, *Fables,* édition de Marc Fumaroli, Paris, La Pochothèque, « Le Livre de poche » ; Imprimerie nationale, 1985, p. 3. C'est en ces termes que La Fontaine faisait l'apologie des *Fables* d'Ésope (et exposait peut-être indirectement son dessein) dans la première Dédicace, en donnant en exemple le précepteur du Dauphin, le Président de Périgny, désigné par la périphrase « celui sur lequel Sa Majesté a jeté les yeux pour vous donner des instructions » :

> « Ésope a trouvé un art singulier de les joindre l'un avec l'autre [l'utile et l'agréable]. La lecture de son ouvrage répand insensiblement dans une âme les semences de la vertu, et *lui apprend à se connaître sans qu'elle s'aperçoive de cette étude,* et tandis qu'elle croit faire tout autre chose. C'est une adresse dont s'est servi très heureusement celui sur lequel Sa Majesté a jeté les yeux pour vous donner des instructions. »

La formule « apprendre sans s'en apercevoir » semble trouver un prolongement dans le second détour fictionnel qui s'inscrit dans la Préface pour justifier la valeur pédagogique de la fable. Mettant en œuvre une seconde fois ce « pouvoir des fables », La Fon-

par le plaisir : la fiction littéraire exerce une séduction non trompeuse, à visée réflexive, puisque l'ouverture du livre coïncide en quelque sorte avec un pacte implicite, le lecteur acceptant les lois de l'univers dans lequel il pénètre, complice de la séduction dont il est l'objet.

Ce qui se découvre alors, dans le jeu de la fiction, n'a rien d'une évasion, d'une fuite hors de soi : la lecture nous révèle à nous-même, le texte-miroir du monde dessinant le reflet de soi, en un voyage intellectuel où chacun fait l'essai de sa propre subjectivité, de ses limites : « Dis-moi comment tu lis, je te dirai qui tu es. » Pris d'une fascination joyeuse, le lecteur errant en terre fictionnelle affronte sa propre fiction intellectuelle, faite de préférences, d'opinions plus ou moins motivées, élaborée à l'aide de ses expériences existentielles. Lire, c'est d'abord faire l'essai des limites de sa propre vie et tenter de les repousser par la découverte d'une autre pensée, d'un autre regard sur le monde. On ne sait donc jamais *vraiment* lire, l'on est toujours en apprentissage, saisi par la diversité subjective qui trouve dans la littérature son lieu non seulement d'expression, mais d'exercice et de déploiement, à tel point que l'esprit qui s'y plonge sans réticence y éprouve d'abord le vertige.

Car c'est bien cette richesse de sens qu'on galvaude en permanence en dénaturant le plaisir littéraire, recouvert d'un indigeste savoir pseudo-scientifique qu'on croit nécessaire à justifier la spécificité littéraire. C'est qu'il est, en effet, osé de se dire spécialiste d'une forme de plaisir esthétique, que l'on cherche à mieux éprouver, à mieux faire goûter et partager. Les catégorisations, les hiérarchisations qui, notamment depuis le XVIIe siècle, caractérisent une certaine conception française de la littérature semblent enfermer aussi bien les auteurs que les lecteurs dans un carcan critique qui nuit au déploiement de l'imaginaire et défigure la

taine propose la transposition ludique d'un exemple historique, exercice de réécriture que signale la répétition modulée : « Dites à un enfant [...]. Dites au même enfant [...] » (p. 8). Or le lecteur lui-même éprouve la supériorité attractive de la fable animalière sur la version « réaliste », peut-être précisément parce qu'elle flatte ce goût pour le « mensonge » éclairant, ce jeu de mise à distance qui donne à penser sans ennuyer.

Joindre l'utile à l'agréable, la formule prend tout son sens dans la fable où l'amusement ne désigne plus seulement le plaisir lié à la lecture ludique, mais une aisance qui s'exhibe en badinage, donnant l'impression d'un *art de penser dans la légèreté* mais qui implique, comme on s'en doute, une maîtrise parfaite de l'écriture.

littérature elle-même, schématisée pour le plus grand plaisir des pédants qui en font leur objet d'étude et se glorifient d'un vain savoir recouvrant le fait littéraire dans son admirable diversité. C'est que la littérature constitue un enjeu politique majeur : se l'approprier signifie obtenir une supériorité culturelle qui distingue ; l'usage du jargon n'est, en ce sens, nullement gratuit : il permet de mettre le texte hors de portée de tout un chacun, il autorise à revendiquer une spécialité. Non qu'il s'agisse de fuir toute terminologie, mais l'on serait au moins en droit d'exiger que tout concept à visée herméneutique constitue un outil d'analyse opératoire qui permette de mettre en valeur l'un des aspects du texte, de le servir en ce qui le définit, et non de le tordre pour l'utiliser comme prétexte justifiant une théorie élaborée *a priori*.

Or le déballage terminologique n'est pas à négliger si l'on songe que l'enseignement même de la littérature tend parfois à se confondre avec une critique de la critique, les étudiants faisant trop souvent l'économie de la lecture des textes eux-mêmes pour se ranger derrière une parole autorisée, fréquemment mal maîtrisée, attitude que l'on a beau jeu de critiquer : ce refoulement de la parole autonome devrait plutôt nous interroger sur nos propres pratiques d'analyse et d'écriture. L'usage permanent de la citation, sans laquelle, semble-t-il, le propos perd toute saveur construit un discours quasi complexé. Sans doute pourrait-on rêver d'une polyphonie à La Montaigne, admirable concert d'idées qui se répondent dans un dynamisme intellectuel renversant, mais c'est malheureusement plutôt une pratique à la mode « Docteur Cottard » qui s'impose : on cite, souvent de façon décalée, et sans bien comprendre parfois, on cite pour citer, comme tel personnage de La Bruyère[1], on

1. La Bruyère, *Caractères,* introduction et notes d'Emmanuel Bury, Paris, Le Livre de poche classique, 1995, p. 476 : « Hérille soit qu'il parle, qu'il harangue ou qu'il écrive, veut citer. Il fait dire au Prince des philosophes que le vin enivre, et à l'Orateur romain que l'eau le tempère ; s'il se jette dans la morale, ce n'est pas lui, c'est le divin Platon qui assure que la vertu est aimable, le vice odieux, ou que l'un et l'autre se tournent en habitude : les choses les plus communes, les plus triviales, et qu'il est même capable de penser, il veut les devoir aux anciens, aux Latins, aux Grecs : ce n'est ni pour donner plus d'autorité à ce qu'il dit, ni peut-être pour se faire honneur de ce qu'il sait. Il veut citer » (Des Jugements, 64). Piège de l'auto-ironie : en nos notes se reflète cette manie qui pourrait servir une forme littéraire nouvelle, singeant à l'excès le principe de commentaire, jusqu'à obtenir un feuilleté de paraphrases autorisant une pensée diffractée.

pose les jalons incertains d'un appareillage critique qui assure le sérieux au moins apparent de l'exposé, et surtout on oublie le texte lui-même, avalé par le discours qui finit par le desservir.

Sans doute complexée par rapport aux disciplines scientifiques (ou peut-être par rapport à la philosophie), une certaine critique littéraire s'arme d'un arsenal conceptuel étourdissant, aujourd'hui renforcé par l'outil informatique, censé révolutionner la recherche littéraire en apportant des données quantitatives objectives, sur lesquelles l'analyse pourra s'appuyer sans risque d'erreur. C'est oublier sans doute que le choix des critères de repérage fera toujours intervenir la compétence – et, surtout, l'esprit de finesse de l'analyste. Relever sous forme de liste les occurrences d'un mot dans un texte ne change guère la lecture : tout dépend des raisons pour lesquelles on a sélectionné ce mot plutôt qu'un autre, et de l'interprétation que l'on accorde à la réitération observée. L'obsession de l'outil nous semble devoir être dépassée, ce qui implique de considérer directement le texte, d'en accepter les mystères, les zones d'ombre, plutôt que de chercher d'emblée à les réduire. Car le plaisir du texte passe d'abord par cette acceptation d'une impuissance à le cerner entièrement, d'une résistance qui en assure la valeur et l'autonomie.

Au XXe siècle se sont multipliées les approches du fait littéraire, centrées sur l'auteur, ou sur les formes, et enfin sur la réception, au point qu'on jongle avec les concepts empruntés sans toujours les employer à bon escient. Il conviendrait d'abord de questionner les questions ainsi posées à la littérature, afin de mieux circonscrire leur pertinence et d'éviter les simplifications, les torsions que subissent les textes.

La feinte rencontre

S'il est une spécificité littéraire, elle semble résider dans cette alliance entre plaisir et questionnement, qui définit un statut rhétorique à part : une séduction sans manipulation. Plus encore, l'attirance que suscite le texte tient à la trace toujours laissée par l'écrivain dans son œuvre : le style, subjectivité d'auteur (forme d'*ethos* littéraire), dessine à la fois l'absence d'une personne sans cesse et vainement recherchée par le lecteur et sa présence poétique en permanence réaffirmée. D'où l'importance de la voix, qui se fait entendre dès l'*incipit,* lieu d'une capture, mais doit aussi trouver un rythme (effets de suspense, de ralenti...). Posture oblique, effacement, éclatement en instances diffractées : quelle que soit la position qu'il adopte, l'auteur reste le grand mystère à percer, et qui ne le peut être. Cette perspective invite à rectifier le primat accordé à la métaphore censée définir la littérature. Il nous semble que, plus que la figure, c'est l'orchestration théâtralisée d'une subjectivité assumée, explorée, en un dépassement de la personne, qui constitue le cœur de l'entreprise littéraire : faire parler des rôles, faire entendre une voix « qui n'est chaque fois ni tout à fait la même, ni tout à fait une autre », jeu de truchement par quoi la pensée se fait entendre comme un charme. Plaisir d'écrire et recherche de soi mimés par l'auteur appellent le plaisir de lire et le façonnement de soi qui l'accompagne.

Se pose alors la question d'une vérité littéraire : étrangère à l'objectivité scientifique, la littérature offre un espace où se forge la subjectivité, où elle s'évalue. Le sujet serait l'essence même du littéraire, puisque la seule garantie susceptible de fonder une vérité littéraire consisterait dans la personnalité d'écriture, marque subjective réalisée dans le langage. À travers le récit littéraire, l'écrivain, « toujours autre d'un autre », dessine une subjectivité en devenir, un trajet stylistique, cette mouvance constituant peut-être le ressort de la séduction, et pour le lecteur, et pour le créateur, comme engagé sur une trajectoire de pensée. Le percept littéraire se distingue, en ce sens, du concept philosophique : idée secrète qui impose sa présence, souvent obsédante, comme diffusée dans l'œuvre, jamais définie mais montrée, voire théâtralisée, donnée non seulement à contempler, mais à ressentir imaginairement.

Voies tracées

Afin de comprendre les raisons d'une crise du littéraire, il conviendrait d'abord de revenir sur les différentes voies empruntées pour analyser le fait littéraire dans sa diversité ; en questionnant les questions posées à la littérature par la critique, on espère cerner clairement la spécificité littéraire, voire la défendre contre un empire analytique parfois peu respectueux de la vie des textes.

QUESTIONS SUR LES QUESTIONS POSÉES À LA LITTÉRATURE

Poétique et rhétorique

Oscillant entre les deux textes aristotéliciens, *La Poétique* et *La Rhétorique,* la critique française réalise des collages, des transferts terminologiques qui ne vont pas de soi. Sans doute peut-on reconnaître comme commun aux deux livres le concept de vraisemblable *(eikos)*. En ouverture du chapitre 9 de *La Poétique,* le mot définit l'acte poétique lui-même : « [...] le rôle du poète est de dire non pas ce qui a lieu réellement, mais ce qui pourrait avoir lieu dans l'ordre du vraisemblable ou du nécessaire » (9, 51 *b* 13)[1]. La technique rhétorique inventée par

1. Aristote, *La Poétique,* texte, traduction, notes par Roselyne Dupont-Roc et Jean Lallot, Paris, Le Seuil, « Poétique », 1980.

Aristote se construit, quant à elle, comme un art de la vraisemblance : l'enthymème, type de raisonnement déductif présenté comme le mode le plus probant – devant l'exemple (inductif) et l'analogie (jouant d'un rapport de proportions) – repose, sur des prémisses vraisemblables, à la différence du syllogisme, employé en logique pure. Le vraisemblable, défini comme « ce qui se produit le plus souvent » (I, 1357 *a*), est ce à partir de quoi se développe l'argumentation déductive. En ce qui concerne l'exemple, le cas forgé à valeur inductive doit aussi s'imaginer dans le respect de ce que l'on pourrait appeler une loi de vraisemblance, ciment de l'art rhétorique tel qu'Aristote le théorise. L'analogie elle-même n'aura une chance d'être validée par l'auditeur que dans la mesure où la mise en relation sous forme de pseudo-équation (*a* est à *b* ce que *c* est à *d*) peut être perçue comme vraisemblable, ce qui implique au préalable que les deux domaines construisant l'équivalence soient comparables. Le concept d'*eikos* apparaît comme déterminant dans la conception aristotélicienne, qu'il s'agisse de l'œuvre poétique ou du discours rhétorique, puisque seule la vraisemblance assure la cohérence qui engage l'adhésion du lecteur comme de l'auditeur : un monde de langage se forge sur la page ou par la voix, univers probable, logiquement acceptable auquel l'esprit à l'écoute peut adhérer comme à une hypothèse recevable.

Dans cette perspective, la *poiesis* s'oriente vers une écriture du plausible et la force de l'œuvre réside essentiellement dans l'art de la construction, assurant le déroulement vraisemblable de la trame jusqu'au dénouement, suivant une progression qui ne choque pas l'entendement et évite toujours l'égarement. L'articulation des concepts clés de la rhétorique et de la poétique permet de comprendre ce que le primat de la cohérence induit dans l'élaboration de l'œuvre littéraire. L'unité du *muthos,* organisé suivant le principe majeur de vraisemblance, renvoie à la dominante logique de la technique rhétorique et à la composante stratégique que constitue la *dispositio*. L'œuvre vaut pour son dynamisme structurel, à la manière d'un corps qui prendrait vie, parce que ses parties s'articulent harmonieusement, fonctionnent heureusement. Cette vision quasi physiologique du poème a fortement joué dans l'orientation de l'invention littéraire française. Sans doute la théorie aristotélicienne a-t-elle imposé sa force dans la mesure où elle livre les clés essentielles d'un art de forger des fables, sans lesquelles le poème risque fort de s'écrire dans l'inconscience. Mais la sculpture des formes subit l'influence du texte antique, au risque d'un académisme qui n'est plus toujours réfléchi, entendu comme évidence esthétique attestée ; plus encore, *La Poétique,* envisagée comme texte fondateur, devient pour beaucoup la référence servant de *criterium* dans la distinction littéraire sans respect parfois pour la multiplicité des enjeux, et au prix d'une torsion terminologique qui rassemble formes et genres sous le nom de *muthos*.

Sous forme d'un essai intitulé « *La Poétique* et nous », Umberto Eco propose de réexaminer la dette envers le théoricien antique dans *De la littérature*[1], collection de textes rassemblant son point de vue d'écrivain et de critique. Avouant écrire guidé par les aspirations de sa propre plume, Eco traduit sa préférence romanesque en évaluant les textes à l'aune de *La Poétique.* C'est ainsi qu'il suggère un lien entre un jugement sur la littérature italienne narrative depuis l'âge classique et l'évincement de la théorie aristotélicienne par *La Science nouvelle* de Vico, qui promeut une « esthétique de l'imprévisible liberté de l'Esprit » (p. 299) : « Pour en revenir au refus d'Aristote qui a caractérisé la culture italienne depuis le XVIIe siècle, je ne veux par me compromettre en décidant quelle fut la cause et quel fut l'effet, mais il est sûr que, pendant des siècles, la culture italienne n'a produit ni de bons romans ni de bonnes théories de l'intrigue » (p. 311).

On comprend aisément la fascination que La *Poétique* exerce sur l'auteur du *Nom de la Rose,* roman où la stratégie de la disposition joue à plein, à la manière d'une intrigue policière ; il reconnaît d'ailleurs son goût pour les textes admirablement orchestrés, citant notamment la *Philosophy of Composition* d'Edgar A. Poe. Et quand il évoque Joyce, c'est pour reconnaître en lui celui qui, maîtrisant la technique aristotélicienne, la met en cause, écrivant donc à partir d'elle, sous influence, comme prolongeant les lois de la narration en une invention complexe qui les problématise sans les dénier.

1. Paris, Grasset, 2003, p. 299-322.

La reconnaissance d'une dette envers Aristote n'a de sens, nous semble-t-il, que dans la mesure où elle ne ferme pas le champ littéraire, *La Poétique* seule jugeant de la validité d'une œuvre. Songeons à l'ingéniosité proprement anti-aristotélicienne de Cervantès. Sans doute l'adjectif même est-il aveu de la puissance d'une théorie contre laquelle il faut composer. Songeons encore à la fiction en archipel de Rabelais qui déborde largement les lois de l'intrigue en proposant une unité ironique ; seul fil conducteur exprimé, l'éventuel mariage de Panurge, qui se perd à mesure que l'univers se diffracte, d'île en île. Songeons encore à la Lune et au Soleil de Cyrano de Bergerac, autres mondes que le lecteur découvre non suivant l'ordre d'un temps nécessaire, mais au gré des contingences qui réorientent sans cesse le cheminement d'un voyageur énigmatique. Songeons que le roman russe depuis *Les Âmes mortes* de Gogol fait découvrir des horizons qui éclatent les cadres, l'intrigue ne constituant pas l'enjeu majeur de l'écriture mais la condition de possibilité de l'émergence d'un univers aux nouvelles dimensions, où s'éprouve la démesure, où les destins se perdent dans l'errance ou l'ennui. La recherche des âmes mortes peut-elle guider le texte ailleurs que dans les contrées de l'absurde ? Quant à la composition géniale des *Frères Karamazov,* à la manière d'une étude-tableau de Rachmaninov, elle ne constitue qu'un ressort de la machine fictionnelle ; en ses enchevêtrements, elle contient les replis de l'âme russe en proie à ses plus violents excès : l'espace du roman ne se réduit pas à un échiquier où développer une stratégie ; Dostoïevski tisse les discours, montre les accès de folie – déploiement éthique qui désoriente non par la cacophonie des voix, mais par l'élaboration d'une harmonie saturée de sonorités, comme si, par le livre, vibrait en nous une pluie d'accords défiant l'analyse. Que dire de *Voyage au bout de la nuit,* dans sa structure de circularité, marquant une esthétique de la déception ? Antiroman, si l'on veut, nous ramenant finalement à la place Clichy, point de départ d'une aventure loufoque, comme si, en ses errances, Bardamu n'avait fait que revenir piétiner sur le pavé parisien.

En effet, l'insistance sur la cohérence narrative (analogique de la dominante logique en rhétorique) relaie au second plan l'épaisseur psychologique qui a pourtant défini une certaine forme de modernité romanesque à partir du XVIIe siècle ; si l'on veut poursuivre le jeu de correspondances, la densité des caractères animant le roman est à rattacher à la réflexion déterminante d'Aristote sur le concept rhétorique d'*ethos* : « C'est le caractère qui, peut-on dire, constitue la plus efficace des preuves » (*La Rhétorique,* I, 1356 *a*)[1].

Songeons d'abord à l'entreprise balzacienne de peinture de mœurs, centrée sur une vision extérieure, point de vue d'analyste qui aboutit à une comédie littéraire qui donne un nom, un visage, une voix, une histoire aux types humains des *Caractères* de La Bruyère. Par le procédé ingénieux du style indirect libre, Flaubert offre une vision du dedans, la voix narrative oscillant entre empathie et ironie à l'égard du personnage qui se fait entendre et dont le lecteur peut non seulement percevoir, mais aussi, pour ainsi dire, épouser la posture psychologique. Cet effet polyphonique confère au roman une nouvelle dynamique interne, ne relevant plus de la composition externe mais de la construction d'une phraséologie des personnages qui donne souffle de vie à l'œuvre entière.

Plus encore, Proust exploite cette ironie souveraine en jouant d'une ambiguïté énonciative qui place le personnage de Swann dans une position énigmatique : à lire *Un Amour de Swann,* l'on pénètre par l'intermédiaire de cet intrus dans le clan Verdurin ; il témoigne, en spectateur, de son regard oblique porté sur la bêtise bourgeoise ; et la voix narrative tantôt épouse ses jugements sur ce monde étriqué, tantôt semble ironiser sur l'amour qui tient malgré tout Swann prisonnier, incapable d'échapper à sa propre passion née d'une circonstance musicale. Ironie subtile qui le suit jusqu'en son dédain, lorsque, une fois

1. E. Garver, « La découverte de l'*èthos* chez Aristote », « Le statut du sujet rhétorique », *in* F. Cornillat, P. Lockwood (dir.), *Ethos et pathos,* Actes du Colloque international de Saint-Denis (19-21 juin 1997). Tout *logos* n'a de valeur que si l'*ethos,* fonctionnant comme une signature et une garantie, vient l'authentifier : c'est la force d'une subjectivité susceptible de faire autorité qui accrédite l'objectivité des arguments avancés : « L'*èthos* est la condition de l'identité morale. Mais pourquoi un être possédant une identité morale serait-il digne de foi ? La réponse à cette question, je crois, indique l'ultime raison pour laquelle la confiance demande un *èthos* produit par *logos.* Quelqu'un qui se présente comme usant de son identité morale en décidant ce qu'il faut faire prend la responsabilité de ce qu'il propose. L'argument passe en lui, et pas simplement par lui comme par un canal sans rapport avec ce qu'il conduit » (p. 34-35).

exclu du petit monde bourgeois, il exprime son mépris à défaut de poursuivre son malentendu amoureux.

La grande invention célinienne, jusqu'à présent non égalée, tient à une forme ingénieuse de narration scandaleuse (si l'on convoque les codes de l'époque) : la voix orale populaire de Bardamu, sans fiabilité, ni autorité, fait entendre une authenticité humaine, la phraséologie du personnage se confondant avec le style narratif. Admirable balafre dans le portrait trop respectable du narrateur (qui atteint par ricochet l'auteur), le style célinien passe la phrase au scalpel jusqu'à extirper aux mots un peu de sang. L'*ethos,* « plus efficace des preuves » rhétoriques, trouve sa correspondance poétique dans le style, lorsqu'il est marque d'une subjectivité forgée dans le texte littéraire, lorsqu'il fait danser le texte au rythme de sa musique.

Enfin, la composante pathétique qui présuppose une psychologie de l'auditoire dans l'élaboration du dispositif rhétorique trouve son analogue littéraire dans les figures du lecteur telles qu'elles sont à deviner dans le texte. Cette inscription d'une destination constitue une marque d'ouverture, trace comme une faille dans la cohérence trop lisse de l'histoire pour inviter le lecteur à participer en co-auteur (nous reviendrons sur cette notion) à l'accomplissement de l'œuvre. La séduction de *Jacques le fataliste* tient à l'éclatement du dispositif narratif en différentes voies qui s'enchevêtrent, les récits se perdant pour se poursuivre au gré des humeurs affichées d'une figure d'auteur qui revendique sa liberté souveraine de choisir les chemins qui attirent son imagination. En l'occurrence, le lecteur est contraint de suivre son guide, cette voix qui *détermine* l'avenir du livre, mais il gagne une conscience critique qui annule la fatalité de l'intrigue, dès lors que la contingence se substitue à la nécessité dans la succession des événements racontés. Sans doute la saveur du roman tient-elle à la construction complexe orchestrée par Diderot, qui parvient à imbriquer les histoires et à les relier dans le pseudo-dialogue entretenu avec le lecteur interpellé. Il semble que ce dialogisme qui questionne sans cesse le devenir même du texte offre un nouveau plaisir de lecture : non plus abandon à l'écoute d'une trame narrative que l'on reçoit seulement comme une histoire parfaite, mais, alors même que l'on ne peut rien changer au déroulement du texte, déjà écrit, prise de conscience des possibles narratifs évincés et illusion de pénétrer dans le laboratoire de l'écrivain, de partager sa liberté imaginative.

La vraisemblance de l'intrigue définit une qualité narrative qui a pu expliquer la séduction d'un certain type de récit, et plus souvent des récits courts. Dans le texte d'Umberto Eco que nous citions, la référence à Poe concerne la nouvelle et le poème, tel qu'il les conçoit, comme textes à effet, fondés sur le suspense et la surprise[1]. Il suffirait de lire une nouvelle de Tchekhov pour constater que le texte bref peut offrir d'autres horizons de sens : le temps suspendu, la dilatation de l'attente déplacent l'effet vers une conscience quasi atmosphérique, peut-être propre au texte russe, caractérisé, nous semble-t-il, par une poésie de la circonstance propre à tisser dans sa trame même la force de l'ennui, à faire ressentir parfois une torpeur mélancolique, à susciter une pensée qui se puise et s'épuise dans la contemplation-perception du détail.

La question de la cohérence narrative est enjeu poétique majeur, et l'écrivain qui, voulant construire un *muthos,* la néglige, voire la méconnaît, ne crée effectivement qu'un corps monstrueux ; mais le choix d'une déconstruction assumé en toute conscience donne lieu à des inventions plus périlleuses, parce que ce qui se risque, dans la mise en péril de l'unité, c'est l'éclatement du sens et la confusion du lecteur lui-même, refermant le livre parce que, parole trop ouverte, l'œuvre ne lui parle plus mais lui offre en vrac les morceaux d'un puzzle qui ne le séduit plus.

Contre une littérature qui impose son idéologie, enrégimentant le lecteur en feignant de lui conter une histoire, Alain Robbe-Grillet propose, entre autres mesures d'affranchissement intellectuel, la disparition de l'intrigue comme l'un des points essentiels de la révolution littéraire qu'entend opérer le Nouveau Roman. La théorie elle-même découle

1. Voir, notamment, les premières pages du « Chat noir » *in Nouvelles histoires extraordinaires,* Paris, Le Livre de poche, 1972 (p. 13 et s.), où s'élabore un dispositif qui prépare l'effet à produire, effroi programmé, dans un récit qui allie le quotidien au prodige.

d'une démarche idéologique personnelle, racontée dans *Un Régicide* (son premier roman) : rupture avec l'ordre établi par la famille et la voie tracée par le métier qui fait opter pour l'écriture fragmentée, libérée de l'impératif de représentation : plutôt que d'asséner la vérité à jamais invérifiable d'un monde fictionnel arbitrairement cohérent, il entend émietter le corps du texte, effacer les personnages pour faire voir seulement par un regard venu de l'extérieur. La faillite du Nouveau Roman rend peut-être compte d'une résistance du public peu séduit par ces livres sans histoire, par ces noms sans manies personnelles, sans trait de caractère, par ces lieux qui vacillent dans un temps sans repère précis : le monde en suspens de Robbe-Grillet a la beauté du verre brisé, « miroir qui revient » sans que ne se fixe effectivement un visage, une intonation, monde perçu dans sa matérialité muette, nous mettant à distance toujours des choses, qui apparaissent puis s'effacent, se gomment sur notre chemin. On comprendra que cette expérience phénoménologique n'ait pas attiré le grand nombre, mais force est de reconnaître que dans la mouvance du Nouveau Roman se sont façonnées de nouvelles façons d'écrire, de Butor à Nathalie Sarraute, offrant au lecteur avide de découverte un foisonnement d'idées spécifiquement littéraires. Le retour à la narration traditionnelle, et au primat de l'intrigue, n'a en tout cas rien valu à la littérature française qui s'enlise désormais dans une facture aristotélicienne de contrefaçon : mauvaises histoires sans la force du style, précisément parce que la dimension éthique fait défaut, tandis que seule l'empathie avec le lecteur moyen semble recherchée.

Si le concept clé de vraisemblable relie *La Rhétorique* et *La Poétique,* il n'en reste pas moins que l'usage des notions rhétoriques pour l'analyse littéraire pose problème, dans la mesure où l'enjeu oratoire ne saurait être superposé à celui de l'acte d'écrire. La notion de lecteur modèle proposé par Umberto Eco pourrait sans doute servir de passerelle comme équivalent d'un auditoire visé, mais le texte littéraire s'aventure précisément entre lecteur réel et lecteur modèle suivant une énonciation d'autant plus aléatoire que la situation de la lecture échappe à l'auteur. La rhétorique définie au seuil du texte aristotélicien comme « la faculté de découvrir spéculativement ce qui, dans chaque cas, peut être propre à persuader » (I, 1355 *b*)[1] vise un effet pragmatique sur un auditoire clairement identifié, elle fournit les moyens techniques d'un succès oratoire par sélection d'un argumentaire adapté au public et aux circonstances.

Sans doute les études sociologiques fournissent-elles aujourd'hui les clés d'un livre à succès – entendons : « qui se vendra bien », jouet propre à divertir –, mais tel n'est pas l'objet de l'entreprise littéraire entendue comme discours sur le monde né d'un regard décalé, d'une conscience critique qui est nécessairement extérieure au champ des activités sociales dans leur déroulement médiatique.

Le primat de La Poétique *dans l'espace littéraire français*

Plus encore que la *catharsis,* purgation des passions justifiant la représentation tragique jusqu'en ses excès psychologiques, il nous semble que c'est l'idée déterminante de disposition ingénieuse qui a influencé l'espace littéraire français, engageant une forme d'écriture rhétoriquement consciente, analogue à une stratégie d'ensemble susceptible de produire un effet préalablement défini. À cet art de la composition s'ajoute la rationalisation systématique qui aboutit à une compartimentation des lieux d'écriture, tragique et comique, caractérisés par des styles et des caractères spécifiques (style élevé et personnages de haut rang pour la tragédie, style *medium* et basse condition pour la comédie). Cette dichotomie théorique engage une opposition entre deux modes dramatiques, envisagés suivant un principe hiérarchique, la tragédie apparaissant comme œuvre majeure. La répartition raisonnée des formes et des enjeux a ainsi conditionné les jugements de goût et justifie notamment la reconnaissance d'une « grandeur » spécifiquement française sous le règne de Louis XIV. C'est en effet la forme canonique de la tragédie à la manière aristotélicienne qui triomphe dans les œuvres de Racine et Corneille, au point que la beauté quasi géométrique du tragique classique est donnée comme sommet esthétique incontestable

1. Aristote, *La Rhétorique,* Paris, Gallimard-Les Belles Lettres, « Tel », 1980, 1991, p. 22.

dans l'imaginaire collectif aussi bien que dans l'institution des lettres françaises. La puissance de déflagration de l'alexandrin, la force de l'unité dramatique qui confère au destin tout son sens tragique, la lutte psychologique tout intérieure qui anime les caractères d'une émotion authentique, autorisant le transfert cathartique, l'élégance que confère le respect des bienséances, tels sont les composants d'un philtre tragique qui injecte l'excès dans un art de la mesure, pour mieux guérir le spectateur. Si l'on peut douter de cette thérapeutique[1], le pouvoir de ce théâtre, sa force de séduction nous étonnent à chaque nouvelle représentation, comme si, en sa délicatesse violente, il nous parlait du fond des temps, réveillant les mythes anciens, restaurant les palais engloutis.

Cette forme a façonné l'esprit français, au point de susciter chez les écrivains le désir de l'écriture tragique, envisagée comme accomplissement, défi lancé à soi-même qui seul fait accéder à la reconnaissance littéraire et, plus encore, inscrit le nom dans les mémoires. Le travail de l'alexandrin tragique, analogue à la sculpture du marbre, se réalise dans le plaisir fantasmé d'une difficulté tenant au matériau même, redoublé par l'élaboration d'une forme rêvée comme *essentiellement* belle, parce que rigoureusement harmonieuse.

La fascination que la tragédie exerce sur Voltaire est significative de cette hiérarchisation des formes et semble pouvoir être rattachée à la proposition d'une exemplarité du moment classique, défendue dans *Le Siècle de Louis XIV*. *Œdipe, Brutus, Zaïre, La Mort de César, Zulime, Mahomet ou le fanatisme, Mérope :* sous ses titres, Voltaire expérimente diverses voies tragiques, convaincu du pouvoir d'éloquence de cette forme théâtrale française qu'il préfère à l'ambiguïté tonale de Shakespeare, qu'il accuse d'avoir ouvert la voie à la création de « beautés irrégulières », voire d'enfanter des « monstres », par méconnaissance théorique et esthétique : « Il [Shakespeare] avait un génie plein de force et de fécondité, de naturel et de sublime, sans la moindre étincelle de

1. Tony Gheeraert, « La *catharsis* dans la théorie classique de la tragédie et sa mise en cause par les moralistes augustiniens », *Les Études Épistémé*, n° 1, « La représentation des passions en France et en Angleterre (XVIIe-XVIIIe siècles), mai 2002.

bon goût et sans la moindre connaissance des règles. Je vais vous dire une chose hasardée mais vraie : c'est que le mérite de cet Auteur a perdu le théâtre anglais ; il y a de si belles scènes, des morceaux si grands et si terribles dans ses farces monstrueuses qu'on appelle Tragédies, que ces pièces ont toujours été jouées avec un grand succès. Le temps, qui seul fait la réputation des hommes, rend à la fin leur défauts respectables. La plupart des idées bizarres et gigantesques de cet auteur ont acquis au bout de deux cents ans le droit de passer pour sublimes [...]. »[1] Et de conclure la lettre : « Les monstres brillants de Shakespeare plaisent mille fois plus que la sagesse moderne » (p. 104).

Ironie de l'histoire littéraire : Voltaire vit en notre mémoire plus par ses *Contes,* son *Dictionnaire philosophique,* qu'il ne résonne comme auteur dramatique. Le bon goût qu'il convoque renvoie aux canons à la française, à l'art du rien de trop, idéal de concision spécifique de la pensée classique dont il est le digne héritier jusqu'en son style, marqué par une ironie incisive. On comprend assez naturellement les dessous de l'entreprise élogieuse, réalisée sous le titre lui-même fantasmatique de *Siècle de Louis XIV*. Posant la première pierre de cet édifice classique, qu'on appellera le Grand Siècle, Voltaire salue une famille d'esprit en laquelle il se reconnaît, il trouve ses racines, en dépit des divergences idéologiques : famille littéraire avant tout, à laquelle il appartient, comme prolongeant au XVIIIe siècle le moment de fulgurance classique, né d'une rencontre inédite entre des circonstances linguistiques et politiques (conscience et reconnaissance de la force littéraire) et la présence d'esprits aptes à chercher un idéal de perfection classique. Si le siècle de Louis XIV rivalise avec celui d'Auguste, c'est d'abord par la force de sa langue, par le travail d'orfèvre réalisé par les écrivains, affinant les règles antiques et reprenant non seulement le modèle tragique mais aussi l'idéal attique de la période, forme phrastique significative de cette obsession du corps harmonieux, recherchée parce qu'elle constitue une victoire sur l'incohérence spontanée de la pensée et de l'expression, sur ces monstres de l'esprit que l'esthétique classique rejette, et que le

1. Voltaire, *Lettres philosophiques,* Paris, Classiques Larousse, 1972, XVIII, « Sur la tragédie », p. 100.

XIXe siècle redécouvrira avec délectation, explorant les terres du grotesque et renouant ainsi avec une certaine liberté à la manière de Montaigne. Non confusion de la pensée mais confiance dans son cheminement naturel, et goût pour un art du mélange, comme une révérence à la Renaissance, à son élan de curiosité, écho de sa tendance à la perception analogique des choses[1].

Dans sa certitude à détenir des vérités de bon goût, l'esprit français risque un isolement princier qui l'empêche d'avancer là où il prétend exceller, il en vient aussi à passer à côté de formes dont il ne peut savourer la séduction parce que jugée non agréablement exotique mais monstrueuse. C'est en faisant tomber les cloisons trop rigides que Molière nous offre son *Don Juan,* prétendue « Comédie » mais dont la saveur tient à une oscillation entre tragique et comique propre à engager un questionnement sur l'articulation entre temps et idéal, qui dépasse de bien loin la Loi morale pour peindre la condition humaine dans sa déchirure première. Le destin qui vient terrasser les héros tragiques s'immisce dans la comédie sous force de spectre, métaphore de la superstition qui fait de don Juan un « esprit fort », refusant les simulacres, acceptant de fixer la réalité matérielle du monde. Le commandeur de pierre, nouveau Charon[2], s'anime pour accompagner la main vers la mort, simplement. Par-delà la transgression de la loi – religieuse, sociale –, don Juan, bafouant les pactes, violant les mots, s'avance, force qui va vers son propre destin, déchirant le temps en

1. *Cf.* M. Foucault, *Les Mots et les choses,* Paris, NRF-Gallimard, 1979.

2. *Cf.* Baudelaire, *Don Juan aux enfers, in Les Fleurs du mal,* section « Spleen et idéal », Paris, Gallimard, « La Pléiade », 1954, p. 94-95. Guidé d'abord par Charon, puis, ironie du sort, par un mendiant, figure cynique au « regard fier comme Antisthène » (fantôme du personnage bafoué dans la pièce de Molière ?) et enfin par une statue qui s'anime (spectre du Commandeur ?), don Juan manifeste, au terme du poème, son suprême dédain, comme le signe d'une passion de la liberté, par-delà la mort, œil fixant la vie qui s'enfuit, comme perdu dans une nostalgie voluptueuse, refus de la pénitence (« L'Impénitent », premier titre choisi par Baudelaire en 1846, selon la note p. 1387) et réaffirmation en acte du passé consacré à la quête essentielle de la joie :

> Tout droit dans son armure, un grand homme de pierre
> Se tenait à la barre et coupait le flot noir ;
> Mais le calme héros, courbé sur sa rapière,
> Regardait le sillage et ne daignait rien voir.

passant par les corps, en quête d'un idéal qui résisterait à l'usure. Figure de cynique passionné de vie, iconoclaste, il incarne peut-être cette entaille dans le corps trop parfait du théâtre classique français, comme une goutte de sang sur le marbre blanc, un éclat de démesure vivante.

Dans son obsession aristotélicienne, une large part de la critique française n'a pas su reconnaître la valeur inédite de *Don Quichotte*. Les réserves sur le génie du roman viennent précisément des doctes, certains boudant un récit allant à l'encontre des canons aristotéliciens, attaqué pour ses invraisemblances, sa complaisance fictionnelle ; Scarron notamment n'y voit qu'« absurdités », « langueurs et longueurs de style et de narration », mais aussi « manque de jugement et d'invention »[1]. Chapelain, comme Pierre Perrault, frère du conteur, lui reproche de ne pas respecter les bienséances, lisant le livre comme une simple attaque de l'épopée médiévale, tournée en ridicule. On comprendra aisément que, dans leur passion de la raison, certains lettrés du XVIIIe siècle français se soient fait l'écho de la critique du siècle précédent : Pierre-Daniel Huet ne semble reconnaître comme littérature que celle qui prend pour modèle l'Antiquité. Roman novateur, qui déstabilise parce qu'il ne respecte pas les codes narratifs en vigueur, *Don Quichotte* est pourtant salué par les écrivains qui s'y reconnaissent, y trouvent la littérature qu'ils désirent contre le principe d'inertie qui fait adopter à d'autres la méfiance. Ainsi, dans une ballade en forme d'hommage, La Fontaine défend celui qui, avant lui, a pressenti le pouvoir des fables, assumant pleinement cette intelligence de la fiction[2] ; Saint-Évremond, autre esprit indépendant, salue aussi la force inventive du roman : « J'admire comme dans la bouche du plus grand fol de la terre, Cervan-

1. Voir Jean Canavaggio, *Don Quichotte, du livre au mythe : quatre siècles d'errance,* Paris, Fayard, 2005, p. 57.

2. Jean de La Fontaine, *Œuvres, sources et postérité d'Ésope à l'Oulipo,* p. 271-273. Le poème de La Fontaine prend la défense du roman moderne contre Cloris au goût difficile, feignant de dédaigner le pouvoir des fables ; la révérence élégante à l'esprit ingénieux de Cervantès ponctue un hommage souriant qui, évoquant Amadis comme Roland, traduit le même penchant que le romancier espagnol.

tès a trouvé le moyen de se faire connaître l'homme le plus entendu et le plus grand connaisseur qu'on puisse imaginer. »[1]

La fascination qu'exerce le roman revêt une nouvelle forme au XIXe siècle : les romantiques allemands, loin de s'inquiéter de la folie de don Quichotte, reconnaîtront les traits d'une séduisante mélancolie chez le Chevalier à la Triste Figure, incarnant alors le pouvoir de l'imaginaire libéré du carcan rationnel, l'attrait vertigineux de l'irrationnel ; Schlegel, fervent lecteur de Cervantès, ouvre la voie à une aventure interprétative qui passionnera non seulement les critiques, les écrivains, mais aussi les philosophes (Nietzsche, Hegel).

Nous reviendrons sur la facture anti-aristotélicienne de l'œuvre de Rabelais, dont la complexité a pu donner lieu à des jugements analogues, le sens mis en question laissant les lecteurs mal à l'aise, perplexité qui traduit non le caractère incompréhensible du texte mais bien la fracture entre une attente – impératif de la cohérence et refus du hasard – et une réalité littéraire vertigineuse.

Plus encore, la suprématie d'une poétique classique héritée d'Aristote conditionne un mouvement inverse, qui a pu revêtir différentes formes dans l'histoire de la littérature française, refus qui, loin de libérer effectivement l'espace littéraire en l'ouvrant au champ des possibles, l'organise suivant une ligne de démarcation, opposant adhérence et résistance, comme si les règles constituaient le seul enjeu, la prépondérance théorique (*pro* ou *contra*) nuisant à l'invention, sans doute plus difficile à considérer pour elle-même. L'œuvre est d'abord envisagée comme classable ou inclassable, au lieu d'être appréhendée pour ce qu'elle dit. Chaque irrégularité formelle vaut au texte l'appellation de « baroque », étiquetage impressionniste qui confère peu de valeur à cette catégorie esthétique, souvent convoquée comme repoussoir d'une géométrie classique, à l'image des jardins à la française.

La théorie aristotélicienne, détournée de son enjeu premier – une réflexion sur les procédés et les fins de la dramaturgie tragique –, organise la paysage littéraire français, sans que la référence au philosophe

1. Cité par Jean Canavaggio, *op. cit.*, p. 58.

grec ne soit nécessairement explicite, mais parce que les règles affinées à l'âge classique et transmises par les écrivains (qu'ils s'en démarquent ou qu'ils les revendiquent) comme par l'institution littéraire ont sculpté notre conception même du goût et orienté les lettres vers une répartition binaire, qui en recoupe d'autres, souvent trop tranchées (écrivains d'État contre insoumis, figures reconnues en face des oubliés de la littérature[1]).

L'œil de feu du poète

La hiérarchisation des genres et des formes littéraires explique en partie, et suivant les époques, le degré d'influence des écrivains : la poésie, aujourd'hui envisagée comme un domaine à part, en raison du dédain de l'édition de masse, a pu, à sa source, s'envisager comme la parole la plus puissante, celle qui s'offre jusqu'au droit de sanctionner les politiques, de haranguer les rois. Mais quel poète écrit à l'écart du monde, les yeux fermés ? Tandis que l'espace romanesque s'agrandit, souvent sous la forme de l'autofiction, comme un long discours adolescent où il n'est question que de soi, suivant une pratique de l'auto-indulgence psychologique, transformant la pauvreté d'une existence en fiction-justification, gageons qu'il est toujours des poètes, non publiés, bien sûr, ou seulement dans d'obscures revues, pour porter encore un regard exigeant sur le monde, pour diriger la sensibilité vers les choses et non ressasser le *vouloir-paraître,* le désir de reconnaissance.

La poésie, comme sommet, bien au dessus du politique, parce qu'elle dépasse les intérêts et débusque les mensonges qui troublent la

1. *Cf.* Patrice Delbourg, *Les Désemparés,* 53 portraits d'écrivains, Bègles, Le Castor astral, 1996. L'excès, présenté comme dénominateur commun de ces figures de « parias », de « sans-grade », nous semble effectivement définir en partie cette forme de passion littéraire qui renverse l'existence ou plutôt constitue cette expérience de renversement de soi, d'une déchirure qui fait jaillir le texte comme nécessaire. Non figures de poètes maudits, suivant le *topos* qui fait croire que le ratage social est immanquablement signe d'exception artistique. Si belle ouverture qui substitue l'idée de « bout » à celui d'achèvement : « Ne comptent que les écritures qui vont jusqu'au bout. Au bout de la nuit. Au bout du rouleau. Au bout de tout. La littérature n'a de sens qu'excessive » (p. 9).

transparence des choses, qu'elle voudrait enluminer d'une vérité sensible qui n'est autre que l'amour qu'on leur porte : telle est l'évidence perdue sur le marché du livre. Il est une scène terrible et splendide dans le *Satyricon* de Fellini, montrant le poète sur le point d'être jeté au feu, pour avoir crié au tyran sa vérité : parole de feu qui désigne César comme imposteur, voleur de vers, pillant Lucrèce en s'accordant le nom de poète. Ce poète que l'on dévore finalement suivant son testament peut-être mal compris (puisque c'est d'abord la nourriture intellectuelle qu'il entendait transmettre) est figure de vérité résistant à la décadence, assimilée à un mensonge généralisé, né de la bassesse et du *vouloir-paraître*. Le poète mérite l'enfer parce qu'il voit clair, parce qu'il est lui-même flamme brûlant le mensonge, non maudit au sens commun de malheureux exclu de la joie ambiante, mais bien œil de lynx qui perce toutes les turpitudes et qui, tandis que les autres vomissent leur trop-plein de nourritures terrestres, vomit du dedans les mots ardents d'une souveraine colère.

Cette vision hyperbolique nous rappelle ce qui se tisse effectivement dans la trame des vers, là où les mots s'avancent, libérés de tout intérêt, dénudés, formes sonores qui pourront résonner autrement, d'un éclat de vérité joyeuse.

Dans *Le Poète et le roi,* Marc Fumaroli propose une interprétation idéologique de l'œuvre de La Fontaine, en qui il reconnaît une figure poétique solitaire, refusant d'entrer dans le rang des chantres de la grandeur de Louis XIV et rêvant une royauté idéale dont les *Fables* portent la trace, figure inverse d'un lion tyrannique. Plus encore, la disgrâce de Fouquet, surintendant des finances et protecteur de La Fontaine, aurait affiné la voix du poète, trouvant le ton d'une résistance à la hauteur du précepte : « Plus fait douceur que violence » : « Sans hausser la voix, sans rompre les convenances les plus sévères et les plus délicates, La Fontaine a découvert dans l'épreuve [l'affaire Fouquet] l'espèce de royauté cachée, à la hauteur pourtant de la royauté visible qui se croit maîtresse de toute parole, dont pouvait se revêtir l'intégrité désarmée de la poésie. »[1] Incarnation de la résistance d'une poésie menacée par la

1. Marc Fumaroli, *Le Poète et le roi,* Paris, Éd. de Fallois, p. 237.

machine d'État du monarque solaire, La Fontaine forgerait une voix ayant la force d'un contre-pouvoir, vision séduisante s'il en est, mais qui joue peut-être d'une torsion historique, dans la mesure où la cohérence quasi narrative du livre conforte notre tendance à chercher un sens reliant faits historiques et moments littéraires. Redessinant un XVIIe siècle vivant, le livre redonne à la voix de La Fontaine sa tonalité ironique[1], que des années de trahison scolaire mettaient en perdition. Voix de Polyiphile, à l'inverse des voix atones dénuées de séduction, parce que centrées sur elles-mêmes : « En fait, il faut toujours revenir à ce point central, le "je" du poète n'est pas un "moi", c'est une multiplicité ouverte et métaphorique, comme la langue de sa poésie, mais une multiplicité en garde contre toute "confusion" et qui sait jouer de plusieurs registres sans les confondre, tout en recherchant la synthèse qui révélerait leur unité profonde. »[2]

Le cheval de Troie de la fable

Choisissant une forme mineure, destinée à l'édification morale, La Fontaine bouleverse les classifications génériques, puisqu'il réinvente la fable, devenue sous sa plume poème politique et philosophique, tableau parlant, mêlant les voix du monde dans un concert matérialiste qui problématise l'argument moral, non plus aboutissement d'un apologue fermé, mais canevas à partir duquel s'élaborent les questions dans une polyphonie discursive résolument ouverte. La parole raffinée de la fable ne ressemble à aucune autre parce que La Fontaine a su faire mieux que suivre ou refuser les règles : il les intègre et les maitrise pour mieux les dépasser, montrant combien « la vraie éloquence se moque de l'éloquence ». La virtuosité des *Fables* se devine dans ce sourire de l'esprit qui toujours accompagne une voix qui porte en elle une subjectivité pure, ce « je » que chacun peut entendre en lui-même comme une marque d'humanité sensible et consciente.

1. « La République des lettres, même sous Louis XIV, ne renonça pas à exerce sa vocation d'ironie et de liberté. Où est ce contrepoids aujourd'hui ? » (*ibid.*, p. 242).

2. *Ibid.*, p. 308.

Le pouvoir des fables, composant actif du philtre, n'est pas l'objet d'un traité de poétique : La Fontaine l'exerce lui-même, signe d'une écriture qui refuse l'application d'une théorie posée *a priori* pour en préférer l'expression pragmatique. Ce pouvoir se revendique ainsi dans la fable qui porte son nom (VIII, 4), et partout ailleurs où conter une fable est arme de séduction poétique engageant à penser, sollicitant l'imagination en liberté. La définition expérimentale d'une esthétique fondée sur la puissance de l'arme fictionnelle correspond à l'enjeu politique capital : La Fontaine, s'adressant à l'ambassadeur Monsieur de Barillon, entend, en conseiller, œuvrer pour éviter la guerre. Dans l'urgence, la parole du poète séduit d'abord celui qui, conscient de la gravité de la situation, doit trouver la solution diplomatique évacuant le conflit. « Adoucir les cœurs », objectif premier que le récitant de la fable vise et réalise par sa voix, apte à dissiper d'abord la tension qui risquerait de miner la décision politique : ce qu'il offre à l'ambassadeur, c'est un plaisir intellectuel de connivence ironique, par un transfert mythologique de l'actualité politique, qui, à distance, peut être réfléchie sereinement, par l'attrait de l'histoire. Plus encore, l'enchâssement de l'apologue dans le discours adressé à l'ambassadeur, qui le transporte avec nous vers Athènes pour une leçon d'éloquence en acte, déplace et problématise la question par la mise en scène de l'orateur, double fictionnel de l'ambassadeur par équivalence de situation. L'aveu final du récitant, se disant lui-même piégé par le pouvoir des fables, suggère le succès même du récit sur l'ambassadeur séduit, évidence pragmatique à éprouver dans une intelligence de sensibilité et donnée comme preuve effective de la force qui vient de s'exercer par imagination.

L'ingéniosité du conseil tient essentiellement au jeu de séduction auquel se livre le récitant : parole *gratuite* enluminant le problème actuel, trop brûlant, d'une couleur antique, d'une saveur mythologique tout en exhibant la feinte ludique : « Vous avez bien d'autres affaires / À démêler que les débats / Du lapin et de la belette. / Lisez-les, ne les lisez pas ; / Mais empêchez qu'on nous mette toute l'Europe sur les bras. »[1] Surplombant le monde plombé des conflits, la fable offre

1. La Fontaine, *Fables,* VIII, 4, vers 6-11, p. 443.

un regard de naïveté seconde, qui débusque les résistances de la psyché, sourde aux discours parés d'un sérieux grandiloquent. La paix se cache dans le cheval de Troie de la fable, qui par son chant sait « adoucir les cœurs », trouver où se loge la résistance, le refus de la guerre.

Les jugements de goût

À multiplier les questions techniques en vue d'une analyse plus fine de la littérature, on pense disposer d'un regard averti, compétent, qui sait reconnaître la valeur littéraire d'une œuvre. La validation que constitue un prix littéraire laisse parfois perplexe, dans la mesure où la reconnaissance ne semble pas s'appuyer sur une innovation spécifiquement littéraire, un renversement artistique, mais plutôt sur la notion d'attrait et d'impact, difficile à cerner, la réception des œuvres étant elle-même conditionnée par l'action que mènent les réseaux de publicité du livre.

Si je reconnais pleinement la force historique et politique des *Bienveillantes,* roman impressionnant, fresque colossale, il m'est plus difficile d'envisager Jonathan Littell comme l'inventeur d'un nouveau style spécifiquement littéraire : son livre joue d'une énonciation qui flirte avec les stylèmes journalistiques, tout en se parant d'une apparence artiste dont les motivations échappent parfois. Le choix d'une analogie filée avec l'écriture musicale de la Suite (Toccata, Allemandes, Courante...) instaure une correspondance qui séduit par son élégance, mais, quant à percevoir effectivement une composition musicale clairement orchestrée dans chaque chapitre, la lecture devient problématique, parce que la référence à Bach est plus de surface qu'inscrite dans la facture de l'œuvre. Si l'on a pu critiquer la construction même du roman (toujours suivant des canons aristotéliciens) en soulignant des déséquilibres structurels, cet effet de bigarrure ne semble pas en désaccord avec la vision déchirée, éclatée que le romancier propose (le reproche tient, il est vrai, en raison du néoclassicisme, de l'académisme de l'œuvre). En revanche, la voix reste imprécise dans ses accents, alors même qu'elle est censée s'inscrire dans une forme de concert, non que l'on en refuse les discordances, justifiées au regard du projet ; le style eût peut-être autrement résonné à porter à chaque page les stigmates d'un voyage au bout de l'horreur ; à l'inverse, il perd parfois sa consistance subjective en se noyant dans le neutre et le documentaire. Reste l'effet bouleversant du livre, engageant une improbable *catharsis,* puisqu'il nous fait adopter le point de vue de l'abject, jusqu'au dégoût, comme un aveu, que l'on se fait à soi-même, de la défaillance humaine.

L'obtention d'un prix littéraire résulte de l'adhésion d'esprits jugés eux-mêmes éclairés – autrement dit, de d'appréciation émanant de subjectivités aptes à goûter un plaisir esthétique avec discernement. Choix délicat qui engage l'expérience livresque comme l'essai de la sensibilité, la reconnaissance accordée implique une conception littéraire, nécessairement liée à une idéologie. Ce que Kant appelle un « jugement de goût »[1] implique d'articuler la perception personnelle de l'œuvre et l'universalisation de cette perception, fondée sur la faculté de juger autorisant l'appréciation : « Ce n'est donc pas le plaisir, mais *la validité universelle de ce plaisir,* perçue comme liée dans l'esprit au simple jugement porté sur l'objet, qui *a priori* est représentée dans un jugement de goût en tant que règle universelle pour la faculté de juger, valable pour chacun. Lorsque je perçois avec plaisir un objet et en juge, je forme un jugement empirique. Mais lorsque je trouve cet objet beau, c'est-à-dire lorsque je m'autorise à attendre de chacun qu'il éprouve nécessairement cette satisfaction, il s'agit d'un jugement *a priori.* » Le développement que Kant consacre à la « communicabilité d'une sensation » s'achève sur l'universalisation du jugement de goût, défini auparavant comme « jugement singulier portant sur l'objet » (§ 33, p. 233), pari sur le partage de la sensation esthétique, qui repose sur l'idée d'un sens commun : « [...] celui qui juge avec goût (à la condition qu'en l'occurrence sa conscience ne se fourvoie pas et ne confonde pas matière et forme, attrait et beauté) est autorisé à attendre de chacun qu'il éprouve la finalité subjective, c'est-à-dire la même sensation à l'égard de l'objet, et à considérer que son sentiment est universellement communicable, et ce, sans la médiation des concepts. »[2] Effectivement, le paragraphe

1. Voir *Critique de la faculté de juger,* Paris, Gallimard, Folio-Essais.
2. M. Fumaroli, *op. cit.,* p. 243.

suivant pose, en titre : « Le goût est une sorte de *sensus communis* », hypothèse qui aboutit à la définition : « Le goût est donc la faculté de juger *a priori* de la communicabilité des sentiments liés à une représentation donnée (sans la médiation de concepts). »[1] Ne pouvant être objectivisé (« [...] la beauté n'est pas un concept de l'objet, et le jugement de goût n'est pas un jugement de connaissance »[2]), le jugement de goût engage la subjectivité dans son aptitude à communiquer, dans son sens commun, entendu comme humaine sensibilité.

À discuter des goûts et des couleurs, la subjectivité s'essaie et s'échauffe dans ce qu'elle a effectivement de plus humain et réalise en même temps sa différence subjective, celle qu'évoque La Bruyère en une belle gradation métaphorique : « Après l'esprit de discernement, ce qu'il y a au monde de plus rare, ce sont les diamants et les perles. »[3]

L'objectivisation des faits littéraires

À vouloir objectiviser les faits littéraires en prétendant à l'étude scientifique, on a sans doute répondu à une série de critiques, notamment dans l'enseignement des lettres, la discipline ayant été souvent attaquée pour son évaluation jugée peu fiable, impressionniste, partiale ; la théorisation visant à évacuer ce flou artistique a sans doute conféré aux études françaises rigueur et pertinence ; pourtant les techniques de repérage, de découpage utilisées en vue d'une étude méthodique des textes ont dénaturé l'approche de ces derniers en omettant sciemment la subjectivité. Certes la manie de la reconstruction d'une prétendue intention d'auteur et les croisements tendancieux entre œuvre et biographie expliquent en partie ce souhait de sortir le texte d'une gangue psychologisante qui en pervertit le sens par une incompréhension radicale de l'acte d'écriture, non prolongement névrotique

1. *Ibid.*, p. 247.
2. Kant, *op. cit.,* 38. « Déduction des jugements de goût », p. 240.
3. La Bruyère, *op. cit.,* Des Jugements, XII, 57, p. 474.

des affres d'une psyché, mais bien déploiement d'une intelligence qui cherche à s'en libérer.

La révolution de 68 est responsable, au moins en partie, d'une croyance à l'accès direct au texte par la méthode d'analyse, croyance qui s'accompagne d'une négligence de l'histoire littéraire, dans la mesure où la critique historicisante a pu être amalgamée avec une pratique traditionnelle et élitiste de la littérature, aboutissant à une forme de discours contraint, usant et abusant de l'argument d'autorité. Dans cette perspective, on a pu prétendre entendre les textes, armé d'une technique et de sa seule subjectivité, en faisant l'économie des conditions de création de l'œuvre. Ce mode de lecture crée ses propres chemins sémantiques, non dénués d'intérêt, mais il risque fort de nous faire manquer la saveur précisément subjective d'un texte, parce que seul le travail de transfert dans le temps, avec tout ce qu'il implique comme effort, laisse espérer une satisfaction littéraire authentique, éprouvée comme une résonance de goût à travers les traces laissées par un auteur absent.

À forger de nouveaux outils d'analyse, la critique s'est érigée en technicienne de la littérature, usant parfois de ses concepts sans respecter l'étrangeté des textes. C'est qu'en effet, par un travail taxinomique sans cesse réactualisé, on s'est ingénié à classer les textes par genres, formes, enjeux, tonalités, structures, pour mieux les soumettre à la théorie censée leur correspondre, démarche qui risque fort de faire de l'œuvre le prétexte d'une *n*-ième illustration de la théorie présupposée exacte. Je prendrai pour exemple l'un de ceux qui m'a le plus stupéfiée : Vladimir Propp écrit un essai lumineux sur les contes russes, récits que je connais de cœur puisqu'ils ont marqué mon enfance de leur élégance violente. L'analyse du formaliste russe vaut effectivement pour ce corpus qu'il a choisi. La critique française s'en empare, puis les professeurs vulgarisent l'essai en l'adaptant pour leurs cours ; et voilà les *Contes* de Perrault, voire les *Contes* de Voltaire passés à la grille de *La Morphologie du conte*. Pour réaliser cette supercherie interprétative, on est prêt à faire le grand écart, et peu importe que l'on trahisse aussi bien Propp que Perrault, l'on pense œuvrer sérieusement puisqu'on peut se référer à un dispositif d'étude, que l'on assène à un auditoire parfois perplexe, mais qui finit par croire que c'est là la seule façon de lire.

Si l'on comprend le souci de classification des œuvres, qui permet une cartographie éclairante du paysage littéraire, ce déchiffrage rhétorique des textes, d'usage essentiellement pédagogique, doit être dépassé. La rigidité des classifications nuit d'abord à la souplesse des faits d'écriture ; le classement n'a de sens que s'il permet de repérer une passerelle, une correspondance, une perméabilité entre les genres, des croisements significatifs. Travail propédeutique, il ne peut constituer une fin en soi car seule l'œuvre, inédite, importe, et non l'étiquette qu'on lui attribue.

Pour exemple, le statut du roman parmi les genres littéraires, question sans cesse posée, mais si globalement qu'elle semble perdre son sens. Quel rapport entre le roman médiéval, forme nouvelle s'il en est et qui marque un tournant puisqu'elle s'écrit en langue vulgaire (entendons : non en latin), et le roman contemporain, protéiforme, dont le domaine s'étend toujours parce que, vous diront les éditeurs, les lecteurs le demandent ? Quelle filiation entre le récit épique, ou allégorique, les séductions de la *fin'amor* et les autofictions qui sont aujourd'hui légion ? Pourquoi une dépréciation du roman jugé peu noble, moins ciselé que le poème si le genre envahit l'espace littéraire jusqu'à la saturation, tandis que la poésie s'efforce seulement de survivre dans l'ombre ? Forme ouverte s'il en est, le roman est bien le lieu de l'exploration de tous les possibles ; il peut accueillir en son sein le poétique, le dramatique, l'historique, le biographique. Pour citer ceux, parmi les romanciers français, que nous plaçons au centre de la bibliothèque : après Rabelais, Cyrano de Bergerac, Sorel, La Fontaine (pour *Les Amours de Psyché et de Cupidon*), Diderot (pour l'invention de *Jacques le Fataliste*), Flaubert, Stendhal, Proust et Céline, il semble clair que le genre n'a plus à acquérir ses lettres de noblesse, en dépit de son origine.

Le texte de La Fontaine est particulièrement fascinant, précisément parce qu'il échappe à la classification : roman-poème allégorique, mêlant le vers et la prose, mélangeant encore les vers, les tons, fable mythologique racontée par un récitant protéiforme (comme le nom de Poliphile l'indique) pour un cercle de devisants qui viennent la commenter, l'interrompre, en modifier les accents dans un espace polyphonique propre à étourdir le lecteur. Roman, oui, défini comme fiction narrative créant ses propres références, mais qu'a-t-on dit après cela sur le génie de ce texte ?

À vouloir poser partout des barrières, on scinde les membres d'un grand corps littéraire, on lui coupe la respiration. Car l'épopée, c'est d'abord le poème chanté, la musique avant toute chose, car la fable de La Fontaine, c'est une poésie narrative, car *Voyage au bout de la nuit,* c'est une seule et même parole syncopée, qui porte en elle une mémoire poétique[1] et une présence narrative.

Thèmes, topoï, *catégories esthétiques*

Pour les besoins de la cause pédagogique, le classement thématique des textes s'opère à l'aide du repérage des champs lexicaux, exercice stérile s'il en est, puisqu'il amène les apprentis lecteurs à seulement relever des formes sémantiquement convergentes, pour aboutir à une vérité de La Palisse du type : « Le texte parle de... », réduction des enjeux à une littéralité sans aspérité. Plus pertinent, l'examen topique, fondé sur la reconnaissance de lieux spécifiques du littéraire, peut sans doute servir une investigation mettant en relation des textes traitant le même *topos* suivant des voies distinctes, analyse qui souligne alors la spécificité de chaque traitement.

1. Voir Céline, *Voyage au bout de la nuit,* Paris, Gallimard, « Folio », 1952. Pour exemple, citons la résonance baudelairienne, qui vient après le pastiche de Proust dans l'admirable chapitre qui suit la mort de Bébert et propose, en un arrêt sur image au bord de l'eau, une réflexion sur le Temps (« J'étais comme arrivé au moment, à l'âge peut-être, où on sait bien ce qu'on perd à chaque heure qui passe [...] », p. 365-366). « Et puis, la Seine est tournée au sombre et le coin du pont est devenu tout rouge de crépuscule. [...] La nuit est sortie de dessous les arches, elle est montée tout le long du château, elle a pris la façade, les fenêtres, l'une après l'autre, qui flambaient devant l'ombre » (p. 366). N'entend-on pas, en résonance : « Le soleil moribond s'endormir sous son arche » ou encore « Le soleil s'est noyé dans son sang qui se fige » ? « Un joli dernier soleil » (p. 366), merveilleuse substitution agrammaticale qui évince l'expression attendue de « coucher de soleil », pour mieux réveiller le *topos.* Le « coup du décès de Bébert » (p. 372), construction subversive qui trahit la tristesse sous la maladresse linguistique, événement qui amène l'évocation ironique de Montaigne dont les *Essais* s'ouvrent sur les quais de la Seine, occasion d'une réécriture qui dit l'impensable posture stoïque : « Ah ! qu'il lui disait le Montaigne, à peu près comme ça à son épouse [...] (p. 367).

L'étude des textes en fonction de catégories esthétiques pose problème dans la mesure où elle fait intervenir plusieurs critères : la période (critère historique), les formes, les genres, les thèmes, les courants et les styles. Première question : le découpage ; il est impossible de réduire la littérature à l'évolution historique, souvent plus lente. Il convient, notamment, de prendre en compte les effets de mode, l'engouement du public, les phénomènes ponctuels (par exemple, l'importance d'un salon au XVIIe siècle). Dans un souci pédagogique, on divise en tranches les périodes littéraires, mais il est impératif de garder à l'esprit la souplesse des évolutions : de 1699 à 1700, on ne passe pas soudain au XVIIIe siècle ; pour preuve, le style, que l'on pourrait qualifier de classique, de Voltaire, cherchant toujours la concision.

Deuxième question : la thématique. À consulter les anthologies, on constate bien souvent l'arbitraire des affirmations : en quoi peut-on parler d'un traitement spécifiquement baroque du temps ? Y a-t-il un imaginaire spécifiquement classique ? Souvent les textes sont regroupés suivant un critère implicite. Troisième question : la hiérarchisation des catégories. La plupart des catégories ayant été élaborées au XVIIe siècle (baroque, préciosité, classicisme, sublime...), il est vrai que, pendant longtemps (jusqu'en 1968), on n'a fait que constater l'hégémonie du XVIIe siècle, comme si toute la littérature devait tendre vers un idéal de perfection classique. Dans les petites classes, La Fontaine l'emportait sur tous les autres auteurs, et l'on proposait une lecture plus qu'orientée de son œuvre : les *Fables,* comme la littérature morale par excellence. Dans le secondaire, on étudiait essentiellement la tragédie classique (Corneille, Racine), également les comédies de Molière (placées au second plan) et les *Sermons* de Bossuet. *Quid* de Cyrano de Bergerac ? Oublié ! Allez donc au château de Vaux : son nom n'apparaît même pas sur les panneaux récapitulant les grands moments de l'histoire littéraire ; tout comme Gassendi, tandis que Descartes voit le sien inscrit en lettres capitales et en gras, ce à quoi Spinoza n'a pas droit (simplement mentionné en minuscules italiques) ! C'est ainsi que l'on tord les réalités culturelles, et ce bien avant les grandes entreprises de médiatisation qui défigurent aujourd'hui la littérature.

Avec 68, refus de la tradition, on assiste à un renversement : en finir avec les chefs-d'œuvre, comme le proposait Antonin Arthaud, incite à supprimer cette hiérarchisation des textes. En même temps, cette révolution s'accompagne d'une méconnaissance accrue du contexte historique des œuvres, étudiée suivant le principe qui annonce la lecture méthodique des textes : l'élève, face au texte, sans information, peut le lire ! Lecture qui, comme on peut l'imaginer, autorise plus d'un contresens. Période « Boris Vian », selon la terminologie de certains professeurs.

Reste à savoir comment et pourquoi s'est imposée cette suprématie classique. J'ajouterai : à quel prix pour les auteurs ?. La déformation des textes accompagne la reconnaissance, dès lors qu'ils doivent à tout prix coller à l'idéal.

Quatrième question, cruciale : y a-t-il effectivement une esthétique classique ? La cohérence qu'on enseigne aujourd'hui n'est-elle pas le fruit d'une reconstruction ultérieure, un mythe de critique littéraire ? Corollaire de la question : l'appellation de « Grand Siècle » est-elle justifiée ? Il conviendrait alors d'envisager les métaphores utilisées par les critiques eux-mêmes pour valoriser cette époque littéraire au détriment des autres, véhiculant ainsi l'idée d'une valeur incontestable des textes (pour exemple, La Rochefoucault, appelé phare des moralistes français). Non qu'il s'agisse de refuser la grandeur, mais ne peut-on pas plutôt la montrer, dans une lecture attentive des textes qui en dévoilerait les spécificités remarquables ?

Question annexe, en point d'orgue : et si les catégories se retrouvaient chez un même auteur ? Un inclassable, ce que l'histoire littéraire déteste, et plus encore l'Éducation nationale, car il est sans doute aisé de railler Lagarde et Michard, mais encore faudrait-il effectivement proposer une approche plus fine des faits littéraires. Pascal n'est-il pas tantôt classique, tantôt baroque ?

Une pratique raisonnée des faits littéraires devrait exercer avec précaution ce jugement dont parle Montaigne, non seulement recevoir un savoir, mais le filtrer, le passer « par l'estamine » afin de mieux servir la pensée. Prudence, donc, à l'égard des classifications abusives, mais respect aussi des tentatives de chacun pour clarifier des phénomènes bien souvent complexes : c'est dans cet entre-deux que se situe, non la vérité, mais l'appréciation honnête des textes.

Le primat de la structure

L'un des postulats les plus prégnants est celui de la disposition significative, sans doute justifié pour des œuvres de facture aristotélicienne et pour toute forme d'écriture élaborée à partir d'une organisation préalable. La question se pose toutefois de savoir si l'entrée dans l'œuvre par la structure ne risque pas d'engager une disproportion entre les différents composants du texte : c'est ici la dominante logique qui focalise l'attention, et l'étude du texte se confond avec un balisage argumentatif qui force le texte à vouloir persuader. C'est méconnaître, en tout cas, la diversité des modes d'écriture et imaginer l'écrivain comme mû par un rationalisme exceptionnel. Dans ses *Propos de littérature,* Alain place la parole poétique dans un entre-deux : « Pythie rusée », le poète pratique à la fois la folie inspirée de l'oracle et le travail raisonné du sage : « Il veut être récepteur universel, mais sans perdre raison ; c'est pourquoi il se règle, tout comme le savant, et se donne une loi. Mais, au rebours du savant, il se règle en son propre corps. Il se donne un rythme, de marche, de respiration, de cœur, en accord avec le moment total , mais un rythme juré. Il compte, et jure de bien compter. Même il jure de compenser ses cris selon le nombre ; et, suprême miracle, il s'impose de faire écho aux sonorités de hasard. »[1]

À défaut de pouvoir donner les clés de l'inspiration, on peut en nier l'existence, en l'envisageant comme une forme de superstition littéraire, mais ce serait oublier qu'elle n'est pas l'apanage d'écrivains pratiquant la magie noire des mots : songeons à Paul Valéry, décrivant la fureur de la Pythie, corps vide en transe, devenant réceptacle des échos du monde :

> La Pythie exhalant la flamme
> De naseaux durcis par l'encens,

1. Alain, *Propos de littérature,* Paris, Paul Hartmann, 1957, p. 17.

> Haletante, ivre, hurle !... l'âme
> Affreuse, et les flancs mugissants !
> Pâle, profondément mordue,
> Et la prunelle suspendue
> Au point le plus haut de l'horreur,
> Le regard qui manque à son masque
> S'arrache vivant à la vasque,
> À la fumée, à la fureur[1] !

À travers la figure fantasmée de la prophétesse antique, se dessine une idée lancinante, celle d'une folie à la source du jaillissement verbal, comme une certitude impalpable, une évidence secrète qui cimenterait le travail conscient d'écriture. Entre Apollon et Dionysos, le poète livre une sagesse nourrie de démesure, avalant les torrents qui l'assourdissent de leur chute cacophonique, il trace des rivières qui enchantent[2].

Œuvre et fragments

La question sans cesse posée de la disposition renvoie à une conception de l'œuvre comme ensemble cohérent, achevé, arrêté, texte sans fissure, voire sans biffure. Paradoxe de l'histoire littéraire, celui-là même qui a si rigoureusement imaginé un dispositif rhétorique apte à persuader nous laisse des feuillets dont l'ordre est à reconstituer.

> Qu'on ne dise pas que je n'ai rien dit de nouveau : la disposition des matières est nouvelle. Quand on joue à la paume, c'est une même balle dont joue l'un et l'autre, mais l'un la place mieux.
>
> J'aimerais autant qu'on me dît que je me suis servi des mots anciens. Et comme si les mêmes pensées ne formaient pas un autre corps de discours par une disposition différente, aussi bien que les mêmes mots forment d'autres pensées par leur différente disposition[3].

Parole de rhétoricien, qui place la question de l'ordre au cœur du projet d'*Apologie du christianisme* et indique la mise en œuvre des règles discursives posées dans les deux opuscules, *L'Esprit de la géométrie* et

1. Paul Valéry, *Poésies,* Paris, NRF-Gallimard, « Poésie », 1929, 1958 ; *Charmes,* « La Pythie », première strophe, p. 74.
2. *Cf.* Pascal, *Pensées,* « Les rivières sont des chemins qui marchent et qui portent où l'on veut aller », fr. 595, p. 415 ; éd. Philippe Sellier, Paris, Classiques Garnier, 1991.
3. Pascal, *op. cit.,* fr. 575, p. 409.

L'Art de persuader. Éditer les *Pensées* implique un choix décisif et s'entend comme une opération aléatoire de reconstitution d'une organisation qui aurait dû advenir – édition hypothétique, donc, d'un texte qui séduit peut-être aussi par ce mystère de l'ordre déterminant, mais absent. Vestige d'un édifice qui n'a été construit que dans l'esprit de son inventeur, les *Pensées* s'appréhendent comme des éclats d'intelligence que le lecteur cherche à son tour, après l'éditeur, à relier, restauration improbable d'un mouvement laissé en pointillé.

À lire les *Écrits* de Jacques Rigaut, écrivain dont la fulgurance s'inscrit dans le sillage brisé de ces pensées en chantier (texte auquel il rend explicitement hommage, et plus encore par son écriture), la même question se pose. Dans sa présentation du texte, Martin Kay rappelle les événements qui rendent problématique l'essai d'édition auquel il se livre. Suicidé d'une balle dans le cœur à trente ans, Jacques Rigaut laisse « une quantité assez importante de manuscrits : des brouillons de textes parus dans des revues comme *Littérature,* des inédits de la même période, des notes, des esquisses qu'il avait continué à accumuler ». À propos des « écrits de la seconde partie de sa vie », il affirme d'emblée qu'il s'agit de « pensées notées hâtivement sur des feuilles de papier éparses, parfois d'ébauches plus ou moins élaborées »[1]. L'affirmation peut sembler péremptoire, le constat d'œuvre-chantier, décousue, ne signalant pas nécessairement la hâte. La graphie même ne dit rien sur l'état d'achèvement de la pensée. Ce qui frappe dans les pages qui suivent, lorsqu'on découvre le style de Rigaut, c'est cet art de donner l'illusion du premier jet, la forme brève apparaissant comme une sorte de manifeste littéraire en acte, l'essentiel s'écrivant effectivement dans l'urgence de l'instant. Dans cet éparpillement, certains liront un texte laissé inachevé, mais l'on peut aussi y entendre une autre conception de la littérature : écriture en allée, dynamique, à jamais inachevée parce que seule la mort stoppe le trajet de la pensée :

> Souvent je me dis –
> et si je mettais
> le point d'une balle à ma propre fin.

1. Jacques Rigaut, *Écrits,* édition intégrale, établie et présentée par Marin Kay, Paris, NRF-Gallimard, 1970, p. 8.

Ces mots[1] de Maïakovski dessinent la même trajectoire suicidaire, autre mode littéraire, œuvre vitale dont le fil est coupé par la mort. Le travail d'édition doit composer avec cette poussière des mots qui seule subsiste ; Rigaut laisse un miroir brisé, à l'image de celui-là même qu'il a franchi, faisant voler en mille éclats son propre reflet, suicide de la personnalité qui est aussi plongeon en soi, refus d'une cohérence factice imposée par le regard des autres. Dans une lettre à Jacques-Émile Blanche, datée du 2 août 1924, Rigaut évoque une existence placée sous le signe de l'ennui, une forme d'inaptitude à l'engagement laissant la vie ouverte : « Inquiétez-vous, pardonnez-moi, mais laissez-moi trouver – et ce n'est pas si souvent – dans cet incertain, dans ce disponible, un goût de vivre. Il y a une façon de s'ignorer soi-même qui est sans doute ce qui ressemble le plus à ce qu'on imagine lorsqu'on pense à la liberté. » Fuir la prison du jeu social qui impose la représentation à perpétuité, espérer le dépouillement, la perte d'une identité factice, aliénante, tel est l'enjeu d'une quête violente, qui fait accepter jusqu'à la torpeur de l'ennui. Passer de l'autre côté du miroir de soi implique effectivement un acte littéraire majeur, passage qui est aussi résistance, contre cette incarcération par le nom, et, en point de mire, le rêve fou d'une pure liberté, qui, à la limite, coïncide avec la mort. Paradoxe, donc : « Je suis un homme qui cherche à ne pas mourir. »[2] L'œuvre elle-même est comme suicidée et en même temps elle constitue la seule trace, explosée ; le souhait de ne rien laisser aboutit à laisser tout en vrac, à l'abandon, acte dadaïste s'il en est, parce qu'il colle à la vie. S'apprêtant à nous livrer la matière qui fera résonner en nous cette voix éteinte, Martin Kay présente son travail comme un effort pour exhumer la poussière des mots enfouis : « Nous avons passé des heures à déchiffrer ces méchantes feuilles de papier jauni, où l'écriture, souvent crayonnée, est non seulement illisible mais devient invisible, s'efface inexorablement comme diluée dans son propre reflet. »[3] Suicidé solitaire, dans le silence d'une chambre, Rigaut, avec une exactitude cons-

1. V. V. Maïakovsi, *op. cit.*, Prologue à « La Flûte des vertèbres », p. 117.
2. Jacques Rigaut, *op. cit.*, « Pensées », 82, p. 91.
3. *Ibid.*, p. 9.

ciente, voulut mourir sans laisser de trace, protégeant jusqu'à son lit de mort, évitant jusqu'à la tache de sang, étouffant la déflagration du revolver[1] – rêve d'illisibilité, rêve d'invisibilité.

L'idée même du sens comme unité cohérente, vraisemblable[2] risque fort de dénaturer la plupart des textes, d'en gommer le foisonnement vital. Comment éditer les *Cahiers* de Paul Valéry[3], chantier intellectuel dont la saveur tient d'abord au mélange, au mouvement de pensée, au jeux de correspondance que le lecteur pourra lui-même établir par une lecture active, un questionnement permanent ?

Rhétorique et argumentation

À mettre l'accent sur la structure, on en vient à privilégier une étude rhétorique partielle (avec les problèmes qu'impose le lien présupposé entre rhétorique et littérature déjà évoqué), fondée sur une réduction des enjeux à la seule argumentation, elle-même cantonnée à une stratégie de composition logique. Sans doute la dimension discursive des textes littéraires autorise-t-elle à envisager comment la rhétorique s'exerce au sein de la littérature suivant la division des trois genres – démonstratif (visant à évaluer par le critère du beau), délibératif (s'appuyant sur l'utile) et judiciaire (déterminant le juste). Mais l'analyse concerne alors non la parole même de l'écrivain, mais les discours qu'il enchâsse en chef d'orchestre. Qu'est-ce, en effet, que persuader dans un texte littéraire ? L'enjeu n'est autre que la séduction du lecteur, happé par l'histoire au point de ne pas abandonner le livre. Dans son

1. *Ibid.*, « Témoignage », Jacques Porel : « On l'avait trouvé étendu sur son lit, le revolver à ses côtés. Il s'était servi d'une règle pour ne pas manquer le cœur et d'un oreiller afin d'amortir le bruit de la détonation. Il avait, même, pris le soin de mettre sous son corps un drap de caoutchouc pour éviter les taches. [...]. Il était très beau sur son lit. Calme et simple. Sur son visage, l'expression de celui qui a, enfin, atteint l'étape ou qui a trouvé la solution au problème » (p. 201).

2. *Cf.* Alain Robbe-Grillet, *op. cit.*, « Sur quelques notions périmées », L'histoire, p. 29-30.

3. Voir P. Valéry, *Des Choses divines,* établissement du texte : Julia Peslier, Collège international de philosophie, Paris, Kimé, 2005.

essai *Rhétorique et littérature,* Aron Kibedi Varga articule les deux domaines à partir du constat d'une rhétoricisation de la poétique à l'âge classique[1], proposition en accord avec la thèse de Marc Fumaroli, *L'Âge de l'éloquence,* montrant la prégnance de cet empire rhétorique qui conditionne l'écriture, saturée de morceaux oratoires, en un moment où l'art de dire non seulement s'apprend, se maîtrise, mais surtout devient le centre de débats idéologiques. L'ouvrage d'Aron Kibedi Varga constitue un manuel d'étude envisageant les rapports entre les trois genres rhétoriques et les situations littéraires. À suivre la méthode qu'il préconise et met en œuvre, on risque une lecture mécanique, formelle, soumettant l'ensemble des orientations littéraires à une grille qui fait disparaître la spécificité des enjeux. Il semble, plus encore, que les textes qui jonglent le plus avec la technique rhétorique requièrent un examen plus soucieux des dimensions éthique et pathétique, et envisageant jusqu'à la mise en question de la pertinence argumentative elle-même. Pour exemple, l'exhibition d'apparences argumentatives dans *Les États et Empires de la lune* de Cyrano de Bergerac, l'analogie apparaissant notamment comme un mode de preuve aléatoire.

À propos des lois qui régissent le fonctionnement même de l'univers, on lit cette analogie explicite, visant à invalider le géocentrisme :

> Car il serait aussi ridicule de croire que ce grand corps lumineux tournât autour d'un point dont il n'a que faire, que de s'imaginer, quand nous voyons une alouette rôtie, qu'on a, pour la cuire, tourné la cheminée à l'entour. Autrement, si c'était au soleil à faire cette corvée, il semblerait que la médecine eût besoin du malade ; que le fort dût plier sous le faible, le grand servir au petit ; et qu'au lieu qu'un vaisseau cingle le long des côtes d'une province, on dût faire promener la province autour du vaisseau[2].

La pseudo-équation analogique est répétée, puisque plusieurs phores entrent en correspondance avec le thème initial, le rapport « ce grand corps lumineux » (le Soleil) / « un point » (la Terre) étant mis en regard

1. Aron Kibedi Varga, *Rhétorique et littérature,* « Études de structures classiques », Paris, Didier, « Orientations », 1970, p. 12.

2. Cyrano de Bergerac, *Les États et Empires de la Lune et du Soleil* (avec le *Fragment de physique*), édition critique, textes établis et commentés par Madeleine Alcover, Paris, Champion Classiques, « Littératures », 2004, p. 17-18.

avec une série de rapports analogues : « cheminée »/« alouette rôtie »[1], « médecine »/« malade », « fort »/« faible », « grand »/« petit » et « province »/« vaisseau ». L'argument repose ici sur le bon sens populaire, mis au service d'un raisonnement par l'absurde signalé par la formule liminaire : « [...] il serait aussi ridicule de croire [...] », présentant la conclusion comme irrecevable. Or « je » ne prouve rien, en défendant ainsi son « beau paradoxe » (p. 13) face à M. de Montmagny ; il concrétise seulement le mouvement des astres en le transposant dans l'univers du connu, de la vie quotidienne. Feignant d'expliquer, il propose une suite de rapprochements en créant des « liaisons qui fondent la structure du réel »[2], sans que les relations ainsi établies ne soient justifiées. C'est que le rétrécissement induit par le développement réitéré du phore pose problème, le quotidien humain reflétant étrangement les lois de la gravitation universelle.

On remarquera que la réfutation du système de Ptolémée était déjà engagée au paragraphe précédent (p. 16-17) où une première analogie fonctionnait comme argument en faveur de l'héliocentrisme : le rapport « soleil »/« univers » trouve deux équivalents dans l'ordre végétal, « pépin »/« pomme », « germe »/« oignon », la place centrale de la chaleur y étant constatée. Là encore, la translation dans l'univers familier implique l'uniformité des lois qui seule permet de poser la correspondance structurelle comme une évidence incontestable, l'organisation du microcosme est donnée comme le miroir fidèle de celle du macrocosme.

Plus loin dans le texte (p. 26), le narrateur-personnage, cherchant à prouver au même interlocuteur que le monde est infini, usera d'un argument *a fortiori* en faisant jouer ironiquement l'autorité de saint Augustin :

Cela n'est pas si déraisonnable que saint Augustin n'y eût applaudi, si la découverte de ce pays eût été faite de son âge, puisque ce grand personnage,

1. Madeleine Alcover cite en note (173, p. 17-18) ces vers de Guillaume de Chaulnes (datés de 1650), qui signalent la récurrence de ce parallèle à l'époque : « D'ailleurs nous suivons ric à ric / L'opinion de Copernic... / Trouveriez-vous mieux que le feu / Roulât à l'entour de la broche... »

2. Terminologie que nous empruntons à Chaïm Perelman, *Traité de l'argumentation,* Paris, Éd. de l'Université de Bruxelles, 1988, p. 471.

dont le génie était éclairé du Saint-Esprit, assure que de son temps la terre était plate comme un four, et qu'elle nageait sur l'eau comme la moitié d'une orange coupée.

La comparaison avec le « four » est relayée par une analogie, le rapport « terre »/(mer, implicite) trouvant un correspondant : « orange coupée »/« eau ». Caution irrévérencieuse, puisque la lumière qui est ici faussement reconnue engendre une conception erronée de la terre : si le penseur, auquel on feint de faire crédit, s'est lui-même fourvoyé, à plus forte raison l'interlocuteur peut ne pas concevoir le monde comme infini.

L'analogie aboutit ici à une conclusion fausse ; la récurrence du processus d'inférence par rapprochement analogique signale le mode aléatoire de la preuve, l'investigation pseudo-scientifique faisant appel à une forme de métaphore élaborée, plus suggestive que démonstrative. C'est dire que l'analogie ne fait pas accéder au vrai mais au questionnement, dans la mesure où, en son développement même, elle signale les failles de la pensée et rappelle que l'exercice scientifique s'entend d'abord comme la formulation d'hypothèses.

À la lumière de cette analyse, il nous semble que l'investigation rhétorique vaut lorsqu'elle vise non un repérage de structures logiques, traduisant un dispositif argumentatif, mais qu'elle révèle une virtuosité littéraire, soumettant à la question les mécanismes mêmes de la preuve, dans un mouvement dynamique, impliquant une métamorphose permanente de la structure. La dimension éthique paraît déterminante, dans la mesure où la fiabilité des arguments avancés réside, pour une large part, dans l'autorité de la voix qui les assume. La crise de l'autorité narrative qui caractérise une énonciation résolument nouvelle se traduit notamment par cette neutralisation des tactiques d'influence passant par le pouvoir éthique d'une voix en surplomb, apte à fédérer les discours, placés ainsi sous dominance axiologique. Le doute s'infiltre par cette brèche, saccageant la belle cohérence argumentative dans ses prétentions à convaincre.

L'obsession du sens comme cohérence

En envisageant le texte par sa structure, on pose comme une évidence que le sens ne saurait naître du désordre, qu'il implique une direction, une cohérence qui ferme les possibles narratifs et évacue les hasards. Cet *a priori* convient sans doute pour un type d'écriture marqué par une facture rhétorique, disposant au préalable, en toute conscience, les éléments qui constitueront le texte, élaboré comme un corps harmonieux. C'est pourtant méconnaître qu'il est d'autres voies, côtoyant l'incertain, acceptant la surprise dans l'expérience d'écriture, la germination du projet pouvant se nourrir de sources multiples, si l'on veut bien laisser l'imagination suivre son libre cours. Cela ne signifie pas l'abandon d'une technique rhétorique, mais un dépassement dès l'instant où la plume suit l'esprit dans ses pérégrinations, sans bornes, refusant le statisme, parce que l'imagination, quand bien même elle égarerait la pensée, l'amène sur des sentiers inconnus, où se découvre enfin une nouveauté, inattendue. Belle parole que celle de l'un des personnages de Cyrano de Bergerac, l'Espagnol venu s'égarer sur la Lune dans l'espoir de fuir les chemins trop balisés de la Terre et qui devient le compagnon du voyageur-récitant, tous deux animalisés : « Un jour, mon mâle (car on me tenait pour la femelle) me conta que ce qui l'avait véritablement obligé de courir toute la Terre, et enfin de l'abandonner pour la Lune, était qu'il n'avait pu trouver un seul pays où l'imagination même fût en liberté. »[1] Cette remarque essentielle suggère précisément la force imaginative du roman lui-même, véritable laboratoire d'idées neuves, où les traditions se trouvent soumises à un questionnement systématique qui révèle, sous le normal, le pouvoir aliénant du préjugé.

Si l'écriture peut s'élaborer comme une construction consciente, elle trouve sa source dans un regard ciselé par l'imagination, dans une aptitude à entendre en soi ce que les phénomènes suggèrent. Dans ses *Essais sur l'art de la fiction,* Stevenson raconte l'histoire de la création

1. Cyrano de Bergerac, *op. cit.*, p. 76.

romanesque, telle qu'il la vit : au commencement était le lieu, qu'il soit réel ou fictif (la carte de l'île au trésor), espace où le temps du récit peut enfin s'inscrire et déployer son fil : « Certains lieux parlent distinctement. Certains jardins humides appellent à grands cris un meurtre ; certaines vieilles maisons demandent à être hantées ; certaines côtes ne se dressent que pour des naufrages. »[1]

À la fois regard actif, ouvert au monde et imagination toujours en éveil, l'écrivain livre en son texte une séduction qu'il a lui-même éprouvée : c'est par le plaisir qu'il prend à imaginer, librement, à recréer ce qu'il voit, qu'il entend en lui-même une résonance pleine, profonde, aspirée par le vide de l'attente :

> Ô pour moi seul, à moi seul, en moi-même,
> Auprès d'un cœur, aux sources du poème,
> Entre le vide et l'événement pur,
> J'attends l'écho de ma grandeur interne,
> Amère, sombre et sonore citerne,
> Sonnant dans l'âme un creux toujours futur[2] !

La fascination que suscite la littérature est résonance de la passion qui anime l'écrivain, idée logée au corps, musique amplifiée dans le silence intérieur et dont la page est la partition à déchiffrer, le vestige d'une émotion artistique, laissé là, sans raison, offrant sa gratuité mystérieuse à qui offre, à son tour, un regard ouvert, laissant le livre saisir l'esprit. Ouvrir un livre, et non le prendre, le lire, et non en faire un simple argument, y revenir, pour y redécouvrir une voix qu'on a fait sienne un jour, parce qu'elle sommeillait en nous, tels sont les actes qui libèrent des ornières du déterminisme social et des tristesses psychologiques tissées dans la toile des autojustifications.

Sous cet angle, l'examen des structures apparaît comme une question technique qui dévoile les ressorts d'un effet, mais ne l'examine pas pour lui-même, en ce qu'il modifie la pensée, la perception du lecteur, parce qu'il lui transmet, dans le langage, une attention plus aiguë à

1. Stevenson, *Essais sur l'art de la fiction,* Paris, Petite Bibliothèque Payot, 1992, « À bâtons rompus sur le roman », p. 209.
2. P. Valéry, *Poésies, Charmes,* Paris, NRF-Gallimard, « Poésie », 1929, 1958 ; « Le Cimetière marin », strophe 8, p. 102.

toute chose, une exigence accrue, un pouvoir d'imaginer qui donne à chaque détail une épaisseur nouvelle – le livre comme révélateur d'une quatrième dimension de l'existence.

Éloge de la gratuité

« Il faut bien reconnaître que la présence de personnes qui refusent de participer à la grande course handicap pour le gain des pièces de *six-penny* est tout à la fois une insulte et un désenchantement pour ceux qui s'y engagent. »[1] En cette remarque, se dessine une figure d'écrivain en négatif de celle que la médiatisation du livre a aujourd'hui produite. Pour Stevenson, la gratuité de l'acte vaut comme un contre-engagement majeur, résistant à une productivité frénétique, à une course folle vers le prétendu accomplissement de soi par l'ascension sociale et l'enrichissement[2]. Puisque les éditeurs cherchent aujourd'hui des écrivains de métier – entendons : non des artistes en littérature, mais des plumes aptes à produire régulièrement du texte selon le standard stylistique qui les distingue sur le marché du livre –, l'acte d'écrire désormais monnayable avant toute chose perd sa force réflexive, la « poubellification » que nous évoquions en ouverture s'accompagnant d'une prostitution intellectuelle. On a beau nous dire qu'au fond le système de mécénat qui prévalait autrefois imposait une dépendance analogue, cet amalgame ne tient pas car c'est oublier que les grands mécènes furent les défenseurs d'une qualité qu'ils étaient aptes à apprécier et non de simples médiateurs commerciaux. Nicolas Fouquet eut le trop bon goût de faire construire le château de Vaux, faisant de l'ombre à Versailles ; il y laissa sa vie, pour rivalité esthétique.

Rire cynique et sourire ironique

Rire et sourire, deux mots sans prétention, qui disent pourtant des effets littéraires d'autant plus fascinants qu'ils restent difficiles à analyser :

1. Stevenson, *op. cit.*, « Une apologie des oisifs », p. 99.
2. *Cf.* la fable de La Fontaine, VIII, 19, « L'avantage de la science ».

phénomènes souvent mentionnés sans être clairement diagnostiqués, j'entends linguistiquement dans la mesure où la seule composante linguistique semble insuffisante à identifier et expliquer un énoncé susceptible de faire rire ou de déclencher un « sourire de l'esprit », révérence ironique. Énoncé à risque, l'ironie doit composer avec une éventuelle incompréhension ; quant au rire cynique, souvent envisagé comme jeu sans incidence parce que dénué de sérieux, il s'appuie sur des composantes paralinguistiques, et requiert donc un examen pragmatique parfois délicat, si les éléments de théâtralisation du discours (geste, costume, intonation...) ne peuvent être restaurés. Insulte, crachat, mouvement à l'aide du bâton participent d'une posture cynique qui déborde largement la parole. Communément taxée de négation adolescente, marquée d'une axiologie hyperbolique, inapte au commentaire raisonné, la voix cynique réalise pourtant une parole-acte, que certains appelleraient performative[1], qui a en tout cas un effet immédiat de corrosion, essentiel à la santé sociale, en ce que la société par elle-même, suivant le principe d'inertie qui cimente son fonctionnement contre le risque d'anarchie, est menacée d'asphyxie morale, de pétrification hiérarchique, signes d'une vieillesse politique qui corrompt le système, perdant alors sa valeur première d'utilité – si l'on suit cette fois la position épicurienne[2] – et avalant progressivement les individus contraints à la résistance contre un pouvoir qui devrait les servir.

La parole littéraire, oscillant entre cynisme et ironie, s'énonce à distance, comme un regard oblique sur les pratiques attendues du monde, la fiction offrant en miroir une vision décentrée des enjeux, perdant leur évidence factice dans un univers construit autour de nouvelles références. Car c'est bien là l'une des séductions majeures de la littérature : mettre en perspective pour questionner l'ordre doxal, suivant une posture critique, qui suscite soit le rire cynique, soit le sourire ironique. Ces deux regards décalés sapent l'ordre moral en ses fondements

1. Voir J. L. Austin, *Quand dire, c'est faire* (Paris, Le Seuil, « Points Essais », 1970) et la réfutation d'Alain Berrendonner dans ses *Éléments de pragmatique linguistique,* Paris, Minuit, 1981, « Quand dire, c'est ne rien faire », qui pose les conditions de cet énoncé dit performatif, en fait simplement substitutif.

2. Voir Gassendi, *Éthique II* (795 *b* - 802 *b*), texte traduit et annoté par Jean-Marc Civardi et Jean-Charles Darmon, *Littératures classiques,* 55, 2005.

peu solides, en refusant les autorités usurpées, non par simple négation, mais en vue d'une nouvelle pertinence, constructive. Énoncés qui exhibent une forme de virtuosité, ces modes de parole alternative impliquent une connaissance sans failles des lois argumentatives et des codes en vigueur, qu'il s'agit de singer, tordre, dépasser. Ils suggèrent une valeur esthétique supérieure aux valeurs morales (le beau selon la nature visé par les Cyniques, selon la culture dans la perspective ironique). En ces deux postures philosophiques se retrouve une spécificité littéraire : revendication d'une liberté souveraine de tout dire ou de tout suggérer, par re-création d'un univers dont la surréalité imaginaire s'impose comme vérité essentielle. Cynisme et ironie visent effectivement une libération, par négation ou questionnement d'une réalité jugée inadéquate, qui n'est pas sans rapport avec la pensée littéraire (entendue comme pensée alternative à la philosophie systématique), exerçant le pouvoir des fables (ou encore la feintise ludique) pour refléter en miroir une surréalité autoréférentielle susceptible de ré-former la réalité du lecteur. Ce travail de sape aboutit à montrer qu'il n'y a pas d'équation entre réalité et vérité.

Plus audacieux qu'une mise sous tutelle idéologique, à la manière sartrienne, et selon nous, paradoxalement, plus *engagé pour la liberté,* le choix d'une autorité cynique ou ironique constitue un engagement littéraire paradoxal, qui confère à la voix narrative une force percutante accrue par rupture radicale des liens qui piègent le sens dans l'horizon étriqué d'un système axiologique attesté, au moins par un auditoire restreint. En se recommandant respectivement de Diogène et de Socrate, Rabelais et La Fontaine font entendre deux voix critiques – entendons : voies non tracées qui découvrent une nouvelle réalité, quand se diagnostique, dans l'espace politique dramatisé, une confusion, voire une inversion des valeurs.

La revendication d'une autorité cynique (ou ironique, dans une moindre mesure) pose problème, étant donné la suspicion à l'égard du cynisme, mauvaise presse d'une pensée en acte attachée dans les esprits à la désinvolture. L'ironie elle-même est souvent envisagée comme peu constructive, regard oblique qui sanctionne sans proposer d'alternative. On ne voit guère comment une philosophie asystématique telle que le cynisme peut participer à un jeu d'autorité, qui inviterait notamment à voir en Antisthène le « fondateur » d'une école cynique. Se référer à une figure cynique ou ironique implique d'emblée un paradoxe argumentatif, puisque le texte convoque alors non l'autorité suivant une descendance harmonieuse, exprimant le respect pour un savoir avéré, mais une *posture* elle-même foncièrement anti-autoritaire, faisant violence au systématisme des idéologies en vigueur.

Imposant à la morale une bastonnade verbale, le cynisme exerce une forme de cruauté lucide sur l'ordre en vigueur, arrachant les vernis de politesse, brisant par les éclats de rire la bonne conscience doxale, qui se satisfait de contempler la belle organisation sociale, sans cesse justifiée par une reconnaissance des grandeurs attestées. D'un coup de bâton ou d'un crachat, le Cynique effrite ou salit le marbre des héros statufiés, en révélant la fragilité psychologique des puissants, le désir effréné, comme un gouffre béant d'insatisfaction, incurable, les faux semblants d'intelligence, que la chrie gifle de son souffle violent.

Pratiquant jusqu'à la grossièreté, cette parole sans frein s'attaque à la réalité vulgaire dans ce qu'elle a de plus insidieux : la prétention à la correction morale, à la cohérence politique, alors même que l'ordre repose sur des disproportions que l'œil cynique perçoit comme scandaleuses. Il pratique le scandale pour débusquer ainsi celui qui se cache, logé au cœur même de la Cité, dans ses fondements, où s'invente la valeur sociale : richesse, pouvoir, conquête, gloire, chimères qui vident l'être humain de sa densité personnelle, de sa joie animale, de la satisfaction simple d'exister, sous le soleil, étranger aux jeux de miroirs. Le travail de sape des Cyniques, ce « non » à la réalité vulgaire, trouve sa résonance dans le geste d'invention littéraire, « oui » au mensonge qui dit la vérité, contre les fantasmagories d'une réalité flouée. *Pensée alternative à la saveur gratuite, inutile, essentielle,* définition que nous proposions, la littérature, dans sa quintessence fictionnelle, est l'inverse d'une parole d'adhésion religieuse, philosophique ou idéologique ; elle est miroir aux multiples facettes révélant, en éclats diffractés, la complexité des phénomènes, l'impossibilité de la pensée unique, la nécessité d'une addition des points de vue, d'une attention à chaque regard neuf sur un événement du monde.

Rire et ironie, deux effets qui sont aussi stratégies, modes de pensée, évoquant deux noms, Diogène et Socrate, philosophes qui attestent respectivement chez Rabelais et La Fontaine la possibilité de réfléchir par la fiction, figures antiques qui nous semblent poser clairement et inlassablement la question de la valeur esthétique en rapport avec la recherche de la vérité. On attribue à Platon ce mot à propos de Diogène : « C'est un Socrate devenu fou », formule qui éclaire l'enjeu commun aux deux philosophes, même si l'un est plutôt envisagé comme un provocateur peu sérieux, pratiquant la dérision systématique, tandis que l'autre, condamné à mort par une cité dont il ne conteste pas la loi, incarne la quête raisonnée du vrai, en acte. Diogène est aussi continuateur de Socrate, comme si, de la maïeutique athénienne à la diatribe lacédémonienne, un même démon tenaillait l'esprit critique.

D'Alcofribas Nasier à François Rabelais, ayant tombé le masque anagrammatique et affiché le titre de médecin, la figure d'auteur s'ingénie à questionner le sens allégorique. Le texte de Dante (*Convivio,* II, 1) qui distinguait les quatre sens de l'écriture : littéral, allégorique, moral, anagogique, est ici revisité dans un foisonnement métaphorique déroutant. À la gradation des sens, à l'ordre hiérarchique, semble se substituer une tension métaphorique ; stratification, feuilleté sémantique jouant des ambiguïtés définissent une nouvelle profondeur, non par opposition apparence, surface, phénomène / idée, essence, mais bien miroitement par diffraction des sens multiples ou dévoilement problématique des replis du sens[1]. La parole littéraire paraît s'improviser dans une gratuité souveraine, comme un éclat de rire cynique, sous le soleil. La mention de Diogène dans le Prologue du *Tiers Livre* est, à ce titre, symptomatique : étrange autorité désinvolte, jouant à l'affairé avec son tonneau tandis que les citoyens préparent la défense de la Cité, Diogène le Cynique est l'élégance décalée qui singe l'affairement humain des nains qui se croient

1. *Cf.* Gilles Deleuze, *Le Pli,* « Leibniz et le baroque », Paris, Minuit, 1988, et notamment le chapitre 1, « Les replis de la matière », p. 5-19.

grands : figure d'inutile, figure de la gratuité joyeuse, de la liberté pure :

> Ce voyant, quelqu'un de ses amis luy demanda quelle cause le mouvoit à son corps, son esprit, son tonneau ainsi tormenter : Auquel respondit le philosophe qu'à aultre office n'estant pour la republique employé, il en ceste façon son tonneau tempestoit pour, entre ce peuple tant fervent et occupé, n'estre veu seul cessateur et ocieux[1].

En chien (entendons : libre sous le ciel), l'on pourra lécher l'os à moelle, avec le regard gratuit du Cynique défait de l'obsession du systématisme, goûtant la matière des mots pour elle seule sans la dénaturer par l'opinion ou de chimériques élévations. Cynisme qui démystifie les fausses valeurs, les abus de sens ; rappelons que Diogène revendique la qualité de faux-monnayeur, faisant de cette falsification sa devise dans une société qui impose des valeurs falsifiées[2]. Dans le prologue du *Cinquième Livre,* Rabelais lui-même utilise ce modèle doxalement peu recommandable, caution ironique s'il en est : « Prins ce chois et eslection, ay pensé ne faire œuvre indigne si je remuois mon tonneau Diogénic à fin que ne me dissiez ainsi vivre sans exemple » (p. 1162).

La valeur esthétique, à la fois inutile et essentielle, *engage* le livre vers l'horizon d'une liberté qui rompt avec le sens commun pour embarquer la pensée dans un voyage d'île en île propre à l'étourdir.

Lire le délire ? — Le livre de Bakhtine sur l'œuvre de Rabelais[3] a ouvert la brèche, en montrant la prégnance de la culture populaire dans le voyage rabelaisien et cette analyse a une telle répercussion que toute lecture de Rabelais semble devoir composer avec elle. En poursuivant le chemin tracé par le critique russe, l'on peut toutefois emprunter des sentiers personnels, non encore débroussaillés, dans la forêt du sens. Le

1. Rabelais, *Œuvres complètes,* édition établie, annotée et préfacée par Guy Demerson, texte original établi par Michel Renaud et les chercheurs du laboratoire Equil XVI de l'Université Blaise-Pascal (dir. Marie-Luce Demoney), Paris, Le Seuil, 1995, p. 522.

2. Ce qui est rappelé par Marie-Odile Goulet-Cazé dans l'avant-propos de l'édition de poche sur *Les Cyniques grecs* : « Les Cyniques et la “falsification de la monnaie” », p. 5-24.

3. Mikhaïl Bakhtine, *L'Œuvre de François Rabelais et la culture populaire au Moyen Âge et sous la Renaissance,*Paris, NRF-Gallimard, « Bibliothèque des idées », 1970.

chemin que je choisis d'emprunter est à la fois hommage à Bakhtine et, comme tout hommage sincère, déviation interprétative, fondée sur la conviction que le rire de Rabelais est éminemment complexe, puisqu'il provient, plus que d'une dérision ironique de l'esprit de sérieux, d'une alliance de la culture populaire et de la culture savante, rire de jouissance raffinée né d'un art du mélange. Rire, enfin, qui fait dépasser le cadre d'une esthétique du ridicule[1], les catégories mêmes qui distinguent chez Bergson le comique (de mots, d'idées, de situation...)[2] et le rire de transgression de la loi religieuse (voir l'essai de Baudelaire, « De l'essence du rire[3] ») : il me semble, en effet, que le rire de Rabelais est foncièrement carnavalesque en ce qu'il entretient d'étranges liens avec l'angoisse. Le moment carnavalesque coïncide d'abord avec la libération passagère du corps et de l'esprit, ouverture momentanée qui délie les gorges, dés-angoisse, ou fait croire pour un temps au rêve du monde inversé. Mais, chez Rabelais, il ne s'agit pas seulement d'une inversion de l'ordre politique, religieux, idéologique, mais d'un moment de délire, plus à éprouver qu'à lire. Les lecteurs qui n'auraient pas le regard de gratuité des Cyniques risquent fort, en mauvais chiens, de se casser les dents sur l'os à moelle...

Dans le sillage de Léo Spitzer[4] : faire entendre une voix de poète. — Et pour changer d'analogie, dans le sillage, cette fois, de Léo Spitzer, je chercherai avant tout à faire entendre ici la voix de Rabelais poète, pour ce que, précisément, la poésie s'invente dans cette fracture entre les mots et les choses, comme un chant fondé sur l'écart, sur l'impossible équation : au commencement était l'angoisse née de la conscience des limites de la philosophie même. Au commencement du poème, la mise en question de l'idée pure et le rêve fou de Cratyle[5] de restaurer le

1. *Cf.* Patrick Dandrey, *Molière ou l'esthétique du ridicule,* Paris, Klincksieck, 1992.
2. H. Bergson, *Le Rire. Essai sur la signification du comique,* Paris, PUF, 1950.
3. Baudelaire, *Curiosités esthétiques,* « De l'essence du rire, et généralement du comique dans les arts plastiques », in *Œuvres complètes,* texte établi et annoté par Y.-G. Le Dantec, Paris, La Pléiade, 1954, p. 710-728.
4. Léo Spitzer, « Rabelais et les rabelaisants », *Études de style,* Paris, Gallimard, « Tel », 1970, p. 134-165.
5. Platon, *Cratyle, in Protagoras, Euthydème, Gorgias, Ménexène, Ménon, Cratyle,* trad., notices et notes par É. Chambry, Paris, GF, 1967.

lien de vérité entre les mots et les choses, non par la raison, mais par le déploiement imaginaire qui, faisant miroiter le langage, dit les mille et une facettes des choses, embrassement des phénomènes, plus que quête d'une intériorité cachée.

Songeons au mot du voyageur en fiction de René Daumal, embarqué dans un espace onirique où, par hasard, il découvre une surprenante définition :

> (Raison ? Je feuilletai furtivement le dictionnaire et trouvai :
> RAISON, subst. fém., mécanisme imaginaire sur lequel on se décharge de la responsabilité de penser.)[1]

Pour être poète, il faut sucer l'os à moelle, en savourer le goût, retourner dans la caverne des phénomènes, voire s'y vautrer en chien[2], à la manière de Diogène – Bardamu dirait : « voir comment qu'ils sont les gens et les choses »[3]. Abdiquer le rêve philosophique ainsi exprimé : que la lumière soit enfin, que l'on cesse de buter sur la réalité rugueuse ; avouer, avec le médecin, que la vérité se réduit peut-être à un diagnostic.

À lire Rabelais avec les lunettes de la raison, à vouloir à toute force extraire l'idée, le sens enfin stable, on risque fort, par myopie, de ne rien voir du tout ; on risque, plus encore, de se perdre dans les méandres d'une culture qui nous dépasse : c'est ce que montre Léo Spitzer dans son étude de style polémique, où il recense les bévues des critiques, inaptes à seulement savourer la poésie de Rabelais, plus férus d'une philosophie qu'ils ne maîtrisent guère, mais cherchent à toute force à retrouver dans le texte, comme un port où s'arrimer enfin, où

1. René Daumal, *La Grande beuverie,* Paris, Gallimard, « L'Imaginaire », 1938, 1966, p. 86.

2. Pour le sens à accorder à cette animalisation, voir la très belle lettre de Diogène à son père, profession de foi d'un esprit libre : « Ne te tourmente pas, mon père, parce qu'on m'appelle chien, [...] si on m'appelle chien, c'est celui du ciel et non de la terre, parce que c'est à lui que je me rends semblable, en vivant non point selon l'opinion, mais selon la nature, libre sous la seule autorité de Zeus, n'imputant le bien qu'à lui et non à mon semblable. [...] » (*in Les Cyniques grecs, Lettres de Diogène et Cratès,* traduit du grec ancien par Georges Rombi et Didier Deleule, lecture de Didier Deleule, Arles, Actes Sud, « Babel »,1998).

3. Céline, *Voyage au bout de la nuit,* Paris, Gallimard, 1952, p. 366.

exprimer leur propre science. Autre analogie : ils font penser aux mauvais « beuveurs » qui, plutôt que de vider les flacons dans une beuverie, feraient un exposé sur la fabrication du vin.

Le temps de lire ou l'expérimentation poétique. — Prendre le temps de lire Rabelais, déguster le livre, savoir s'y attarder, y étancher sa soif et sa faim de mots, c'est accepter de se soumettre à l'expérimentation poétique, lâcher prise, laisser en suspens la volonté interprétative, cesser d'être obnubilé par la recherche du sens (« Qui cherche ne trouve pas », dira Montaigne), car il est des os sans moelle !

Relisons les notes de bas de pages, fort instructives quant à cette obsession interprétative des lecteurs pressés d'arriver au port, et visiblement peu enclins à s'attarder aux beautés exotiques du voyage. Édition du Seuil, à propos des jeux de Gargantua, Guy Demerson écrit : « Cette kyrielle de jeux peut paraître bien fastidieuse : elle a précisément pour but premier de montrer Gargantua perdant son temps à des billevesées, et surtout consacrant les efforts de sa mémoire à l'apprentissage de dénominations oiseuses, et employant son intelligence et son activité à l'exercice de règles puériles » (p. 142). Fallait-il préciser le sens de l'épisode ? L'esprit de sérieux du commentateur inapte à entrer dans la sphère des jeux prête à sourire. Il ne connaît sans doute pas les voluptés et les sueurs froides du baccara... Il ne sait pas précisément « beluter » le temps, comme il est dit à la fin de la liste.

Autre commentaire du même ordre, cette fois dans l'édition de « La Pléiade », p. 9 ; à propos de l'invention admirable des « Fanfreluches antidotées », texte dada avant la lettre, Jacques Boulenger écrit : « Ce qui va suivre correspond à un genre de plaisanterie qu'on goûtait fort au XVIe siècle, mais qui a perdu de son sel aujourd'hui [je dois avoir un goût de seiziémiste] : c'est une "énigme", c'est-à-dire une longue série de propos sans suite apparente par lequel l'auteur désigne ou dépeint plus ou moins exactement un objet ou un événement fort commun qu'il faut deviner. Plus loin, au chapitre LVIII, nous verrons qu'il s'agit du jeu de paume. Ce que Rabelais veut dire ici, personne ne l'a compris. Peut-être n'est-ce rien du tout. Aimant à s'enivrer de mots comme un magnifique écrivain qu'il est, il s'est amusé à diverses reprises, dans son livre, à aligner longuement des propos sans queue ni tête. Il nous a paru tout à fait inutile de commenter ce qui est écrit pour être inintelligible [prétérition]. Le début des premiers vers a été gâté par les blattes et les cafards. » Dernière phrase très drôle car elle commente, effectivement, une notation qui précède le texte, pour mieux renforcer l'énigme et justifier l'écriture lacunaire ; ironie linguistique que ce travail des insectes qui prive, frustre le commentateur dans son enquête permanente sur la vérité littéraire ! Est aussi employé le qualifiant de « surréaliste », signe d'une abdication de la part des analystes zélés, signe aussi d'une conception normée de la littérature, qui entend le surréalisme comme l'expérience limite, étiquette qui nous semble déplacée, si l'on songe à la systématisation du modèle surréaliste opérée sous l'égide autoritaire d'un Breton. Si Rabelais annonce le délire verbal moderne, la poésie en liberté ne saurait se fonder en école, mais naviguer, en mouvement, dans l'ombre : c'est au dadaïsme que font songer ces morceaux.

Or ces passages énigmatiques, ces listes qui font virevolter la langue abondent dans l'œuvre, passages non en absurdie, mais dans des mers du sens revisité, mis en question, diffracté. Car viennent s'y noyer des touches satiriques, grivoises, ou simplement comiques, que le lecteur-joueur saisira au vol ; poissons volants merveilleux égarés dans la gratuité des mots, suspendus dans le torrent musical des paronomases, calembours, allitérations et assonances, éclats de sens dans le ciel chargé d'un grand rhétoriqueur. Ainsi, dans la Bibliothèque de Saint-Victor, on savourera les alliages loufoques : « *Bigua salutis* [Sur la planche du salut], *Bregueta juris* [La Braguette du Droit], *Pantofla decretorum* [La Chaussette des décrets] [...] ; *Decretum Universitatis Parisiensis super grogiasitate muliercularum ad placitum* [Décret de l'Université de Paris concernant les décolletés des Petites femmes, à suivre], L'Apparition de sainte Gertrude à une nonnain de Poissy estant en mal d'enfant. *Ars honeste pettandi in societate, per M. Ortuinum.* [Sur l'Art de péter poliment en société, par Maître Hardoin, ennemi d'Érasme...] Les Fariboles de droict [Les Acrobaties du Droit] [...], Decrotatorium scholarium [Le Décrottoir des professeurs], *Pantagruel,* 7, p. 338.

Voguer au-delà du sens. — Lire le délire implique ce parti pris des mots : en entendre d'abord la matière, la laisser sonner et résonner, s'y laisser prendre, beau piège du récit[1], en accepter la séduction, le chatoiement. La littérature, pensée alternative, autre pensée, autre monde lunaire, lieu de la pluralité des mondes (et des îles chez Rabelais), se dégrade à être traduite en sens philosophique mal compris : elle n'a pas à vivre des miettes tombées de la table auguste où s'inventent les systèmes philosophiques ; elle sourit, librement, ironiquement, créant des espaces propres à susciter le vertiges des penseurs trop sérieux qui croient s'abstraire des vérités de vin.

> [...] récitez d'abord, conformez-vous d'abord, et les pensées prendront un autre éclat, une autre puissance, par cet accord avec le plus profond sentiment. Disons simplement que ce seront des pensées[2].

Récitation-incantation qui fait redécouvrir la saveur première, la jouissance carnavalesque, dégagée du sens commun, des traquenards de la communication comme des enjeux de la culture établie. L'analogie avec le voyage en mer s'impose ici : aucune route établie, chacun tracera son propre sillage, avec comme boussole sa propre bibliothèque intérieure, aventure périlleuse où se joue l'essai de soi-même ; la mer livresque de Rabelais risque fort de nous aveugler de ses mille feux au point que, naviguant d'île en île, pris par l'ivresse du tangage, chacun sera amené à réinventer la saveur des mots. C'est un nouveau carnaval qui se prépare alors, déploiement, pêle-mêle, des livres qui viennent joncher la table pour faire danser le livre, mélange des textes qui fait songer à celui qu'orchestre Montaigne voyageant en sa bibliothèque.

Socrate devenu fou, usant du bâton là où l'ironiste pratiquait la piqûre :

> C'est ainsi, comme une sorte de taon, que, me semble-t-il, le dieu m'a attaché à la cité, moi qui me pose partout et, toute la journée, ne cesse de vous aiguillonner, de vous exhorter, de vous invectiver chacun individuellement.

1. Voir Louis Marin, *Le Récit est un piège,* Paris, Minuit, « Critique », 1978.
2. Alain, *op. cit.,* p. 13.

Non, Messieurs, vous aurez du mal à trouver mon pareil et, si vous m'en croyez, vous me traiterez avec ménagement *(Apologie de Socrate)*[1].

Aiguillon vital, indispensable à la santé intellectuelle de la cité athénienne, Socrate est insecte, son questionnement provoque une douleur aiguë, parce qu'il déstabilise, violente l'esprit, en sapant les idées reçues, en exigeant toujours plus loin une mise en question des *a priori* de la pensée. Cette ironie des origines vise une démystification du faux savoir sous toutes ses formes, elle démantèle les édifices produits par une raison douteuse, alors observés comme des échafaudages peu solides. L'insecte entame la peau de son dard, jusqu'à faire perler le sang ; l'ironiste effrite la cohérence du discours intérieur d'autojustification valorisante. Maîtrisant parfaitement les ressorts de l'argumentation, il en joue jusqu'à flirter parfois avec le cynisme lorsqu'il s'autorise une circulation sauvage du sens, lorsqu'il singe les procédés argumentatifs pour mieux déconstruire les vérités induites ou déduites par les chaînes d'une raison fallacieuse qui s'appuie sur des connexions illusoires. Là où la parole affirme, il substitue une question, il demande pourquoi, comment, il émet un peut-être, une réserve, comme si la vérité nécessitait la faille, s'y logeait, voire était la faille elle-même.

Se plaçant sous l'égide de Socrate, La Fontaine, tout en réinventant la forme qu'il choisit comme sienne, réalise une apologie de la fable sans précédent, où le questionnement philosophique hérité du philosophe s'entend comme arme ironique définissant l'effet réflexif d'une forme nouvelle, papillon poétique quittant sa chrysalide morale.

Pour la fable, parole diverse qui déjoue à plaisir les fictions logiques

Si le livre, miroir du monde, doit instruire les enfants, il réveille surtout une enfance de l'esprit, faculté d'étonnement, de questionnement, qui dessine peut-être le vrai visage de l'adulte, défait de ses rôles

1. Trad. C. Chrétien, Paris, Hatier, 1999, p. 27.

d'emprunt. Réécrivant un passage du *Phédon* devenu dans sa Préface mythe fondant la vérité fabulique, La Fontaine place la fable sous l'égide de Socrate, incarnation d'un art de philosopher par le dialogue. Démolisseur d'idées reçues : balayant les préjugés, faisant claquer les volets qui abritent les esprits bien au chaud dans leurs certitudes, le grand vent du questionnement socratique déstabilise jusqu'à imposer l'insoutenable réalité du « je ne sais rien ». Au commencement était la question, et Socrate y ramène sans cesse, quitte à se faire haïr.

En convoquant au seuil des *Fables* la figure du philosophe intransigeant, La Fontaine suggère un déplacement de la visée instructive de l'apologue non plus conçue comme imposition d'un précepte moral accrédité par le récit (sous dépendance didactique), mais mise en question d'un savoir reçu, examiné à l'aune de la réflexion fabulique. Mais choisir Socrate pour autoriser les *Fables* consiste à effacer la fracture essentielle entre *logos* et *muthos* qui, dans *La République,* correspond clairement à la dichotomie savoir/illusion. Faisant allusion à Platon, La Fontaine détourne la pensée du philosophe en ne retenant que la distinction de l'apologue parmi les autres formes poétiques plus radicalement condamnées.

Analogue à la peinture, la poésie s'apparente, en effet, à une magie exploitant les effets d'optique pour tromper :

> Et les mêmes objets paraissent brisés ou droits, selon qu'on les regarde dans l'eau ou hors de l'eau, concaves ou convexes suivant une autre illusion visuelle produite par les couleurs, et il est évident que tout cela jette le trouble dans notre âme. C'est à cette infirmité de notre nature que la peinture ombrée, l'art de charlatan et cent autres inventions du même genre s'adressent et appliquent tous les prestiges de la magie[1].

Sanctionné (comme le peintre) parce qu'il flatte en nous la « partie déraisonnable » (605 *c*), le poète n'est qu'un illusionniste détournant de la sagesse.

Réchappant au bannissement poétique, le créateur de fables paie cette grâce accordée en subissant une surveillance permanente et une censure propre à entamer l'essence même de son art. Or La Fontaine

1. *République,* X, 602 *c-d*, p. 95.

réinvente le texte platonicien en opposant l'exclusion d'Homère à la reconnaissance d'Ésope :

> C'est pour ces raisons que Platon, ayant banni Homère de sa République, y a donné à Ésope une place très honorable. Il souhaite que les enfants sucent ces fables avec le lait ; il recommande aux nourrices de les leur apprendre : car on ne saurait s'accoutumer de trop bonne heure à la sagesse et à la vertu ; plutôt que d'être réduits à corriger nos habitudes, il faut travailler à les rendre bonnes pendant qu'elles sont encore indifférentes au bien ou au mal[1].

Dans le passage auquel il est fait allusion (*La République,* II, 337 *b-e*), Platon ne mentionne pas Ésope ; il établit une distinction entre grande et petite fable pour s'attaquer à la première en visant directement Homère et Hésiode sur deux points précis : la représentation des dieux et celle des actions criminelles.

Si Socrate, porte-parole de Platon, distingue deux formes de fable, c'est pour mieux les confondre immédiatement en les mettant toutes deux sous une tutelle philosophique qui leur impose une double visée, morale et religieuse. Le jugement qui invite à expurger ensuite Hésiode et Homère n'épargne donc pas la petite fable (« Nous jugerons [...] des petites par les grandes ») qui doit aussi ne pas perturber le bon fonctionnement de la Cité. Dans le début du livre III (386 *a* - 392 *b*), Platon se livre, par le truchement de Socrate, à une censure d'Homère, corrigeant et retranchant ce qui ne convient pas à l'impératif politique. C'est l'essence même du texte qui est soupçonnée, l'utilité politique se trouvant en raison inverse de la qualité poétique, jugement terrible qui porte en lui-même la condamnation du style, dont la séduction suspecte est jugée comme éminemment dangereuse :

> [...] plus ils sont poétiques, moins ils conviennent aux enfants et aux hommes qui doivent vivre libres et redouter l'esclavage plus que la mort[2].

L'apologue, récit poétique, n'est pas recommandé comme texte éducatif pour sa valeur de vérité, mais parce qu'il apparaît comme la forme poétique *la moins nocive,* venant se substituer aux dangereux récits

1. La Fontaine, *Fables,* édition établie et annotée par Marc Fumaroli de l'Académie française, Paris, La Pochothèque, « Le Livre de poche », 1985, préface, p. 8.
2. Platon, *op. cit.,* 387 *b,* p. 93.

emprcints dc superstition des nourrices. C'est dire que l'honneur prétendument reconnu à Ésope constitue une invention, un mythe de La Fontaine, qui abuse de l'autorité de Platon pour innocenter la parole de la fable.

Détournant le texte de Platon, La Fontaine transformait la censure d'Homère en bannissement, pour les besoins de la cause. Or le début de la « Vie d'Ésope » met en parallèle la naissancc d'Homère et celle du fabuliste : toutes deux obscures. L'impossibilité de « remonter à la source où cesse même un nom »[1] permet à La Fontaine, traduisant Planude, d'engager une réflexion sur la place du poète dans l'Histoire. Homère ne sert plus alors de repoussoir mais devient le « père des bons poètes ». Enfin, Ésope est loué pour sa sagesse, dépassant celle des philosophes :

> Quant à Ésope, il me semble qu'on le devait mettre au nombre des sages dont la Grèce s'est vantée, lui qui enseignait la véritable sagesse, et qui l'enseignait avec bien plus d'art que ceux qui en donnent des définitions et des règles[2].

Figure de poète-philosophe, Ésope apparaît, dans le discours de La Fontaine, comme le Socrate de la fable. Le songe d'Ésope, qui lui délie miraculeusement la langue et déclenche sa vocation de fabuliste, ne vient-il pas en écho de celui de Socrate, tel qu'il est réinventé dans la Préface ? Garanties par l'autorité mythique de Socrate et s'appuyant sur la parenté d'Ésope, les *Fables* réalisent ainsi l'alliage de la philosophie dialoguée et de la parole réflexive.

Si la fable-apologue échappe au bannissement que Platon fait prononcer par Socrate dans *La République,* c'est qu'une valeur de vérité doit lui être reconnue. L'extrait du *Phédon* évoqué dans la Préface sert étrangement de justification à cette reconnaissance, alors qu'il est présenté comme simple ornement :

> Ce que Platon en rapporte est si agréable, que je ne puis m'empêcher d'en faire un des ornements de cette préface (préface, p. 5).

1. P. Valéry, *Charmes,* « Le Rameur ».
2. « Vie d'Ésope le Phrygien », p. 11.

Dans une scène dramatisée, la voix de Socrate donne à entendre les derniers mots d'un condamné à mort :

> Il [Platon] dit que, Socrate étant condamné au dernier supplice, l'on remit l'exécution de l'arrêt, à cause de certaines fêtes. Cèbes l'alla voir le jour de sa mort (préface, p. 5).

Ornement-argument, le récit déploie l'enchantement qu'il défend et dont il sera question dans l'épître à Mme de Montespan : capturant le lecteur au sein même de la Préface, il l'amène à accepter, par la représentation fictionnelle, le concept paradoxal d'un *mensonge qui dit la vérité*. En effet, le discours qui autorise la fable met en abyme le songe de Socrate et son élucidation, vérité révélée au seuil de la mort. Le déchiffrement du mystère onirique – étrange avis des dieux invitant le sage à consacrer les derniers moments de sa vie à la musique – s'effectue par l'établissement progressif d'une équation analogique mettant en rapport musique et poésie. La première équivalence – l'harmonie est essentielle à la musique tout comme harmonie et fiction le sont à la poésie – est ensuite rectifiée en une seconde, solution de l'énigme trouvée par substitution, puisque la fable contenant « quelque chose de véritable » y remplace le terme de « fiction » :

> [...] en songeant aux choses que le ciel pouvait exiger de lui, il s'était avisé que la musique et la poésie ont tant de rapport, que possible était-ce de la dernière qu'il s'agissait. Il n'y a point de bonne poésie sans harmonie ; mais il n'y en a point non plus sans fiction ; et Socrate ne savait que dire la vérité. Enfin il avait trouvé un tempérament : c'était de choisir des fables qui continssent quelque chose de véritable, telles que sont celles d'Ésope. Il employa donc à les mettre en vers les derniers moments de sa vie (préface, p. 6).

La réticence du sage qui confondait d'abord fiction et récit mensonger disparaît ainsi sous le pouvoir d'un songe : c'est par le détour fictionnel que le philosophe vient à la fable, séduit par l'énigme, happé par le désir de solution.

Or La Fontaine réécrit en fait assez librement le passage du *Phédon* où l'injonction des dieux traduite par « Fais de la musique » signifie plus exactement : « Fais une œuvre d'art », traduction proposée par M. Dixsaut qui précise, en note :

La traduction par « Fais de la musique » est inadéquate ; *mousiké* renvoie à l'Art des Muses (suivantes d'Apollon), à toute culture de l'esprit, artistique ou scientifique, par opposition à la gymnastique, culture du corps. Mais aucune traduction ne peut rendre l'unité du terme grec, qui à la fois articule les arts entre eux et articule chacun selon une même *mesure* dont résulte la beauté de ce qu'on œuvre (*poiein :* faire, composer, produire), conformément aux « règles de l'art ». Par « art » il ne faut donc pas entendre seulement les « beaux-arts », mais toute pratique qui met en œuvre juste mesure et proportion droite[1].

L'analogie que l'on décelait dans la Préface de La Fontaine est absente du texte de Platon où Socrate croit comprendre d'abord une invite à poursuivre dans la voie qu'il a choisie :

[...] le rêve m'encourageait à continuer exactement ce que j'étais en train de faire, une œuvre d'art. Car, dans mon esprit, la philosophie était l'œuvre d'art la plus haute, et c'était elle que je pratiquais[2].

L'insistance du rêve et l'imminence de la mort après le procès incitent Socrate à envisager l'exhortation dans un sens plus trivial :

Alors, et au cas où – sait-on jamais ? – le rêve insisterait pour me prescrire de faire une œuvre d'art au sens où tout le monde entend ce mot, il m'a semblé qu'il fallait ne pas désobéir, et me mettre à composer. Bref, il m'a paru plus sûr de ne pas m'en aller avant de m'être acquitté de ce devoir religieux : faire des poèmes, donc obéir au rêve[3].

Enfin, le « choix » d'Ésope se justifie par l'inaptitude du philosophe, spécialiste en *logos,* à créer un *muthos,* Socrate ne faisant que composer à partir d'une fiction déjà inventée :

Mais moi, je n'étais pas doué pour inventer des histoires. Aussi, j'ai pris celles que j'avais sous la main et que je savais par cœur, celles d'Ésope ; ce sont elles qui, par un pur effet du sort, me sont venues les premières et qui ont servi de matière à mes compositions[4].

Choix du sort et de la mémoire (qui fait retenir les *Fables* d'Ésope) à l'inverse de la prédilection qui, dans la Préface de La Fontaine, expliquait l'entrée en fiction du philosophe par la valeur de vérité distinguant l'apologue des autres poèmes. Ces déplacements modifient

1. *Phédon,* trad., introd. et notes par M. Dixsaut, Paris, GF, 1991, n. 43, p. 324.
2. *Ibid.,* p. 206.
3. *Ibid.,* p. 206-207.
4. *Ibid.,* p. 207.

profondément le sens accordé au songe, puisque le raisonnement analogique aboutit à la reconnaissance d'une vérité fabulique absente du texte source. Détournant insensiblement et ironiquement le texte de Platon en vue d'une réhabilitation de la fable, La Fontaine crée le mythe qui fonde une vérité de la *fabula* en s'appuyant sur l'autorité de Socrate, suprême questionneur.

Or cette ironie qui est questionnement des valeurs admises, il la pratique dans ses *Fables,* non pour masquer un sens trop audacieux *sous* le voile, mais, faisant danser le voile de la fable, il trame un sens *dans* les pliures du tissu polyphonique – sourire complexe, sens chuchoté que l'œil doit savoir discerner, à partir de sa connaissance des trames, des agencements de couleurs.

Pour exemple, la Dédicace qui ouvre l'œuvre, adressée « à Monseigneur le Dauphin », donne à lire une évocation de l'héroïsme militaire de Louis XIV, éloge peut-être trop voyant pour ne pas laisser entendre, par ironie, un dégonflement de la gloriole du conquérant. Le discours épidictique prend la forme d'une longue période censée mimer l'envie du Dauphin, admiratif devant les exploits du roi (« Quand vous le voyez [...] dans l'amour de cette divine maîtresse »).

La protase, structurée par l'anaphore de la conjonction « quand », fait se succéder une kyrielle de subordonnées temporelles, amplification excessive qui, créant une disproportion, semble signaler la dérision (la grandiloquence mime la gloriole) : « *Quand* vous le voyez [...] *quand* vous le considérez [...] *quand* il pénètre [...] et *qu*'il en [province] subjugue une autre [...] ; *quand,* non content de dompter les hommes, il veut triompher aussi des éléments et *quand* [...] vous le voyez [...]. » Énergie admirable ou vaine agitation ? L'évocation rappelle la figure anti-épicurienne d'Alexandre :

> [...] Iskander (Alexandre) est, selon le Coran, celui d'entre les mortels à qui fut donné de découvrir une fois pour toutes les limites du monde[1].

1. J. Salem, *Tel un dieu parmi les hommes,* L'Éthique d'Épicure, Paris, Vrin, 1994, « Alexandre ou le traité du vain combat », p. 65. Alexandre incarnerait l' « illimitation du désir », la conquête apparaissant comme une « antisagesse » :

> « La question, somme toute bien abstraite, de la structure pathologique, maniaco-dépressive, du désir infini, le Conquérant, pour son malheur, l'a

L'apodose (« Avouez le vrai, Monsieur, vous soupirez [...] ») semble préciser cette orientation négative : point d'orgue ironique, la métaphore qui fait de la gloire la maîtresse du roi démasque, dans la clausule, le fondement même du désir de puissance : « Vous attendez avec impatience le temps où vous pourrez vous déclarer son rival dans l'amour de cette divine maîtresse. » En filigrane, La Fontaine, peu sensible à ces « jeux de prince », démystifierait ainsi l'esprit de conquête. Au seuil même du livre, se ferait entendre une discordance, l'énoncé élogieux se trouvant mis en contradiction avec l'énonciation elle-même, faussement sérieuse puisque l'axiologie peut jouer dans les deux sens : apparemment laudative, mais aussi symptomatique d'un blâme. Suggestion railleuse sous couvert de louange, cette parole sanctionnerait l'ambition démesurée du roi et démystifierait la figure du conquérant ; elle semble alors faire jouer l'*ethos* du moraliste, adoptant un point de vue oblique pour mieux *faire voir* l'abus et éveiller une conscience ironique, impliquant d'abord de reconnaître l'impossibilité d'échapper à la rhétorique :

> Immergée dans une rhétorique qu'elle voudrait pouvoir transcender pour accéder une fois pour toutes à la vérité, la conscience ironique se sait tragiquement et irrémédiablement rhétorique[1].

Comprenez, ne comprenez pas[2] le double sens du morceau épidictique obligé : le texte séduit par son ambiguïté même, qui préserve la liberté de pensée et qui permet à La Fontaine d'exercer, en dépit de l'autoritarisme royal, une fonction critique de conseiller politique. L'éloge appa-

expérimentée pratiquement. De celui dont les mains rangèrent sous le même joug presque tous les humains, il ne reste plus rien. Sa chance, devenue pour un temps proverbiale à Athènes, n'a rien eu que de très provisoire – comme la suite l'a assez montré. Sa gloire n'a nullement évité que son empire se disloquât dès que sa mort fut survenue : son cadavre âprement disputé par l'ambition de ses anciens lieutenants n'a pas même échappé aux outrages. Son rêve de renommée éternelle et de pouvoir universel, un seul jour a suffi pour en faire paraître la vanité » (p. 68-69).

1. M. Meyer, *Questions de rhétorique,* « Langage, raison et séduction », Paris, Livre de poche, « Biblio Essais », 1993, p. 102.
2. *Cf.* VIII, 4, « Le pouvoir des fables » : « Lisez-les, ne les lisez pas » (v. 9).

raît ici comme la norme discursive : on se souvient du précepte qui ponctuait « Les obsèques de la lionne » :

> Amusez les rois par des songes,
> Flattez-les, payez-les d'agréables mensonges,
> [...]
>
> VIII, 14, v. 52-53.

Or l'ironie, qui s'apparente à une ruse, s'appuie précisément sur le morceau attendu pour le détourner de sa fonction convenue, stratégie non essentiellement agressive mais d'abord défensive :

> Elle [l'ironie] peut apparaître, dans l'ordre de la parole, comme le dernier refuge de la liberté individuelle[1].

Ou de l'art de ne pas devenir écrivain d'État sous Louis XIV.

Rire et sourire : point d'orgue

Le rire cynique dépasse la dérision, il est signe de jubilation souveraine, rire de nature, de celui qui comprend et dément, qui affirme le pouvoir du langage contre le pouvoir usurpé des falsificateurs. Le sourire moins violent de l'ironiste laisse entrevoir le souhait d'un amendement, comme si, par la posture sérieuse du témoin portant un regard oblique sur l'étrangeté des pratiques, un rêve d'amélioration se dessinait en creux. Paradoxalement, le Cynique se poste sur la place publique, comme au cœur de la Cité, pour s'esclaffer devant la déraison sociale ; l'ironiste se met en marge, relève un pan du rideau pour observer la scène sociale de biais, en témoin extérieur. Or le premier dit par sa présence la vérité de la nature, comme une erreur dans la Cité, dont il s'exclut radicalement ; le second instaure une distance critique, mais ne coupe pas le lien, sa position extérieure peut devenir surplombante, il exige *de raison* un nouvel ordre des choses. Jouant sur l'instabilité du système, le Cynique use du bâton, débusquant toutes les failles, pour l'ébranler encore, dans l'espoir de le voir péricliter, revendication d'une

1. Citation de R. Barthes (qui y voit une réplique « antifasciste »), reprise par A. Berrendonner dans ses *Éléments de pragmatique linguistique*, p. 239.

liberté absolue, anarchiste. Analysant et sanctionnant les dysfonctionnements, l'ironiste souhaite la réforme, et la suggère par référence implicite à une éthique qu'il assume, contre la force aveugle de l'opinion, comme détenteur d'une élégante vérité qu'il savoure et livre par connivence intellectuelle.

La distance qu'instaure d'emblée le geste littéraire est à la source d'une sérénité des mots, quel qu'en soit le sens ; la posture littéraire combine la marge ironique et le plain-pied cynique. Elle fait entendre une voix en prise directe sur le monde, qu'elle voudrait saisir, embrasser, et s'invente donc exubérante en son discours sans fin, à la manière cynique ; et dans le laps de temps, le décalage spatial, la feinte narrative, elle tisse sa réflexion critique, *elle prend le temps et recompose l'espace,* pour faire voir autrement. Seul au milieu de la foule qu'il interpelle, le Cynique nous dit qu'il existe mieux que la réalité, une vérité, qui en elle-même est belle d'être vraie. C'est cette même idée grecque qui hante non la solitude mais la marginalité de l'ironiste, convaincu qu'il existe une élégance intelligente qui désenglue d'une laideur réelle, « réalité rugueuse » que le poète remodèle par une sculpture phénoménologique qui apprend à voir autrement, à lire les simulacres. L'idée grecque du *kalos kai agathos* hante l'écriture littéraire :

> Beauty is truth, truth beauty, that is all
> Ye know on earth, and all ye need to know.
>
> J. Keats, *Ode on a Grecian Urn.*

Écrire aujourd'hui, à moins de vouloir servir je ne sais quelle idéologie après la mort des idéologies, à moins de croire encore que le roman à thèse nous parle effectivement d'engagement, écrire peut-être pour philosopher à la manière nietzschéenne, « nuire à la bêtise », écrire selon deux voies, celle de l'affrontement direct ou celle de la connivence intellectuelle, de traverse, du regard oblique partagé. Posture cynique de Céline ou ironique à la manière de Proust, la littérature aux prises avec la glu du monde social s'engage en s'engluant ou en s'exilant : Bardamu, figure perdue dans la boue, collant aux réalités sales du monde ; Swann, témoin exclu du clan bourgeois qui finit par le rejeter, parce qu'inapte à s'intégrer, à fondre sa voix dans la bêtise bavarde.

L'oisiveté elle-même est résistance politique, engagement paradoxal à ne rien faire, dans un monde en perpétuelle effervescence, où produire devient impératif catégorique imposé par un système présenté comme sans alternative : produire ou périr ! L'*Apologie des oisifs* de Stevenson trouve toute son actualité dans cette élégance critique de l'écriture, qui questionne, apportant autant de freins à cette fuite en avant sans retour. La pratique littéraire réaffirme à chaque écriture, à chaque lecture, la conviction en une gratuité qui est condition *sine qua non* d'une pensée. Plus encore, la spécificité littéraire réside en une séduction non trompeuse, où, contrairement à ce que toute une tradition philosophique n'a cessé d'affirmer, il est possible de faire bon usage de son imagination. Fiction n'est pas déraison mais élaboration d'un espace de liberté intellectuelle où l'esprit peut s'avancer et se perdre, sonder jusqu'à ses propres incohérences, délaisser surtout les scories de l'opinion.

Voies à explorer ou questions littéraires. — À élargir les perspectives en reconnaissant à la littérature le pouvoir de livrer une pensée vivante, incarnée, on parvient à modifier radicalement le regard porté sur le paysage littéraire : poétiques oubliées parce que jugées secondaires, mineures, esthétique du fragment qui confère un tout autre point de vue sur le notion même d'œuvre, insistance sur la voix silencieuse des écrivains, non dans une dimension personnelle, mais en vue de comprendre comment émerge du texte une forme de subjectivité impersonnelle[1], cadre énonciatif où chaque lecteur-poète pourra, faisant résonner sa voix propre, y dépasser, à son tour, le carcan de la personne. Attente surtout de questions posées par les œuvres, plus que de

1. *Cf.* Alain Robbe-Grillet, *op. cit.,* « Nouveau roman, homme nouveau », Le Nouveau Roman ne vise qu'à une subjectivité totale (p. 117-118) :

> « [...] Qui décrit le monde dans les romans de Balzac ? Quel est ce narrateur omniscient, omniprésent, qui se place partout en même temps, qui voit en même temps l'envers et l'endroit des choses, qui suit en même temps les mouvements du visage et ceux de la conscience, qui connaît à la fois le présent, le passé et l'avenir de toute aventure ? Ça ne peut être qu'un Dieu.
>
> C'est Dieu seul qui peut prétendre être objectif [...] » (p. 118).

réponses validant la qualité d'un texte à thèse. Car, à vouloir à toute force plier les textes aux questions-cloisons que nous leur imposons comme autant de réponses assurant le classement taxinomique d'un catalogue fantasmatiquement scientifique de la littérature, nous ne faisons que naviguer sur nos eaux dormantes, de peur d'affronter la vertigineuse diversité des idées brassées par la fiction.

Dépasser le primat de la stylistique[1]

Cet élargissement des enjeux devrait passer par une reconstruction nécessaire du dispositif rhétorique à l'œuvre, ou une acceptation de l'œuvre en chantier qui remettrait en cause l'analyse purement stylistique dans la mesure où l'amputation de l'*inventio* et de la *dispositio* dénature le sens même de la figure. La littérature se trouve, en effet, dépossédée de son sens par une focalisation sur l'*elocutio* qui amène à lire les textes sous l'angle d'un pur « bien dire » équivalent à une ornementation valant pour elle-même. Or le style ne vaut que s'il est conscience engagée dans le langage, acte de dire qui vise un effet pragmatique. Entre la proposition sartrienne du style-outil, le langage étant essentiellement canal du message, et cette conception du style valant pour simple prouesse esthétique, il est peut-être une autre voie qui ferait entendre précisément l'impact de la figure, à partir d'une réflexion sur l'essence rhétorique du langage, et non suivant une dichotomie entre neutralité linguistique et figuration littéraire, qui montrerait que tout choix esthétique est engagement non dans l'art de bien dire, mais dans la suggestion d'une posture subjective impersonnelle, que le lecteur est invité à adopter, à emplir de sa personne pour mieux s'en défaire. Au-delà des catalogues de figures de style, ce qui importe, c'est la résonance, la discordance, les jeux d'orchestration qui tordent et détordent le langage jusqu'à dessiner effectivement un enchevêtrement figuratif qui est mode sensible de

1. *Cf.* Gérard Genette, « La rhétorique restreinte », *in Communications,* 16, « Recherches rhétoriques », Paris, Le Seuil, « Points Essais », 1994, p. 233-253.

pensée définissant non une personnalité d'auteur mais un pli intellectuel particulier qui se livre libéré du « je », des scories qui rivent au réel.

Le lecteur, non co-auteur[1]*, mais acteur d'une pensée détachée de la personne*

En évacuant la recherche d'une intention d'auteur, on a sans doute libéré les textes des analyses psychologisantes qui s'appuyaient sur des reconstructions biographiques hasardeuses, forçant l'œuvre en vue de l'explication *a posteriori* d'un destin qu'on refusait de voir échapper, comme si lire signifiait s'emparer du sens d'une vie après la mort. La critique envisageant la réception des textes réalise un décentrement salutaire, en proposant l'idée d'une participation active du lecteur dans l'élaboration du sens (ce qui engage une responsabilité de lecteur) tout en examinant comment s'inscrit la figure du lecteur par l'horizon d'attente que le texte dessine. Pourtant la notion de co-auteur présuppose une équivalence de statut, s'articulant par le texte ; or en finir avec l'intention d'auteur implique, si ce n'est de détacher, au moins de distendre le lien du créateur avec son œuvre, pour reconnaître à la fois une déperdition personnelle et un renforcement subjectif, opérés dès la publication, qui ouvre la voie au voyage autonome du livre. Ce qui se découvre dans le secret des pages, c'est non la relique d'une vie en ses particularités quotidiennes, en ses méandres psychologiques, en ses affres et ses joies, mais sa quintessence – entendons : une pensée à faire vivre en soi par la lecture. Le texte est à habiter non en auteur mais en acteur, incarnant le mouvement d'idées incarnées en personnages, qui sont autant de figures subjectives disant non la personne, mais le « je » vide, éclaté d'un auteur à la présence d'autant plus fascinante qu'elle glisse sur tous les visages, révélant sa vérité imaginative.

À focaliser l'analyse sur le style, ou sur la structure, ou sur la réception, on oriente d'emblée la réponse que l'on prétend chercher. L'in-

1. *Cf.* Umberto Eco, *Lector in fabula* ou La Coopération interprétative dans les textes narratifs, Paris, Grasset, 1985.

vestigation rhétorique n'a de sens pour les textes littéraires que si l'on garde à l'esprit que l'écriture d'un roman, d'un poème, ne s'appréhende pas suivant un art de persuader, mais n'en est pas pour autant étrangère aux questions de choix (suivant les trois composantes : *ethos, logos, pathos* correspondant au style, à la structure et à l'inscription du lecteur) qui cimentent la réflexion des penseurs de la technique oratoire, dans la mesure où l'on reconnaît que le langage est *par essence* rhétorique, suivant la proposition déterminante de Nietzsche, en ce sens continuateur d'Aristote, qui découvre et théorise cette puissance de frappe du langage :

> Il n'y a absolument pas de « naturalité » non rhétorique du langage à laquelle on pourrait faire appel : le langage lui-même est le résultat d'arts purement rhétoriques. La force qu'Aristote appelle rhétorique, qui est la force de démêler et de faire voir, pour chaque chose, ce qui est efficace et fait de l'impression, cette force est en même temps l'essence du langage : celui-ci se rapporte aussi peu que la rhétorique au vrai, à l'essence des choses ; il ne peut pas instruire, mais transmettre à autrui une émotion et une appréhension subjective[1].

On n'omettra pas pour autant l'étrangeté de l'énonciation littéraire, faisant entendre dans le silence une voix éteinte qui ne résonne que dans le timbre intérieur du lecteur, étant lui-même son propre auditeur lorsqu'il endosse le rôle du narrateur, mimant une parole muette. Lire un texte littéraire, c'est effectivement faire résonner en soi un discours qui séduit, non au sens rhétorique attendu de discours trompeur (la séduction s'assimilant à une manipulation), mais au sens de parole exerçant un charme, dont le lecteur se fait le complice dans l'attente d'une expérience de pensée en fiction.

Par estompe ou soulignement, l'*ethos* devient dans l'espace littéraire forme de subjectivité impersonnelle marquée par le style, et, qu'il soit revendiqué ou non, il signe le livre dans la manière dont il s'articule aux autres composantes. Ces effets de dominance nous semblent faire sens, non seulement pour une œuvre donnée, mais tels

1. « Nietzsche, "Cours sur la rhétorique" (1872-1873) », par P. Lacoue-Labarthe, J.-L. Nancy, *Poétique, n° 5,* « F. Nietzsche. Rhétorique et langage », Paris, Le Seuil, 1971.

qu'ils viennent s'inscrire dans un moment littéraire, révélant comment la question éthique est appréhendée. Question cruciale en littérature, où la personnalité oratoire devient paradoxalement subjectivité en écriture dépassant la personne réelle, style qui détache la pensée et la donne à partager, à éprouver, par le truchement des personnages fictionnels.

Voies à explorer

PLAISIR ET PENSÉE. DROIT À LA PAROLE SUBJECTIVE

Discours à soi tenu par le lecteur, mais écrit par cet autre mystérieux, qui se dérobe toujours en tant que personne mais se dit tout entier dans la pensée qu'il livre, le texte littéraire est placé sous le signe d'une étrangeté rhétorique. La séduction est communément entendue comme une manipulation relevant de ce que certains appellent rhétorique noire ou encore sorcière rhétorique, parole hypnotisant, paralysant la raison et fondée sur un jeu d'intimidation éthique[1], comme si toute parole plaisante était à suspecter, enjôleuse, ensorceleuse : mots de don Juan, du renard au corbeau, promesses de sorcières, mensonge publicitaire, autant de fictions trop charmeuses pour être vraies.

Pourquoi ramener le récit à des visées argumentatives, toujours vouloir qu'il ait une leçon à transmettre ? Rappelons que la littérature naît d'une autonomisation de la narration, d'abord définie comme moment attendu dans un discours judiciaire, où elle correspond, après l'exorde, à la mention orientée d'une suite d'arguments valant comme preuves ;

1. Voir, à ce sujet, Barbara Cassin, « Bonnes et mauvaises rhétoriques de Platon à Perelman », *in Figures et conflits rhétoriques,* édité par Michel Meyer, 1990. Entre déchéance (Gorgias) et sublimation (Phèdre), la rhétorique oscille, cherchant sa place et son vrai visage dans cet entre-deux. Barbara Cassin cite notamment cette phrase de Paul Ricœur qui dit clairement la dénaturation des enjeux par deux excès opposés : « La rhétorique n'a jamais cessé d'osciller entre une menace de déchéance et la revendication totalisante en vertu de laquelle elle ambitionne de s'égaler à la philosophie » (« Rhétorique. Poétique. Herméneutique », *in De la métaphysique à la rhétorique*).

détachée du carcan argumentatif, la narration n'a plus rien à prouver, libérée du sens nécessaire, elle peut tramer des histoires contingentes et doit trouver ses règles propres pour ne pas s'éparpiller au gré des hasards.

Les études argumentatives cherchent à percer des enjeux purement logiques, comme si cette coupure n'avait pas eu lieu, comme si, pour exister, la littérature devait justifier d'une thèse à prouver ou à réfuter, enfin d'une idée, extérieure à elle, qu'elle s'ingénierait à défendre.

De cette coupure première, la littérature garde les stigmates : non seulement suspectée de gratuité dangereuse, dans la mesure où, livrée à elle-même, elle porte où l'imagination veut bien mener, mais surtout, ayant intégré la critique, se déclarant coupable de ne pouvoir en appeler à une raison supérieure. Combien d'écrivains s'excusant, avouant la vanité de leur geste d'écriture, au seuil même du livre, disant la conscience angoissée, sceptique, devant la mer imaginative qui s'offre à eux, sans qu'une transcendance ne puisse aider à choisir, justification salutaire qui évacuerait la culpabilité d'écrire, de produire des signes qui engendrent leurs propres références.

Symptôme caractéristique du genre autobiographique, cette exhibition de la vanité s'appuie alors, et non par simple élégance rhétorique, sur la conscience d'une étrangeté éprouvée à l'idée que l'on va parler de soi, choix difficile à assumer, où s'entortillent la pudeur et l'insolence : ne pas vouloir dire, et oser dire, se choisir pour s'oublier et retrouver l'humaine nature à travers des détails si anodins, qu'ils en semblent ridicules. Songeons à la belle ouverture dialoguée d'*Enfance* de Nathalie Sarraute, où dans un jeu schizophrénique entre je et moi, se décante cette parole qui ne va pas de soi.

> — Alors, tu vas vraiment faire ça ? « Évoquer tes souvenirs d'enfance »... Comme ces mots te gênent, tu ne les aimes pas. Mais reconnais que ce sont les seuls mots qui conviennent. Tu veux « évoquer tes souvenirs »... il n'y a pas à tortiller, c'est bien ça.
>
> — Oui, je n'y peux rien, ça me tente, je ne sais pas pourquoi[1]...

Ce qui se joue entre le silence, cet en-deçà de l'écriture coïncidant avec la cacophonie de la vie, et la première page où la parole s'avance, se

1. Nathalie Sarraute, *Enfance*, Paris, Gallimard, « Folio », 1983, *incipit*, p. 7.

montrant hésitante et trouvant ses résonances dans la seule lecture, c'est la nécessité de choisir, l'autobiographie apparaissant comme genre d'autant plus risqué qu'il doit avouer d'emblée, dans le pacte qu'il fonde, se nourrir de la vie de l'auteur, tout en visant un dépassement[1]. La voix authentique, réalisant la juste équation entre les trois instances (auteur, narrateur et personnage), amène, en effet, bien autre chose qu'une fiction de soi : un questionnement qui touche à la subjectivité impersonnelle dans la mesure où il concerne chaque lecteur, dans ses errances existentielles, ses doutes à dire ou ne pas dire, sa propension au mensonge ou à la mauvaise foi, ses velléités d'imagerie personnelle. La modalité est bien différente dans l'affirmation liminaire de Montaigne, sous forme d'alexandrin mimant le moi par l'allitération, belle transparence qui n'est précisément pas autobiographique, mais inscrite dans une philosophie subjectivisée, tracée en fragments de pensée : « Je suis moi-même la matière de mon livre » (« Avis au lecteur » des *Essais*).

Le texte littéraire fascine et façonne tout en exhibant une visée réflexive : séduire non pour avaler l'esprit du lecteur, mais pour le faire penser dans et par le plaisir de la fiction.

L'enjeu est, en lui-même, paradoxal et subversif si l'on songe au mythe de la difficulté qui soutient une certaine façon de philosopher (et d'exister), la pensée valant pour son caractère ardu, métaphorisé par l'aridité, tandis qu'on entendrait en littérature des sources naïves, rafraîchissantes, délectant et délassant l'esprit qui s'est attelé à la complexité des systèmes, ou s'est épuisé en joutes dialectiques. En philosophe littéraire, Montaigne débute l'essai « De la Cruauté » (II, 11) en renversant une conception morale traditionnelle qui amalgame vertu et difficulté, par un jeu d'inversion métaphorique. Refusant la « route trop hautaine et inaccessible » (p. 422) et le « chemin aspre et espineux », il leur oppose « cette aisée, douce et panchante voie, par où se conduisent les pas reglez d'une bonne inclination de nature » (p. 423). La « route de la vertu » est précisée par une topographie détaillée dans « De l'Institution des enfans » (I, 26, p. 161) :

> La sagesse a pour but la vertu, qui n'est pas, comme dit l'eschole, plantée à la teste d'un mont coupé, rabotteux et inaccessible. Ceux qui l'ont approchée,

1. Voir Ph. Lejeune, *Le pacte autobiographique,* Paris, Le Seuil, « Poétique », 1975.

la tiennent au rebours, logée dans une belle plaine fertile et fleurissante, d'où elle void bien souz soy toutes choses, mais si peut-on y arriver, qui en sçait l'addresse, par des routtes ombrageuses, gazonnées et doux fleurantes, plaisamment et d'une pante facile et polie, comme est celle des voutes celestes.

Le paysage vallonné, métaphore de la facilité plaisante, détruit le privilège de l'élite prétentieuse pour rappeler que la vertu est bien naturel, tandis que l'image de l'escalade dit comment l' « eschole » s'en arroge l'exclusivité. Placés sous le signe du voyage, les *Essais* s'inventent comme une parole refusant les figures du discours qui tendent à l'abstraction pour préférer une imagerie de la promenade, de l'exploration, colorant la pensée d'une teinte joyeuse, séduisante.

Les idées en allées, toujours en chemin, sans maquillage austère, retrouvent une saveur quasi thérapeutique, à la manière épicurienne, philosopher impliquant de s'écarter des tortures intellectuelles stériles, où l'on croit s'amender par la souffrance de l'esprit. La déculpabilisation du plaisir intellectuel, déjà inaugurée par Rabelais, acquiert dans les *Essais* une dimension centrale : elle se revendique, comme le droit de cheminer librement dans l'obscurité du cerveau, sans contrainte, de se laisser penser, d'accepter que « ça pense » en soi-même (et d'y prendre un plaisir extrême), d'entretenir avec les auteurs un lien de conférence sans déférence excessive.

DE LA SUBJECTIVITÉ IMPERSONNELLE EN LITTÉRATURE

Accepter que « ça pense » en littérature, en nous, quand nous prenons plaisir à lire, devrait effacer un *a priori* qui mine aujourd'hui l'espace littéraire, saturé par l'autofiction : la littérature n'est pas le lieu de l'expression de soi. Le livre commence là où l'auteur disparaît en tant qu'être personnel, de chair et d'os pour faire naître cette pensée imaginative qui le dépasse, lui échappe et livre le suc de la vie, l'esprit en mouvement osant les incarnations diverses pour cheminer toujours plus loin dans l'exploration de ce que peut l'imagination humaine.

Traces rhétoriques : dominances éthique, logique, pathétique dans l'œuvre littéraire

Voie tracée s'il en est, l'étude argumentative porte sur la littérature un regard daté (renvoyant aux origines du littéraire) qui convient aux textes à thèse, de facture rhétorique (en exceptant les parties de la *memoria* et de l'*actio* qui intéressent le discours prononcé et non le texte lu). Elle pèche en ce qu'elle privilégie la dominante logique, tandis qu'*ethos* et *pathos* sont laissés de côté parce qu'assimilés à des stratégies d'influence, jouant sur l'irrationnel et autorisant des coups de force rhétoriques qu'on répugne à analyser. Cet angélisme explicatif risque fort de vider la littérature de sa substance précisément rhétorique (au sens nietzschéen) et de faire croire à une pertinence logique qui bien souvent pose problème : le paralogisme n'est guère moins néfaste que les stratégies d'intimidation autoritaire qui se fondent sur un *ethos* menaçant.

Il peut être pertinent d'envisager comment l'articulation des composantes rhétoriques (*ethos, logos* et *pathos*) fait sens dans l'œuvre littéraire (signe d'une audace créative, d'une imprégnation historique, ou encore d'un courant), en gardant à l'esprit la spécificité du discours littéraire, c'est-à-dire en précisant au préalable la définition orientée de chacun des concepts lorsqu'il s'applique à l'exception littéraire.

*L'*ethos *en littérature*

Fort à la mode depuis peu, ce concept semblait pourtant désuet il y a quelques années, signe peut-être d'un nouvel attrait rhétorique ; le mot utilisé sans précaution sonne assez étrangement dans la mesure où son emploi présuppose, à l'initiative de l'auteur, la construction d'une personnalité oratoire à l'œuvre dans le texte, pourtant lu et non prononcé comme un discours à incarner devant un auditoire, comme si la littérature s'élaborait à la manière d'une parole persuasive, faisant jouer toutes les ressources physiques et psychologiques de l'orateur, à accorder avec l'*ethos* tel qu'il s'inscrit dans le *logos* et se façonne en fonction de l'auditoire visé (composante pathétique déterminante, définissant l'adaptation à l'auditoire).

S'il est difficile d'appliquer le concept aux faits littéraires, il nous semble que, acclimaté au régime spécifique de la fiction, il trouverait une pertinence et éclairerait notamment des phénomènes tels que la voix, la posture énonciative, les effets de neutre. Un *ethos* littéraire devrait d'abord s'entendre comme un caractère inscrit dans le texte dont les raisons nous échappent, puisque nous ne pouvons accéder à la vérité personnelle de l'auteur, l'*ethos* préalable renvoyant à la réputation de l'auteur ne nous renseignant au fond que sur une image déjà marquée par le geste d'écriture. Or ce caractère supposé, loin de se définir en termes d'identité, se diffuse dans le texte sous la forme d'une empreinte plus ou moins manifeste, qui mêle rythme, tour particulier dans l'usage figuré, voix unique ou multiple, préférence lexicale... autant de marques qui laissent deviner une subjectivité tracée dans le langage, mais qui ne s'incarne que par le jeu d'acteur du lecteur, devenant singulièrement le récitant d'une fable qu'il se conte à lui-même, mimant les accents et les tons, tentant d'embrasser par sa voix cette diversité qui lui fait entendre l'*ethos* littéraire à l'œuvre.

Ethos *revendiqué*

Oser dire « je », tracer dans le texte les contours d'une subjectivité, ne signifie pas décliner les détails insignifiants d'une existence, mais reconnaître que l'on assume pleinement le discours, que l'on se choisit comme fragment d'humanité pensante, apte à juger, à goûter. C'est, en ce sens, dépasser le mirage d'une parole sans voix qui s'avancerait sur un chemin vide de sensibilité, en vue d'une vérité objective, d'ordre géométrique.

Ce geste audacieux que réalise Montaigne est revendication d'une pensée asystématique, qui s'appuie sur l'anecdotique, mêlant toutes les expériences livresques, aussi bien littéraires que philosophiques, aux moments de la vie se glissant dans l'essai, comme si l'*ethos* venait à lui seul cimenter ces matériaux divers, réalisant un travail de marqueterie stylistique sans jamais confiner à la disparate. S'il peut sembler étrange que l'on convoque ici Montaigne dans notre abbaye de Thélème littéraire, c'est encore, nous semble-t-il, par recours à une fausse évidence hiérarchique qui inciterait plutôt à lui accorder le titre de philosophe. C'est oublier, aussi, que, de ce titre, il ne veut pas : « Je ne suis pas philosophe »[1] (III, 9, « De la Vanité », p. 950), non pour rejeter la philosophie vivante, pratique de chaque jour, mais une posture de savoir dogmatique, systématique et jargonnante, contre laquelle l'essai s'invente, dans sa mouvance, comme une parole libre et stylistiquement belle, usant de la métaphore, disant et goûtant la saveur des mots contre la laideur pédante qui évacue le poétique jugé suspect, propre à dégrader la précision des savoirs. À vouloir toujours poser des cloisons, on rate peut-être l'exception d'un texte qui les fait tomber : les *Essais* ouvrent la voie à une nouvelle philosophie, tout en réalisant en acte une reconnaissance littéraire, Montaigne disant d'ailleurs son admiration pour les poètes, qu'il cite à l'égal des philosophes, pour leurs pensées ciselées. Dans l'essai III, 5, « Sur des Vers de Virgile », il mêle admirablement désir érotisé par la poésie et plaisir d'écrire dans la conscience voluptueuse des mots : « Venus n'est pas si belle toute nue, et vive, et haletante, comme elle est icy chez Virgile » (p. 849), écrit-il pour introduire les vers brûlants du poète. Ailleurs (« Du Jeune Caton »), il distingue la poésie par le sublime, effet qui dépasse l'entendement et embrase les esprits aptes à l'éprouver ; cet éloge mime la contagion poétique dans le rythme et le jeu de paronomase (« ravit et ravage »), comme si Montaigne endossait l'*ethos* du poète :

À certaine mesure basse, on la peut juger par les preceptes de l'art. Mais la bonne, l'excessive, la divine est audessus des regles de la raison. Quiconque en dicerne la beauté d'une veue ferme et rassise, il ne la void pas, non plus que la splendeur d'un esclair. Elle ne pratique point nostre jugement : elle le ravit et ravage. La fureur qui espoinçonne celuy qui la sçait penetrer, fiert encores un tiers à la ouyr traitter et reciter : comme l'aymant, non seulement attire un' aiguille, mais infond encores icelle sa faculté d'en attirer d'autres[2].

1. Voir André Comte-Sponville, « Je ne suis pas philosophe », *Bulletin de la Société des Amis de Montaigne,* n° 35-36, « Montaigne et la philosophie », janvier-juin 1994, Paris, Klincksieck, p. 15-27.
2. Montaigne, *op. cit.,* I, 37, « Du Jeune Caton », p. 231-232.

Dans l'essai « Des Livres », il réaffirme cette passion poétique, après avoir exprimé son refus du labeur livresque :

> Mon dessein est de passer doucement, et non laborieusement ce qui me reste de vie. Il n'est rien pourquoy je me veuille rompre la teste, non pas pour la science, de quelque grand pris qu'elle soit. Je ne cherche aux livres qu'à m'y donner du plaisir par un honneste amusement ; ou, si j'estudie, je n'y cherche que la science qui traite de la connoissance de moy mesmes, et qui m'instruise à bien mourir et à bien vivre : *Haec meus ad metas sudet oportet equus* [Voilà le but vers lequel mon cheval doit courir tout en sueur – Properce, IV, 1, 70].

Comme il sera dit dans « De trois commerces », le livre est lieu de diversion, compagnon évitant l'ennui et non lieu de souffrance intellectuelle. La métaphore du « visage » souligne la façon dont Montaigne entend ce véritable commerce avec les absents, avec les morts, comme une rencontre délibérée, recherchée, qui fait échapper à la vulgarité ambiante :

> Il [le commerce des livres] me console en la vieillesse et en la solitude. Il me descharge du pois d'une oisiveté ennuyeuse ; et me deffaict à toute heure des compagnies qui me faschent. Il emousse les pointures de la douleur, si elle n'est du tout extreme et maistresse. Pour me distraire d'une imagination importune, il n'est que de recourir aux livres ; ils me destournent facilement à eux et me la desrobent. Et si ne se mutinent point pour voir que je ne les recherche qu'au deffaut de ces autres comoditez, plus reelles, vives et naturelles ; ils me reçoivent toujours du même visage[1].

Ce qui se joue dans ces pages, c'est bien autre chose que l'expression du goût : l'invention d'un nouvel *ethos* philosophique, qui ne s'interdirait pas la sensibilité, qui, contre l' « eschole », avouerait s'enflammer de poésie et s'ennuyer parfois dans le labeur philosophique, un caractère marqué essentiellement par le plaisir de lire, reconnaissant comme agissante la séduction des mots et refusant presque viscéralement les discours déplaisants, qui masquent le vide de la pensée sous le vernis d'un langage illusoirement technique.

1. Montaigne, *op. cit.*, III, 3, « De trois commerces », p. 827.

Ambiguïté éthique et déconstruction de l'autorité narrative

Inauguré par Cyrano de Bergerac dans ses *États et Empires de la Lune et du Soleil,* le questionnement de l'autorité éthique instaure une « ère du soupçon » dans la littérature. Rien ne permet d'affirmer que le « je » qui raconte son voyage dans la lune s'identifie au personnage de Dyrcona (nom forgé avec les lettres de celui de l'auteur) qui découvre le soleil[1], première hésitation qui rompt l'univocité et rend énigmatique la voix narrative. À cela vient s'ajouter le doute qui porte sur la fiabilité éthique de la figure du voyageur, qui découvre avec un regard naïf les us et coutumes des deux astres, autres mondes qu'il lit avec son savoir terrestre limité, entaché de préjugés, tantôt apte à la critique judicieuse, tantôt retombant dans ses bornes trop humaines. Ne sachant plus à quel saint se vouer, le lecteur est donc amené à suivre un guide peu expérimenté, vivant ainsi une aventure analogue, de voyage intellectuel quasi autonome.

Il est vrai que l'ouverture du roman dépeint un caractère curieux, avide de découverte, distingué parmi les autres qui refusent de questionner l'identité lunaire. Le narrateur-personnage semble tourner autour de la lune, en suggérant divers traits définitoires qui font appréhender cet « Autre Monde » par le biais métaphorique, première approche, linguistique, qui préfigure l'alunissage à venir.

À la désignation directe par le substantif qui débute la phrase liminaire se substitue la périphrase métaphorique « cette boule de safran », relayée par « ce grand astre » dans la troisième phrase où, par le jeu de discours indirects rapportés, plusieurs hypothèses sont formulées au sujet de la lune, devenue ainsi problématique en l'espace d'un paragraphe. Ce que l'on croyait connu devient étrange par une déviation métaphorique à la fois progressive et sélective. Le choix d'un sème autorise les appellations successives, qui sont autant de définitions partielles : on isole d'abord la forme et la couleur, et peut-être la matière

1. Voir, à ce sujet, Michèle Rosellini, « "Mais écoute, Lecteur..." Narration et interlocution dans le double récit de Cyrano », *Cyrano de Bergerac. Les États et Empires de la Lune et du Soleil,* dir. Jean-Charles Darmon, *Littératures classiques,* 53, 2004, p. 273-311.

(« boule de safran ») puis la lumière (« astre », « lucarne », avec une connotation religieuse, créant un effet burlesque étant donné la proximité de l'expression chrétienne de « gloire des bienheureux »); puis la forme (« platine » au sens de disque, donnant lieu à un premier développement mythologique), pour en arriver à une confusion (« le soleil lui-même ») qui repose sur une seconde interprétation mythologique.

En convoquant ainsi une série de représentations communes, comme autant de visions subjectives de la lune, le narrateur développe un premier mouvement argumentatif, concession rhétorique qui consiste à convoquer le savoir doxal pour énoncer ensuite, là encore sur le mode métaphorique, une opinion paradoxale, axiome capital pour la suite du roman :

« Et moi, dis-je, qui souhaite mêler mes enthousiasmes aux vôtres, je crois, sans m'amuser aux imaginations pointues dont vous chatouillez le temps pour le faire marcher plus vite, que la lune est un monde comme celui-ci, à qui le nôtre sert de lune. »

Si le discours d'autrui est désigné comme opération métaphorique (la personnification du temps permettant de distinguer le voyageur de ses amis), le narrateur-personnage lui oppose une alternative du même ordre. Le verbe « est »[1] réalise, en effet, l'identification métaphorique de l'objet, tout en opérant une inversion[2], par réflexion du phore sur le thème. La spéculation est assimilée à un passe-temps tandis que le voyageur- « rupteur »[3] renchérit sur son hypothèse audacieuse, en imaginant un double lunaire, tenant un discours qui se lit comme le miroir du sien :

« Ainsi peut-être, leur dis-je, se moque-t-on maintenant dans la lune de quelque autre, qui soutient que ce globe-ci est un monde. »

1. Dans la préface de *La Métaphore vive,* Paul Ricœur donne la copule du verbe « être » comme « le "lieu" de la métaphore » : « Le "est" métaphorique signifie à la fois "n'est pas" et "est comme". S'il en est bien ainsi, nous sommes fondé à parler de vérité métaphorique, mais en un sens également "tensionnel" du mot "vérité" » (p. 11).

2. Voir Loris Petris, « Figures, fonction et sens de l'inversion dans les *États et empires de la Lune* de Cyrano de Bergerac, XVIIe siècle, n° 211, avril-juin 2001, p. 269-283. Article où est évoqué ce « jeu vertigineux de miroirs » : « Le renversement initial de perspective parcourt tout l'ouvrage et sème la contagion de l'inversion dans toute la narration » (p. 270).

3. Voir Michel Meyer, *op. cit.,* p. 63 : « L'insolent est un rupteur [...]. »

Enfin, l'enchaînement des métaphores laisse place à l'enchâssement, puisque c'est la série des figures lunaires qui est à la source de la grossesse intellectuelle du locuteur (p. 7), ultime métaphore qui laisse attendre l'expérience du voyage comme un enfantement d'idées :

> Cette pensée, dont la hardiesse biaisait en mon humeur, affermie par la contradiction, se plongea si profondément chez moi que, pendant tout le reste du chemin, je demeurai gros de mille définitions de lune, dont je ne pouvais accoucher ; et à force d'appuyer cette croyance burlesque par des raisonnements sérieux, je me le persuadai quasi.

Le renversement paradoxal est présenté comme le résultat d'un esprit de « contradiction » qui caractérise le voyageur féminisé[1], soumis à la force de l'imagination : c'est dire que le « je » correspond avant tout à une posture énonciative de rupture, autorisant le voyage en terre métaphorique, sans pour autant qu'il ne représente une autorité intellectuelle dans le roman.

Pourtant, une fois l'alunissage réalisé, le voyageur perdu dans les méandres d'un monde qui bouleverse tous ses repères s'accroche à ses préjugés terrestres comme si les questions posées dans la lune ne pouvaient pas vraiment l'atteindre, alors même que, traité comme « le petit animal de la reine », il est bel et bien contraint de reconnaître et d'expérimenter un autre mode d'existence. Mais sa pensée semble résister par un principe d'inertie qui le rend perméable aux argumentaires ; ainsi, pour exemple, il se fait défenseur des miracles, affirmant avoir « connu plus de vingt malades guéris miraculeusement » (p. 148), ce à quoi son interlocuteur, en philosophe lunaire, oppose un argumentaire sur la « force de l'imagination ». Dans les dernières pages relatant l'exploration de la lune, une dissertation suivie qui sape l'immortalité de l'âme, la résurrection, aboutit à un athéisme proclamé par le contradicteur, qui rappelle au passage la nouvelle identité du voyageur, par

1. Voir, à ce sujet, la fable de La Fontaine intitulée « La femme noyée » (III, 16), où le récitant se livre à un jeu rhétorique analogue, fondé sur le préjugé défavorable aux femmes et renversé en vue d'une réflexion sur l'esprit critique, qui s'appuie sur cette déviation éthique volontaire.

l'appellatif « mon petit animal » (p. 154), autre nom du défenseur de Dieu :

— N'allez pas si vite, me répliqua-t-il, vous en êtes déjà à « Dieu l'a dit » ; il faut prouver auparavant qu'il y ait un Dieu, car pour moi je vous le nie tout à plat (p. 155).

Inapte à la remise en question radicale, le voyageur doit suivre « le blasphémateur » emporté par une figure démoniaque dans la cheminée, occasion d'une réflexion qui mine la ferveur dont il prétend être animé, révélation naïve d'une raison concrète qui, dans ce vertige de la peur, fait partir en fumée la prétention altruiste : « Ce n'était plus l'amour du prochain qui m'obligeait à le serrer étroitement, mais l'appréhension de tomber » (p. 158). Atterrissant en Italie, puis embarqué pour la France, le voyageur retrouve, comme intacte, la force de sa croyance, la certitude religieuse amenant, comme ultime interprétation, régressive, qui annule le trajet du voyage, l'idée du châtiment lunaire qui épargne à l'esprit un questionnement trop douloureux :

J'admirai mille fois la Providence de Dieu qui avait reculé les hommes, naturellement impies, en un lieu où ils ne pussent corrompre ses bien-aimés et les avait punis de leur orgueil en les abandonnant à leur propre suffisance. Aussi je ne doute point qu'il n'ait différé jusqu'ici d'envoyer leur prêcher l'Évangile parce qu'il savait qu'ils en abuseraient et que cette résistance ne servirait qu'à leur faire mériter une plus grande punition en l'Autre Monde[1].

Roman moderne s'il en est, le texte de Cyrano de Bergerac casse l'autorité narrative pour lui préférer une posture énonciative naïve, façon d'embarquer le lecteur pour un voyage hasardeux. Le questionnement porte alors sur la fiabilité des jugements portés par ce « je » à l'esprit étrange, au départ curieux, attiré par le mystère lunaire, mais se révélant borné, piégé dans ses savoirs inertes, inapte au mouvement de pensée qui devrait épouser l'expérience lunaire. En cette permanence de la certitude, le romancier dessine comme l'ombre d'une non-lecture : sa Lune, expérience fictionnelle de tous les possibles, doit changer, infléchir le regard. Une fois le livre fermé, le lecteur ne saurait restaurer son

1. Cyrano de Bergerac, *op. cit.*, p. 160-161.

explication concertante du monde. La suspicion éthique déclenche l'éclatement d'une systématique sclérosante et impose un régime de questions. Chaque argument, réfracté par le point de vue, ne vaut plus pour lui-même mais en fonction de celui qui l'énonce : les partis pris éthiques mettent en cause le fonctionnement logique, réversible, qui n'apparaît plus comme le lieu où peut émerger une vérité objective ; l'argument se choisit en faveur du préjugé, et s'inscrit dans une chaîne tissée pour conforter l'esprit dans ce qu'il croit maîtriser.

Théâtre et éclatement éthique.
Le pathos, *ressort de la* catharsis *?*
*Séduction et questionnement de l'*ethos

Dès lors que disparaît la voix surplombante, tissant le fil de l'intrigue, ou le chœur, faisant entendre, par ses réactions, l'orientation axiologique de la scène, le théâtre porte en lui-même l'ouverture du sens par décentrement de l'*ethos,* éclaté en personnages incarnés, chacun charriant en ses actes, ses paroles, ses mouvements, une personnalité qui prend sens par interaction : le mime d'un caractère est fragment d'un « grand jeu » éthique où la psychologie ne s'entend pas dans une description détaillée mais en acte, par l'expérience du rapport à l'autre, ou isolement significatif. Le concept de *catharsis,* cimentant la théorie aristotélicienne de l'effet tragique tel qu'il est exposé dans *La Poétique,* présuppose une identification du spectateur au personnage en proie à la passion, opération censée purger le mal par une expérimentation catastrophique des souffrances induites, réalisée en imagination sous l'effet de la représentation. L'hypothèse d'un éclatement éthique dans le genre théâtral modifie sensiblement la théorie, puisque le jeu d'identification se répète pour chaque personnage, le spectateur vivant ainsi plutôt l'expérience d'une personnalité éclatée, dispersée dans l'ensemble des rôles d'acteurs. Il ne lui est pas demandé d'adopter une position plutôt qu'une autre, puisque les rôles valent en eux-mêmes et ne sont pas substituables, mais la représentation lui fait embrasser une situation psychologique, politique, philosophique, globale, à évaluer dans son déroulement, à la manière d'une partie d'échecs mais à dimension humaine.

Quant à l'effet cathartique, il s'appuie d'abord sur le présupposé selon lequel tout homme cherche à éviter le malheur, la souffrance psychologique, ce qui reste à prouver ; et il évince ensuite la question du plaisir pris à éprouver la passion, par procuration, comme si le spectateur, en épicurien modèle, refusait finalement les attraits du désir, en considération, toute rationnelle, des affres à venir. S'il est une focalisation par identification plus forte à l'un des personnages de la pièce, elle tient précisément à cette fascination pour le démon de la perversité qui anime les âmes passionnées, don Juan, Phèdre, et même le Néron de *Britannicus* nous séduisent par leurs excès plus qu'ils ne nous donnent des leçons de prudence affective et morale. Chacun porte en lui un désir d'impossible, comme faille béante en l'âme humaine, et risque d'y perdre la raison, par débordement d'intelligence, nuisant au bonheur. Camus montre dans son Caligula cette folie lucide de celui qui n'accepte pas les joies de demi-mesures. La mort de la sœur-maîtresse, Drusilla, déclenche le mouvement sans retour de folie meurtrière, trouvant sa source dans l'immense fatigue d'exister :

HÉLICON
Tu sembles fatigué ?
CALIGULA
J'ai beaucoup marché.
HÉLICON
Oui, ton absence a duré longtemps.
Silence.
CALIGULA
C'était difficile à trouver.
HÉLICON
Quoi donc ?
CALIGULA
Ce que je voulais.
HÉLICON
Et que voulais-tu ?
CALIGULA, *toujours naturel.*
La lune.

HÉLICON
Quoi ?
CALIGULA
Oui, je voulais la lune.
HÉLICON
Ah !
Silence. Hélicon se rapproche.
Pour quoi faire ?
CALIGULA
Eh bien !... C'est une des choses que je n'ai pas.
HÉLICON
Bien sûr. Et maintenant, tout est arrangé ?
CALIGULA
Non, je n'ai pas pu l'avoir.
HÉLICON
C'est ennuyeux.
CALIGULA
Oui, c'est pour cela que je suis fatigué.
Un temps[1].

La boucle est bouclée quand le tyran, après avoir étranglé sa femme Caesonia, s'écriant, dans une détresse consciente : « Je n'aurai pas la lune »[2], brise le miroir, y contemple les lambeaux de sa personnalité, morceaux de verre, visage éclaté, suicidé, que l'on ne peut plus tuer, parce qu'il est mort vivant : « Je suis encore vivant ! », dernier mot de Caligula, se repaissant du suprême plaisir-souffrance, « joie démesurée de l'assassin impuni »[3]. Le personnage fascine parce qu'il est figure de pure liberté, à l'extrême, désir insoutenable marqué d'emblée par les stigmates de l'inceste, être en errance, incapable de pénitence, qui s'épuise de marcher dans l'espoir fou (ou le désespoir avéré) de trouver ou retrouver cette impossible amour, mort. Caligula, comme génial paradoxe (ainsi de la lecture du personnage de don Juan proposée par Camus dans *Le mythe de Sisyphe*) de la condition humaine, homme déchu non faute de lune, mais faute d'une idée, gravée dans les *Carnets* de l'écrivain : « Je ne connais qu'un seul devoir, et c'est celui d'aimer »,

1. A. Camus, *Caligula*, Paris, Gallimard, « Folio », 1958, p. 23-25.
2. *Ibid.*, p. 149.
3. *Ibid.*, p. 148.

Caligula ou la chute vertigineuse, jusqu'à sonder le gouffre d'une raison insupportable, personnage qui happe le spectateur par son *ethos* déchiré, l'emportant en imagination dans la folie suicidaire dont il fait l'expérience, à peine à distance de la scène.

C'est la complexité de la figure qui retient le regard, empreinte de tous les stigmates de la condition humaine, un peu à la manière de ce Prince du « Conte » ironique que Rimbaud invente dans ses *Illuminations*[1], réactualisant la forme par un décalage qui substitue à l'horizon bourgeois du bonheur final la réaffirmation ultime du désir : « La musique savante manque à notre désir », formule incantatoire qui piège en un faux alexandrin (treize syllabes), par la force de l'impair, et le chiasme sonore (sons se correspondant en miroir [m, s, i, k, ã, t] / [m, ã, k, t, s, i]), restaurant les droits de l'instabilité, du mouvement contre l'ordre traditionnel du conte, aboutissant à un arrêt, synonyme de bienheureuse inertie. Même désir d'impossible : « Il vou-

1. CONTE

Un prince était vexé de ne s'être employé jamais qu'à la perfection des générosités vulgaires. Il prévoyait d'étonnantes révolutions de l'amour, et soupçonnait ses femmes de pouvoir mieux que cette complaisance agrémentée de ciel et de luxe. Il voulait voir la vérité, l'heure du désir et de la satisfaction essentiels. Que ce fût ou non une aberration de piété, il voulut. Il possédait au moins un assez large pouvoir humain.

Toutes les femmes qui l'avaient connu furent assassinées. Quel saccage du jardin de la beauté ! Sous le sabre, elles le bénirent. Il n'en commanda point de nouvelles. – Les femmes réapparurent.

Il tua tous ceux qui le suivaient, après la chasse ou les libations. – Tous le suivaient.

Il s'amusa à égorger les bêtes de luxe. Il fit flamber les palais. Il se ruait sur les gens et les taillait en pièces. – La foule, les toits d'or, les belles bêtes existaient encore.

Peut-on s'extasier dans la destruction, se rajeunir par la cruauté ! Le peuple ne murmura pas. Personne n'offrit le concours de ses vues.

Un soir, il galopait fièrement. Un Génie apparut, d'une beauté ineffable, inavouable même. De sa physionomie et de son maintien ressortait la promesse d'un amour multiple et complexe ! d'un bonheur indicible, insupportable même ! Le Prince et le Génie s'anéantirent probablement dans la santé essentielle. Comment n'auraient-ils pas pu en mourir ? Ensemble donc ils moururent.

Mais ce Prince décéda, dans son palais, à un âge ordinaire. Le Prince était le Génie. Le Génie était le Prince. – La musique savante manque à notre désir.

lait voir la vérité, l'heure du désir et de la satisfaction essentiels. Que ce fût ou non une aberration de piété, il voulut », qui amène un anéantissement (« Le Prince et le Génie s'anéantirent probablement dans la santé essentielle »), redoublé étrangement d'une mort naturelle : « Mais ce Prince décéda, dans son palais, à un âge ordinaire », au point de semer le doute sur l'identité du Prince. Est-ce le même personnage ? Question venant en corollaire de la confusion d'identité réalisée par le renversement attributif : « Le Prince était le génie. Le Génie était le Prince. » Mort suicidé, dans la lumière trop vraie d'une fusion avec le Génie, ou mort de mort naturelle, le Prince cruel de Rimbaud séduit encore par cette excessive liberté qui l'amène à tout saccager, geste vain dans l'univers du conte, acceptant en sa logique élargie la réalité fictionnelle de la résurrection, toute chose réapparaissant après destruction. Le point de départ du conte n'est point le manque habituel, attendu, finalement comblé dans le mariage ou la reconnaissance sociale : « vexé », le Prince refuse l'existence vulgaire, l'à-peu-près, il ne plie pas à la loi commune, réaffirmant par sa violence, son exigence, sa rébellion, son désir d'absolu. *Ethos* séduisant non parce qu'il agit en meurtrier : dans le conte, le meurtre répété dit la tentative acharnée d'en finir avec les simulacres, avec les séductions faciles ; la sauvagerie du personnage, couleur rouge sang dans l'enluminure, n'a pas d'odeur, le carnage toujours effacé est hyperbole de l'insolence lucide, qui s'épuise à *vouloir*. Figure de pur désir, tendu vers le vrai, ce Prince *amoral* fait vibrer le corps d'une seule corde, radicalement humaine, dans un rêve insensé de fuite hors de la prison d'une vie déjà tracée, avec, en point de mire, un bonheur sans grandeur. *Ethos* séduisant parce que Rimbaud y fait miroiter une figure fantasmée de pure liberté, artéfact d'un questionnement philosophique qui s'articule à la question morale pour la dépasser en en révélant le point nodal.

Plus que la purgation des passions et l'amendement moral tant de fois présentés comme raisons premières justifiant le déploiement fictionnel, ne faudrait-il pas d'abord reconnaître que le pouvoir de la fable (au sens large) réside dans cette aptitude à faire surgir de la subjectivité en situation, à créer des hypothèses indiquant des positions spécifiquement humaines, problèmes à résoudre non à l'aide d'une baguette magique traçant une ligne de partage entre le bien et le mal, mais par l'épreuve plaisante de l'expérience décalée, alliée au questionnement qui distingue une lecture éveillée ? L'émotion esthétique, qui peut affecter diversement le spectateur ou le lecteur, nous semble essentiellement plaisante : elle touche la sensibilité sans la meurtrir puisqu'elle naît à distance, dans l'acceptation du jeu fictionnel. Je peux trembler, me révolter devant le spectacle qui m'est donné à voir, mais ce mouvement pathétique vécu depuis mon fauteuil n'entame jamais ma liberté de dire « non », de m'enfuir de l'emprise fictionnelle, si mon imagination ne peut la soutenir. *En ce droit de s'absenter se fonde l'exception de la passion littéraire et la transparence de sa séduction :* le récit n'est un piège que si le lecteur accepte de s'en faire le complice.

Proposant le concept de distanciation pour caractériser un théâtre moderne qui rompt avec la transe hypnotique censée opérer sur la scène telle que la conçoit Aristote, Brecht trace une nouvelle voie, fondée sur le regard critique, inversant le ressort cathartique par une neutralisation de l'effet pathétique et une activation du questionnement induit par la représentation. Le *Petit organon pour le théâtre* marque une réelle rupture théorique, accompagnant un mouvement déjà en marche, lorsque le texte paraît en 1948. Le rideau désormais se lève sur un autre spectacle, où il est permis de tout voir, d'une vue distanciée, la conscience critique trouvant son lieu dans cette distance salutaire, évacuant l'adhésion immédiate, le retrait critique modifiant le sens même du mime éthique réalisé dans la mise en scène. La mort ni le meurtre ne sont exclus de la représentation, puisqu'il est entendu qu'en l'acte mimé l'*ethos* est soumis à la question critique et non à l'identification pathétique. Cette problématisation des enjeux substitue un théâtre entendu comme laboratoire de questionnement à un théâtre fondé sur l'élaboration d'une réponse sans faille, impliquant la connaissance d'une technique d'écriture théorisée en poétique unitaire, englobante. La philosophie sartrienne de l'existentialisme est pour beaucoup dans ce renversement de l'horizon dramatique : ce qui se joue ici, c'est bien la possibilité d'une réception existentialiste, c'est-à-dire l'inscription dans le texte comme dans sa mise en scène d'un espace de délibération, d'une marge réflexive, où le déterminisme s'effrite au profit d'un choix de lecture, où s'éprouve dans sa forme la plus épurée, l'exercice de la liberté critique, sans intérêt lié à la personne dès lors que l'esprit s'aventure en fiction. Non plus soumis à un effet pathétique qui l'accable mais placé devant sa propre responsabilité interprétative, le spectateur est confronté à l'évidence rhétorique du choix dans le langage théâtralisé, et l'abstention critique, loin de l'en extraire, de lui épargner l'évaluation éthique, n'est que la confirmation, par l'exception silencieuse, de la nécessité d'une parole intérieure, responsable, émergeant du spectacle artistique comme forme d'engagement sans échappatoire. Paradoxe d'une liberté de contrainte intellectuelle : non devoir moral de choisir, par référence à un système de valeurs qui viendrait s'appliquer, de l'extérieur, qu'il provienne d'une morale établie ou d'une éthique réfléchie et intégrée, mais impératif du choix en soi comme seul mode d'existence possible, trace ou signature laissée au monde, en pensée.

L'ouverture du champ du regard, se portant sur tout acte susceptible d'être représenté, offre au théâtre (comme le roman d'ailleurs) une densité réflexive, par dépassement des questions sociales, morales, politiques, auxquelles il était astreint, non pour les évacuer, mais pour les percevoir suivant l'angle nouveau d'une conscience tragique, déchirée, éprouvant à la fois l'absurde et la nécessité d'y répondre par la responsabilité, comme la force éperdue d'être et de rester homme dans un univers éclaté. Séduction de l'amer, saveur de se trouver embarqué, visage cinglé par les embruns dans un voyage insensé, de se perdre dans les bourrasques, en cherchant toujours à maintenir le cap : la littérature, comme le théâtre qui la dramatise, ne peuvent plus nous repaître de figures à la conscience tranquille, en nous livrant les clés d'une vie résolue, où l'ordre moral doit finir par triompher. Ils nous séduisent en brassant les questions qui nous minent et nous obsèdent dans nos nuits sans sommeil, parce qu'en ce spectacle distancié s'éprouve la joie raffinée de trouver en soi les accents vrais d'une conscience embarquée vers nulle part, confrontée à la connaissance du vide, de l'entropie, à l'acceptation de la mort.

Le Roi se meurt désormais sur la scène, alors que l'on ne veut plus voir la réalité de la mort biologique, masquée par les pratiques cliniques qui la déréalisent en l'aseptisant, dérobant au regard le spectacle de la mort, ainsi qu'il était fictionnellement prédit dans *1984*. Le dénouement de la pièce de Ionesco est représentation allégorique de la mort, où le Roi s'avance dans son propre déclin, guidé par la main de Marguerite, figure à la fois protectrice et autoritaire de la Mort-Nature qui, en bonne fée, fait évanouir progressivement, par la magie de son langage impératif, les simulacres de la vie réelle, forme de parole euthanasique réalisant en douceur la disparition du monde, les mots acquérant, dans l'espace de la fiction, un effet miraculeusement performatif[1].

Enfant ou vieillard irresponsable, « les yeux fermés et avançant toujours tenu par la main », selon l'indication scénique[2], le Roi (qui fait aussi songer à Œdipe à Colonne, guidé par Antigone) charrie avec lui l'attachement forcené à la vie, transparaissant dans l'enthousiasme quasi naïf qui accompagne la contemplation intérieure, imaginaire et délirante, des beautés de son monde :

> L'empire... A-t-on jamais connu un pareil empire : deux soleils, deux lunes, deux voûtes célestes l'éclairent, un autre soleil se lève, un autre encore. Un troisième firmament surgit, jaillit, se déploie ! Tandis qu'un soleil se couche, d'autres se lèvent... À la fois, l'aube et le crépuscule... C'est un domaine qui s'étend par-delà les réservoirs des océans, par-delà les océans qui engloutissent les océans[3].

Vision fantasmée de l'empire, presque hallucination, si l'on prête attention à la confusion temporelle qui perturbe la description : tout se mêle dans ce souvenir intériorisé d'un univers qui échappe, que le Roi voudrait retenir par le langage, tandis que Marguerite usera bientôt de sa parole pour l'amener sur le chemin de l'oubli, dans une

1. C'est là une des joies fictionnelles que de voir se réaliser ce rêve de la parole-acte théorisée par Austin dans *Quand dire, c'est faire* et réfutée par Berrendonner dans « Quand dire, c'est ne rien faire », *in Éléments de pragmatique linguistique*. Empruntée à la magie du conte, cette parole performative n'a droit de cité qu'en régime fictionnel : Berrendonner montre que ce qu'on entend par « performatif » correspond en fait à un certain type d'énoncé, donnant lieu à un jeu de substitution acte/parole rigoureusement codifié et ne pouvant intervenir que dans des conditions d'énonciation clairement délimitées.
2. E. Ionesco, *Le Roi se meurt,* Paris, Gallimard, « Folio », 1963, p. 134.
3. *Ibid.*

merveilleuse traversée imaginative qui est apprentissage de l'insensibilité à toute chose. Accompagné dans cet effort de dépossession de soi, le Roi parvient à l'oubli final, l'ultime didascalie programmant la représentation du néant, couronnement inversé du souverain, comme pétrifié sur son trône mortuaire, figure poétiquement estompée suivant la dernière prescription de Ionesco : « Le Roi assis sur son trône doit rester visible quelque temps avant de sombrer dans une sorte de brume. »[1] Comment s'identifier à cet figure évanescente, double dramatisé du lecteur, préfigurant pour chacun l'irrémédiable dénouement ? La figuration du mourir est ici réalisée non comme une eau-forte mais peu à peu décolorée en aquarelle et acceptée parce que le jeu d'apparition-disparition orchestrée par Marguerite estompe le tragique dans sa dimension linguistique naïve (« Loup, n'existe plus ! »[2], ordre qui s'apparente au jeu enfantin). En ce Roi retournant à l'enfance de l'esprit, en chemin vers le rien, le spectateur trouve les résonances de sa propre tristesse à devoir un jour quitter la scène, mais dans l'aquarelle allégorique qui disparaît sous ses yeux il trouve, entre tant de questions sur son propre empire de carton, la promesse d'un silence et d'une ombre, sans souffrance. La pièce séduit encore, alors même qu'elle représente, plus que la mort, le mourir en acte, comme l'accomplissement d'une nuit attendue, rigoureusement programmée, à la manière d'un dénouement tragique, dont l'effet pathétique gagnerait en intensité par la mise en sourdine.

La théâtralisation porte à son comble le questionnement éthique dès lors qu'elle ne vise pas une vérité transcendant l'espace de la scène, comme si chaque voix venait y concourir et procédait de cette réponse *a priori* ; s'il est une vérité scénique, elle tient à l'*ethos problématique, éclaté, dramatisé* que la mise en scène superpose à l'espace de réalité pour recomposer les caractères, le trait subjectif devenant matériau travaillé en vue non d'une élucidation ni d'une évaluation des comportements et attitudes observés dans la réalité, mais d'une mise à l'épreuve de la subjectivité dans sa diversité théorique même.

1. *Ibid.*, p. 137.
2. *Ibid.*, p. 135.

Les charmes de l'orchestration éthique : la polyphonie de la fable ou le voile pour lui-même

La démission de l'autorité qui inaugure l'ère du questionnement se retrouve, *mutatis mutandis,* dans la réinvention de la fable par La Fontaine, le texte se libérant du régime didactique qui distinguait et hiérarchisait le corps et l'âme en vue d'un cheminement sous surveillance du sens, soumis à l'impératif d'édification morale. Cette transformation alchimique de la fable réside essentiellement dans l'instauration d'un nouveau mode vocal : le récitant n'est plus guide détenant la substantifique moelle, mais chef d'orchestre d'une parole polyphonique où chaque personnage, masque éloquent, faisant entendre un point de vue, vient se fondre dans ce corps éthique qu'est la fable elle-même, poème jouant des diffractions tonales, faisant miroiter, en ses simulacres sonores, le chant éclaté d'un monde allégorique, miroir parlant que chaque lecteur vient faire résonner de sa propre voix dans le rythme syncopé des vers mêlés et enjambés. La fable devenue corps, avec ou sans âme, en perpétuelle métamorphose, dissimule, pour mieux les suggérer, les lois du désir. *Éros* et écriture s'y fondent en un déploiement voluptueux des mots « en allés » dans une aventure poétique entendue comme le refus de l'organisation systématique qui aboutirait à la centralisation éthique du discours. La voix qui prend corps, s'autonomise, vibre dans l'air en toute direction ; elle est le corps charmant des *Fables* qui nous séduit encore, nous « parlant de loin », dans le silence, nous adressant ses sourires et ses regards obliques :

> C'est proprement un charme : il rend l'âme attentive,
> Ou plutôt il la tient captive,
> Nous attachant à des récits
> Qui mènent à son gré les cœurs et les esprits.
>
> À Mme de Montespan, vers 7-10.

Sous la plume de La Fontaine, le son se sculpte, la distinction de timbre l'emportant sur la pertinence des oppositions morales, comme si l'*ethos* se définissait non plus axiologiquement mais musicalement. La fable est un voile dont on apprend à lire les chatoiements, non dissimulation d'une vérité cachée, mais voile de matière changeante, mirage anamorphique, où viennent achopper les certitudes, où s'épuise notre savoir, car il n'y a rien à découvrir sous le voile : lire la fable, c'est apprendre, en imagination, à contempler la matière en ses tournoiements, laisser le regard danser dans le clair-obscur ; être à l'affût des harmoniques, écouter d'abord la voix scintillante de désir, qui incarne les mots pour les faire résonner dans la chair du monde. Dans l'art du fondu-enchaîné, La Fontaine instaure un nouveau régime éthique, où la pensée dépasse les oppositions binaires, refusant de croire que, sous l'opacité des simulacres, se dessine une idée transparente de la chose en soi, pour affirmer la nécessité d'une recherche phénoménologique, d'une exploration de la pliure. Plier et déplier le voile pour révéler de nouveaux contours, des mouvements d'abord insoupçonnés, qui sont autant de fragments d'une vérité matérielle valant en soi, sans recours à une transcendance qui aplanirait les tracés, par substitution-simplification. Le regard opposant surface et profondeur aboutit à l'affirmation d'une essence cachée des choses, l'*ethos* du récitant ayant une fonction de contrôle de l'interprétation ; la pliure musicale de l'air constitue le charme où l'intelligence active, livrée à elle-même, se méfiant de l'autorité éthique vacillante du récitant, s'essaie au déchiffrement d'une parole complexe, disant, plus que le sens, la résistance des phénomènes.

L'imagination en question et la dominance logique

La parution en 1637 du *Discours de la méthode* de Descartes constitue un fait majeur dans l'histoire de la pensée : rupture avec la scolastique jusqu'alors enseignée, défense d'une réflexion rationaliste qui combat les égarements de l'imagination, accusée d'embourber les esprits dans le marécage des superstitions. Démarche sans précédent, la méthode cartésienne influence d'abord les philosophes classiques, notamment Pascal dans les pages des *Pensées* (parution posthume en 1670) consacrées à l'imagination, « maîtresse d'erreur et de fausseté, mais d'autant plus fourbe qu'elle ne l'est pas toujours »[1], mais aussi Malebranche qui la

1. Pascal, *Pensées,* liasse « Vanité », fragment 78 « Imagination », éd. Philippe Sellier.

définit comme « la folle du logis » dans *De la recherche de la vérité* (1674-1675). Les *Maximes* de La Rochefoucauld (dont la première édition date de 1665) poursuivent également cette réflexion sur les pouvoirs dangereux de l'imagination, déjà amorcée, au XVIe siècle, dans l'essai de Montaigne sobrement intitulé « De la force de l'imagination » (I, 21), écrit en 1572.

Au XVIIe siècle, le constat anthropologique d'une puissance imaginative à la source des passions humaines nourrit une veine littéraire, empreinte d'augustinisme, déclinant à plaisir les égarements de l'esprit et plaçant en point de mire, comme un Graal à atteindre, le retour au calme par l'entremise de la raison triomphante. En filigrane s'observe la trace du rêve cathartique de la tragédie classique, censée soigner les spectateurs en montrant les affres suscités par l'abandon passionnel.

Le développement du conte merveilleux pose notamment problème et suscite de vives réactions en cette période où, comme en un rêve néoplatonicien[1], l'on prétend sortir de l'obscurité, atteindre enfin une lumière intellectuelle. Il est assez plaisant de constater que cette aspiration classique ne cesse d'être aujourd'hui réactivée en France, par un jeu de référence implicite à Descartes, autorité floue, représentant dans les esprits, suivant un mécanisme de simplification assez réducteur, celui qui ouvre la voie à la science moderne.

Défendant le « pouvoir des fables », La Fontaine pose et revendique la valeur heuristique de l'imagination, en même temps que sa force rhétorique. La poétique mise en fable de l'apologue VIII, 4 montre pragmatiquement, par l'histoire racontée, la force du récit de fiction,

1. On se souviendra du mythe de la caverne (*La République,* livre VII), texte fondateur de l'opposition réalité-apparence, qui justifie sans doute de voir en Platon le philosophe par excellence (voir Ralph Waldo Emerson, *Platon, ou le philosophe*). L'allégorie de la caverne dessine, en effet, l'aspiration philosophique à la clarté des idées : que la lumière soit, enfin, que nous échappions à la confusion qui règne dans la pénombre, dans le règne des simulacres. C'est à un idéalisme multiforme que le terme de « néoplatonisme » fait référence au XVIIe : de la théorie platonicienne des Idées, on ne conserve alors que ce désir d'idéal, recherche d'unité, qui peut s'exprimer à travers le silence mystique ou encore le langage précieux.

plus apte à fléchir les esprits que l'appel à la raison, qui génère l'ennui et le désintérêt de l'auditoire ; et le récitant de conclure :

> Nous sommes tous d'Athène en ce point ; et moi-même,
> Au moment que je fais cette moralité,
> Si *Peau d'âne* m'était conté,
> J'y prendrais un plaisir extrême.
> Le monde est vieux, dit-on, je le crois ; cependant
> Il le faut amuser encor comme un enfant.

Vers 65-70.

Si l'histoire commentée se déroule « Dans Athène autrefois, peuple vain et léger » (vers 34), comme il est précisé à l'orée du récit, il faut entendre clairement non seulement un espace-temps renvoyant à une référence historique, mais plus encore l'emblème d'une écoute littéraire : Athènes, cité des arts, où la parole déploie toutes ses séductions, où le mot scintille, baigné dans l'atmosphère des fables. Cette parole apparemment magique, que sait employer l'orateur athénien, est celle-là même que La Fontaine fait entendre dans ses *Fables,* où la voix du récitant dessine pour le lecteur-enfant un univers allégorique, « une comédie à cent actes divers », marquée par la merveilleuse invraisemblance des animaux parlants, un théâtre faisant jouer le charme insolent d'une pensée qui toujours s'incarne.

Ce choix esthétique essentiel permet d'estomper la ligne qui démarquerait imagination humaine et mécanisme animal, suivant la théorie cartésienne des animaux-machines. Montrant l'animalité en l'homme et la ruse animale, La Fontaine révèle ainsi les différents degrés d'une *phantasia*[1] commune à tous les êtres, signe d'un *continuum* du vivant, en écho aux réflexions de Gassendi, contradicteur de Des-

1. Rattachée dès l'étymon au mot qui signifie la lumière *(phôs),* la *phantasia* est définie par Aristote dans le *De Anima* (III, 3) comme « mouvement qui est produit par la sensation en acte ». Suivant la logique platonicienne, la *phantasia,* renvoyant à ce qui apparaît sous la forme de simulacre, ne peut constituer une faculté de connaissance positive mais équivaut à une imagination suscitant des visions fantasmées, fallacieuses. La traduction du mot par « fantaisie » laisse entrevoir un autre horizon de sens, déculpabilisant l'imagination, devenue source d'invention : ainsi des supercheries animales dans l'espace des *Fables,* nouvelle caverne où il est permis de se complaire au jeu des apparences.

cartes dans le débat sur la question de l'âme des bêtes. Ce qui se joue, c'est le statut même de l'imagination : l'absence d'un critère qui permettrait de dégager les spécificités de l'entendement humain invite à réhabiliter l'imagination, reliant l'homme à l'animal, suivant une subtile transition, non que l'imagination animale soit identique à celle de l'homme : la correspondance entre l'une et l'autre explique le charme de la fable animalière où l'homme peut refléter sa propre *phantasia*.

Couvrez ce voile que je ne saurais voir...

Dans le chatoiement du voile, l'imagination invente ses mystères, prend la lumière et le vent pour complices de ses mirages, dangereux effet des mouvements de pensée, instables, sans direction définie, suivant des courbes acrobatiques, une circularité vitale qui s'interrompt ou s'accélère au gré des caprices de l'air. Érotisme déroutant, non pour ce que le voile cache, mais pour ce qu'il crée : des éclats illusoires, une danse envoûtante des choses, qui révèle la matérialité complexe des enveloppes et de leurs contours évanescents, la réalité étonnamment dense, sonore d'un lambeau de tulle ou de mousseline. Il y a dans ces miroitements d'atomes impalpables comme une provocation, de quoi affoler, agacer les raisons trop rigides.

L'on peut encore déplacer le problème : faire croire que le voile n'est pas en accusation, que ce que l'on vise, dans le refus de ces simulacres nés de l'imagination désœuvrée, se plaisant dans la contemplation des mouvements d'un tissu, c'est l'enluminure vaporeuse du corps caché, dissimulé pour mieux séduire, laissant flotter dans l'air ses parfums échappés, promesses sensuelles qui s'offrent pour se dérober ensuite. Ce serait croire que l'on porte ainsi atteinte à un matérialisme peu raffiné, défense simpliste du corps, dans son évidente pesanteur, refus de la chair comme épaisseur, visible, tangible, appréhendée dans la saturation des sensations. Or le matérialisme qui inquiète est d'un autre ordre : il dit la subtilité matérielle, en affirmant la présence du corps dans l'infime, à peine perceptible, dans la mouvance aérienne, le déplacement ondulatoire d'une musique ou les échos diffractés d'une voix, dans le voile lui-même, saisi par sa réalité sonore, plus encore que visuelle. C'est cette légèreté qui se suffit à elle seule, qui se perçoit à la limite de la sensibilité, dans l'infrarouge du goût, que le didactisme recouvre, cache de son cheminement unidirectionnel, imposant non une profondeur à deviner sous la surface, mais une simplification du divers ondoyant par l'ajout d'une strate sémantique, surface opaque qui assourdit les vibrations du voile flirtant avec l'air.

Cette opération de recouvrement didactique qui appauvrit, au moins en apparence, les résonances poétiques, semble indispensable à la déculpabilisation du merveilleux en raison même de la suspicion philosophique qui pèse sur l'imagination. La stratégie utilisée par Charles Perrault pour conférer au conte ses lettres de noblesse s'appuie sur cet affichage didactique : pour faire passer la seule idée d'une réflexion par la fiction, il convenait alors, pour ne pas fâcher les doctes et réveiller les censeurs, d'affirmer d'emblée le contrôle didactique de la narration, garantie d'une imagination tenue en bride. La voie moyenne choisie judicieusement par Perrault, habillant d'un voile didactique le récit merveilleux, avait toute chance de succès : elle permettait de renverser le préjugé défavorable dont pâtissaient les contes, littérature pour enfants, sornettes de bonnes femmes, récits empreints de superstition.

On remarquera que La Fontaine use de la même habileté dans la préface de ses *Fables,* où il insiste sur la dimension instructive de ses apologues, en se plaçant sous l'égide de Socrate. Pourtant, plus audacieux que Perrault, il annonce en même temps avoir supprimé la moralité de la fable quand elle lui semblait évidente pour le lecteur, signe d'une libération radicale du sens poétique. Perrault laisse toujours la leçon en conclusion, tandis que La Fontaine s'autorise à la placer en tête, ce qui, en soi, constitue déjà une ouverture à d'autres sens que le sens didactique énoncé dans la formule finale. Reste à savoir si les moralités des *Contes de ma mère l'Oye* constituent effectivement un point d'aboutissement du récit. L'enjeu moral rassure sans doute les garants de la qualité instructive du texte, mais lisait-on les *Contes* de Perrault pour arriver à ce terme ? Les lit-on encore aujourd'hui dans le même souci ?

Mettre en avant la visée instructive permettait pour ainsi dire de conjurer le mauvais sort, d'évacuer la disqualification première attachée à une forme mensongère. Parmi les sens répertoriés dans le *Dictionnaire universel* d'Antoine Furetière, on remarquera cette acception du conte, qui traduit la proximité délicate pour tout conteur entre « histoire, récit plaisant » (sens 1), « choses fabuleuses et inventées » (sens 2) et « discours de néant qu'on méprise, qui ne sont fondés en aucune apparence de vérité, ou de raison » (sens 4). La troisième acception, « médisance, raillerie », qui fait jouer le désir de nuire, ou du moins de se moquer, autre chef d'accusation, éloigne de la problématique du conte merveilleux tel que Perrault la conçoit, mais signale une éventuelle orientation ironique du récit, qui s'apparente aux sources italiennes (notamment *Les Nuits facétieuses* de Straparola). Offrant son livre à Élisabeth-Charlotte d'Orléans, Perrault insiste sur la dimension didactique de l'œuvre, s'excusant ainsi d'oser faire présent de contes à la nièce du roi : « Ils renferment tous une morale très sensée, et qui se découvre plus ou moins, selon le degré de pénétration de ceux qui les lisent ; [...]. »[1]

La voix du conte : parole à la mode, parole coupable

Le mérite de Perrault consiste d'abord en cette inversion du préjugé défavorable au conte, devenant, sous sa plume, forme littéraire digne d'une reconnaissance académique. On se souvient de la critique formulée par l'abbé de Villiers dans ses *Entretiens sur les contes de fées, et sur quelques autres ouvrages du temps, pour servir de preservatif contre le mauvais goût* (1699). L'ouvrage rassemble cinq textes mettant en garde contre cette vogue du conte de fées jugée fort pernicieuse.

Le Mercure galant apportait un soutien essentiel à la floraison du genre, qui se poursuivra en dépit des critiques. Le recueil de Louise d'Auneuil, « Nouveaux contes » dédiés à la duchesse de Bourgogne, *La Tyrannie des fées détruite* (paru en 1702), signale pourtant par son titre le

1. Charles Perrault, *Contes de ma mère l'Oye,* Paris, « Folioplus », classiques 2003, 2006, p. 7.

début d'un déclin de l'engouement. La suspicion que suscite l'univers féerique est évoquée dès le commencement du livre :

> « [...] Le pouvoir des fées était venu à un si haut point de puissance, que les plus grands du monde craignaient de leur déplaire. Cette maudite engeance, dont on ne sait point l'origine, s'était rendue redoutable par les maux qu'elles faisaient souffrir à ceux qui osaient leur désobéir. Leur fureur n'était jamais satisfaite que par les changements des plus aimables personnes en monstres les plus horribles [...]. »

Le pouvoir des magiciennes s'affaiblit, sans disparaître pour autant, si l'on songe que le XVIIIe siècle verra naître un « Cabinet des fées », compilation de grande ampleur : quarante et un volumes consacrés au conte de fées littéraire français, paru (intégralement) l'année de la Révolution.

Le Cabinet des fées, *consécration ou affaiblissement du pouvoir féerique ?* — Réalisé par l'éditeur Charles-Joseph de Mayer, *Le Cabinet des fées ou collection choisie de contes de fées et autres contes merveilleux ornés de figures* rassemble des textes très divers. On y trouve aussi bien le célèbre recueil de Perrault, alors reconnu comme perle du genre, que des œuvres moins en vue comme les récits de sa nièce, Mlle Lhéritier. L'ensemble constitue un corpus assez disparate qui ne facilite guère la définition du genre et cette publication globale fixe artificiellement les textes en un tout, signe peut-être d'une dangereuse reconnaissance littéraire.

L'édition prestigieuse consacre le caractère écrit, achevé, du conte, tout en le plongeant dans un pêle-mêle fictionnel, qui risque bien de diminuer la puissance magique des fées. La compilation omet naturellement la veine licencieuse des contes et tend à présenter le genre comme celui d'un raffinement mondain bien éloigné du récit populaire.

Le procès des fées ou la chasse aux sorcières de l'abbé de Villiers. — Avant cette consécration-atténuation des prestiges du genre, pour oser conter il aura fallu compter avec la présence d'un discours critique virulent, intransigeant, en guerre contre les aventures merveilleuses. On notera parmi les griefs retenus la méfiance à l'égard des fées, l'abbé de Villiers renvoyant à deux sources, l'une historique qui les envisage comme des vieilles femmes, « espèces de prophétesses » ou encore « devineresses » « érigées en des espèces de divinités subalternes par les Anciens », l'autre source, allégorique : « On a érigé certaines femmes en fées, pour marquer par une espèce d'allégorie et de figure ce que ces femmes-là ont eu de mérite au-dessus des autres. »[1] Féminité diabolique, figure de sorcière au pouvoir maléfique ; l'abbé de Villiers, tout en accusant le texte de promouvoir la superstition, semble bien entériner la force fictionnelle liée à ces représentations aussi inquiétantes qu'attirantes.

Raison avant toute chose : deuxième grief, qui est attaché à ces personnages dangereusement surnaturels : frivolité de ces histoires inventées par des « nourrices ignorantes ». Le censeur accuse ainsi « ce ramas de contes de fées dont on nous assassine depuis un an ou deux » (p. 69), remarquant encore que, dans ces histoires, « il n'y a ni sens ni raison, ce sont des Contes à dormir debout » (p. 87).

L'abbé ne se laisse pas leurrer par les moralités en trompe-l'œil, venant ponctuer les contes, pour leur donner un semblant de sens didactique. Le rapport entre maxime et conte devrait selon lui, idéalement, s'établir de sorte « que tout servît à la fin que l'on se serait proposée »[2]. Suivant la perspective entièrement didactique qu'il entend faire valoir comme modèle pour accuser les récits en vogue, le conte ment dans sa façon même d'argumenter.

Enfin, l'attaque formelle vise et le développement narratif, jugé disproportionné, et le style, sanctionné comme disconvenant par rapport au public visé : « Ils les [les contes] ont faits si longs et d'un style si peu naïf, que les enfants même en seraient ennuyés » (p. 75). Mettant en doute la qualité littéraire des textes, l'abbé assimile l'activité des conteurs et conteuses à un passe-temps d'oisifs, indignes du nom d'écrivain. Pour le critique sévère, le conte est un fatras sans unité, une tissure d'éléments invraisemblables.

1. Voir *Entretiens sur les contes de fées,* Paris, Colombat, 1699, p. 80-86.
2. *Ibid.*, p. 88-92.

C'est une fois encore la conception aristotélicienne de la fable comme fiction cohérente qui justifie l'accusation. Point de récit digne de ce nom sans nécessité et vraisemblance : refus de l'histoire qui s'invente, comme au hasard, d'une littérature peut-être plus conforme aux fluctuations de la vie.

Le contrôle de l'instruction comme pétition de principe. — En rappelant cette destination du conte, donnée comme première, l'abbé de Villiers présuppose une définition étroite du genre, cantonné dans le registre didactique : l'histoire dit mots et merveilles pour des oreilles enfantines. Cet *a priori* cimente sa critique, marquée par une volontaire cécité sur la diversité des productions littéraires attachées à la forme du récit merveilleux. Si l'on veut bien entendre sa logique restreinte, le conte devrait fonctionner suivant un circuit argumentatif fermé, amenant sans ambiguïté la conclusion édifiante, énoncée en une maxime frappante.

Ce qui semble l'exaspérer dans le récit merveilleux, c'est ce cheminement en liberté que s'autorisent les auteurs (notamment Mme d'Aulnoy ou Mlle de La Force), comme s'il était permis de s'égarer sur la route du sens moral, de s'offrir des plaisirs ou des frayeurs, mettant entre parenthèses la visée instructive de l'histoire. Ce qui est visé, c'est l'autonomie de la fiction, le droit à la suggestion amenée par des sentiers détournés, qu'elle soit ou non licite en régime moralisant.

Sans doute le recueil de Perrault n'est-il pas le plus représentatif de ce chatoiement fabuleux, mais le succès de l'œuvre s'explique d'abord, nous semble-t-il, par un art du mélange, Perrault orchestrant magistralement la refonte d'un matériau complexe, puisé non seulement dans l'héritage populaire, mais aussi vraisemblablement emprunté au conte étranger.

De l'ironie italienne au didactisme français : histoire d'une éclipse et fantasme de pure modernité. — Dans la nuit des contes, on retrouve, enseveli sous la *tabula rasa* d'une modernité didactique qui prétend ne rien devoir au passé, la saveur subversive, ironique, d'un art de conter émaillant le miroir d'un ordre politique qui, sous la brillance tapageuse, masque ses obscurs désordres. Les conteurs italiens Straparola et Basile ont dû fournir le sujet de plusieurs récits de Perrault : « Le Chat botté » semble clairement imité du premier et l'idée première de « Barbe bleue » se trouvait dans l'histoire de Basile intitulée « La Petite Esclave » : le maître de maison laisse à sa femme toutes ses clés avec interdiction de pénétrer dans une pièce où elle fait finalement une sinistre découverte. Si l'on a pu rejeter l'hypothèse d'une telle influence, en remarquant que rien ne permettait d'affirmer si Perrault connaissait ou non l'italien, cette objection reste de peu de poids, puisque l'entourage du conteur maîtrisait cette langue, et notamment son frère, qui traduisit des textes italiens, et sans doute sa nièce, la conteuse Mlle Lhéritier, puisqu'elle fut élue en 1692 membre de l'Académie des Ricovrati de Padoue[1].

C'est que, dans l'Italie du XIVe siècle déjà, sous l'influence du *Décaméron* (écrit entre 1349 et 1353) de Boccace, on voit fleurir les recueils de nouvelles en italien et en latin. Dès la seconde moitié du XIIIe siècle, on lit le *Novellino* (aux environs de 1260-1290), recueil anonyme de récits courts à valeur exemplaire destinés à ceux qui ne savent pas (« novellino », lecteur novice) et désirent savoir. Forme narrative brève, la *novella* ou *conto* du siècle suivant est marquée par le souci de la double unité de temps et d'action, de clarté dans l'intrigue. L'événement surprenant, propre à happer la curiosité du lecteur, y apparaît fréquemment, venant comme en résonance du merveilleux présent dans la tradition orale.

Dans le sillon de Boccace, Giovan Francesco Straparola publie son recueil en deux volumes *Le Piacevoli Notti (Les Facétieuses Nuits)*, en 1550 et 1553. La vie du conteur reste énigmatique, puisque l'on ne sait même pas si le nom de « Straparola », signifiant le « diseur », voire

1. Voir, à ce sujet, Bernard Gicquel, « Les *Contes* de Perrault, réception critique et histoire littéraire », *in Tricentenaire Charles Perrault. Les grands conteurs du XVIIe siècle et leur fortune littéraire,* sous la dir. de Jean Perrot, Paris, In Press, « Lectures d'enfance », 1998, p. 111-122.

le « dégoiseur » (celui qui parle trop), est ou non un pseudonyme. Sans doute né à Caravaggio au sud de Bergame, à la fin du XVe siècle, il se serait installé ensuite à Venise, où il publie notamment un recueil de poèmes amoureux ; quant à la date de sa mort, elle reste incertaine (après 1557, date de réédition des *Piacevoli Notti,* à la demande de l'auteur). Plein de merveilles, le livre du conteur fait date : s'il fascine un large public, c'est que, sur soixante-quatorze nouvelles, il compte quatorze contes de fées. L'œuvre séduit par le mélange du registre raffiné qui caractérise le récit-cadre et la tonalité parfois plus suggestive, entre érotisme et obscénité, des récits enchâssés. Tout comme son modèle, Boccace, Straparola ne sert guère les autorités : le ton irrévérencieux qu'il adopte et les allusions répétées aux tensions politiques rendent compte d'une vision désenchantée du monde, d'un scepticisme sans illusion. Par ailleurs, il s'affranchit de toute perspective moralisatrice, laissant le récit cheminer comme en liberté sur les voies incertaines de l'univers fantasmagorique qu'il trace, sans en indiquer clairement la destination. S'il a pu inspirer Perrault (l'histoire de Tebaldo et de Doralice est une source probable de « Peau d'Âne », « Le Chat botté » serait aussi imité de Straparola), on peut mesurer l'écart de perspective entre les deux conteurs : Perrault retient l'argument d'un de ces contes facétieux, mais pour le transformer en un récit clairement orienté vers une moralité explicite, gommant les évocations qui pourraient nuire à la sobriété de ton, choisie comme plus convenable à l'entreprise de moralisation, affichée dès le titre (« [...] avec des moralités »). Les textes de Straparola semblent plutôt retranscrire des récits populaires issus du folklore paysan vénitien ; ceux de Perrault visent à conférer au conte le statut de genre littéraire, digne d'une reconnaissance académique.

La vie de Basile est moins opaque que celle de Straparola : né vers 1575 dans les environs de Naples, il s'établit à Venise après avoir voyagé et reviendra finalement à Naples où il meurt en 1632. L'on ne sait s'il a ou non lu Straparola ; il invente, dans un style subtilement marqueté (entre métaphore littéraire et expression vulgaire), une forme de conte mélangeant et les sources folkloriques de sa région et les sources littéraires et historiques, tout en puisant, ce qui est nouveau, dans les contes orientaux. Quarante-neuf histoires viennent s'enchâsser dans un récit-cadre, « conte des contes » fait de rebondissements propres à tenir les lecteur en haleine. *Lo Cunto de li cunti,* recueil rédigé dans le dialecte napolitain aussi connu sous le nom de *Pentamerone* (*Le Pentaméron*), est publié de façon posthume entre 1634 et 1636.

On y contemple la peinture d'une société corrompue où chacun, qu'il soit paysan ou aristocrate, convoitant la richesse ou souhaitant le bonheur, est prêt à toutes les bassesses pour assouvir son désir. En écho à la voix de Straparola, celle de Basile fait entendre ses résonances désenchantées tout en saluant l'ingéniosité des farceurs démunis, qui parviennent à survivre dans une société où l'équilibre, aussi fragile qu'étrange, résulte de discordances. Les cinq journées qui composent le recueil plongent le lecteur dans l'univers mouvant du conte de fées, tel qu'il est aujourd'hui envisagé communément : faisant intervenir le surnaturel, dessinant le désir en acte dans une série d'épreuves à surmonter, faisant apparaître ogres et fées, princes, princesses et magiciens.

Perrault reprend notamment le thème de « La Chatte des cendres » pour écrire « Cendrillon », mais, là encore, la stylisation du récit français traduit la disjonction des enjeux. Confirmant les prérogatives aristocratiques à travers le motif de la pantoufle de verre, signe d'élection, le récit de Perrault correspond à une logique de cour en accord avec le public visé par l'homme de lettres, chantant la distinction de tout ce qui gravite dans la sphère royale ; on est loin de la peinture des mœurs et des antagonismes sociaux que proposait Basile. Que Boccace, Straparola et Basile ne soient pas explicitement salués par Perrault dans son recueil n'enlève rien à l'influence déterminante de ces conteurs. Il convient donc de nuancer l'idée convenue selon laquelle Perrault aurait créé le conte littéraire à partir du folklore français, en puisant essentiellement dans la tradition populaire. Cette nuance ne retire rien à la force de l'auteur, puisque, c'est bien une voie, un style (une voix), un statut nouveaux que Perrault adopte, promesse de succès pour le genre jugé mineur qu'il parvient à extraire des ombres, au prix d'un silence étonnant sur les sources qui ont nourri son texte.

En sourdine, trop osée, risquée, scandaleuse, la parole insolente des conteuses. — Perrault n'est pas non plus l'inventeur du conte français, puisque c'est une conteuse prolixe, Mme d'Aulnoy, qui, dès 1690, anticipant la mode à venir, publie dans son roman *L'Histoire d'Hippolyte, comte de Douglas* le récit intitulé « L'Isle de la Félicité », considéré aujourd'hui comme le premier conte de fées littéraire. Sept ans plus tard (1697), elle fait paraître chez Barbin un recueil intitulé *Contes des fées,* quatre volumes de récits illustrés de vignettes de Clouzier. Le livre voit le jour à peine quatre mois après le recueil de Perrault. Autres conteuses restées dans l'ombre de l'académicien célèbre : sa nièce, Mlle L'Héritier, Mlle Bernard, Mlle de La Force, Mme Durand, Mme d'Auneuil. Les délirantes péripéties des contes de Mlle de La Force, bien éloignées du merveilleux assagi de Perrault, laissent entrevoir d'autres voies, peut-être plus conformes à la vocation merveilleuse, dans son aptitude à oser le délire imaginaire.

Sans doute, la fortune littéraire du texte de Perrault se comprend mieux par comparaison : les débordements narratifs, susceptibles de nuire à l'intrigue, ne semblaient guère rebuter le lectorat, mais la reconnaissance de l'œuvre par les doctes fait jouer d'autres critères de goût que le simple engouement du public. Le travail d'orfèvre de Perrault, façonnant le récit, l'épurant de ce qui pouvait être envisagé comme scorie, défigurant l'ensemble, répond aux attentes aristotéliciennes (souci de la vraisemblance, de la cohérence, refus du hasard pour préférer la nécessité) et à l'enjeu du moment : moralisation des mœurs à l'instigation de Mme de Maintenon.

En ce survol de quelques contrées merveilleuses, se dessine l'attirance pour tous les possibles narratifs et l'évidence d'une réserve critique qui bride la parole imaginative, taxée d'indécence ou d'incohérence, comme si les probables fantasmatiques minaient la raison, risquaient de l'embourber dans des marécages trop délicieux, à la saveur interdite, plaisir des eaux stagnantes, où l'animalité se révèle, grouillante, en formes monstrueuses, indécises, à la limite de l'indifférenciation. La clé logique qui ouvre et ferme chaque texte en régime didactique impose une dominance logique assortie de déploiement d'un *ethos* fédérateur, interdisant l'école buissonnière par l'échappée imaginaire. C'est dire que le primat de la raison n'est pas le propre de ce qu'on appelle un peu vite « siècle des Lumières »[1], mais travaille l'écriture tout au long du XVIIe siècle, comme si l'on craignait de se brûler aux mots incandescents des sorcières.

1. Un texte qui devrait au moins ajouter un point d'interrogation à l'étiquette :

ARRÊT PRINCIPAL, PRONONCÉ CONTRE DAMIEN
Parlement de Paris, Grand'Chambre assemblée, le 26 mars 1757
Vu par la Cour, la Grand'Chambre assemblée, le Procès criminel contre Robert-François Damien...
Tout considéré.

La Cour, suffisamment garnie des Princes et Pairs, faisant droit sur l'accusation intentée contre ledit Damien, dûment atteint et convaincu du crime de Lèse-Majesté Divine et Humaine au premier chef, pour le très méchant, très abominable et très détestable parricide commis sur la personne du Roi ; et pour réparation ;

Condamne ledit Damien à faire amende honorable devant la principale porte de l'Église de Paris, où il sera mené et conduit dans un tombereau, nu en chemise, tenant une torche de cire ardente du poids de deux livres ; et là, à genoux, dire et déclarer que méchamment et proditoirement, il a commis le très méchant, très abominable et très détestable parricide, et blessé le Roi d'un coup de couteau dans le côté droit, ce dont il se repend et demande pardon à Dieu, au Roi et à la Justice ;

Ce fait, mené et conduit dans ledit tombereau à la Place de Grève ; et sur un échafaud qui y sera dressé, tenaillé aux mamelles, bras, cuisses et gras de jambes, sa main droite, tenant en icelle le couteau dont il a commis ledit parricide, brûlée de feu de souffre ; et, sur les endroits où il sera tenaillé, jeté du plomb fondu, de l'huile bouillante, de la poix-résine fondue, de la cire et du soufre fondus ensemble ;

Et ensuite son corps tiré et démembré à quatre chevaux, et ses membres et corps consumés au feu, réduits en cendre, et ses cendres jetées au vent ;

Déclare tous ses biens, meubles et immeubles, acquis et confisqués au Roi ;

Ordonne qu'avant ladite exécution, ledit Damien sera appliqué à la question ordinaire et extraordinaire pour avoir révélation de ses complices ;

Ordonne que la maison où il est né sera démolie, celui à qui elle appartient préalablement indemnisé, sans que sur le fonds de la dite maison puisse à l'avenir être fait aucun autre bâtiment.

ARRÊT SUBSÉQUENT, PRONONCÉ CONTRE LA FAMILLE DE DAMIEN
Parlement de Paris, Grand'Chambre assemblée, le 29 mars 1757
Vu par la Cour, la Grand'Chambre assemblée, l'Arrêt d'icelle rendu le 26 mars du présent mois, contre Robert-François Damien, le Procès-verbal de question et d'exécution dudit Damien, du 28 des dits mois et an, les Conclusions du Procureur-général du Roi...
La Cour, les Princes et Pairs y séant, pour les cas résultant du Procès ;

Ordonne que, dans quinzaine après la publication de l'Arrêt du 26 mars du présent mois, et du présent, à son de trompe et cris public en cette ville de

Philosopher par la littérature : les lumières ne veulent pas de nos ombres fantasmagoriques

L'attrait que la littérature suscite chez les philosophes du XVIIIe siècle se traduit par le développement d'un type de narration marqué d'une dominance logique et orchestré par un *ethos* surplombant, qu'il soit ou non inscrit dans la trame, voix de la raison qui s'entend toujours, comme en coulisses du récit, dont il laisse deviner l'orientation ; qu'il s'agisse d'un conte de Voltaire ou d'un roman de Diderot, il est manifeste que la littérature ne se définit pas ici par les débordements éthiques ou pathétiques, mais bien par une séduction de l'intelligence rationnelle, aux prises avec les égarements de l'esprit, qu'elle s'efforce de mettre en fable, pour mieux les contrer. La narration reste sous contrôle philosophique et le texte jamais ne s'égare : il suit le cheminement qui a été préalablement défini, l'histoire fonctionnant rhétoriquement comme un cas forgé validant ou réfutant une position. *Candide* ou *De l'optimisme,* le sous-titre est programme réfutatif, l'énonciation ironique sapant le point de vue qu'incarne le personnage, antimodèle éthique, que Voltaire se plaît à soumettre à l'hostilité d'un monde fictionnel inverse de celui, chimérique, que s'acharne à

> Paris, en celle d'Arras et en celle de Saint-Omer, Élisabeth Molerienne, femme dudit Robert-François Damien, Marie-Élisabeth Damien, sa fille, et Pierre-Joseph Damien, son père, seront tenus de vider le Royaume, avec défense à eux d'y jamais revenir, à peine d'être pendus et étranglés sans forme ni figure de procès.
>
> Fait défenses à Louis Damien, frère dudit Robert François Damien, et à Élisabeth Schoirtz, femme dudit Louis Damien, à Catherine Damien, veuve Cottel, sœur dudit Robert-François Damien, à Antoine-Joseph, autre frère dudit Robert-François Damien, et à Marie-Jeanne Pauvret, femme dudit Antoine-Joseph Damien, ensemble les autres membres de la famille, si aucun y a, portant le nom de Damien, de porter à l'avenir ledit nom ; leur enjoint de le changer en un autre, sur les mêmes peines.

Ce qui frappe dans ces deux arrêts condamnant Damien pour ce que Voltaire appelle une « piqûre d'épingle », c'est la programmation par la loi de l'innommable, non torture et châtiment sauvages, mais bien expiation d'une faute religieuse qui aboutit au sacrifice de celui qui a osé porter atteinte au corps sacré du souverain. Esprit démoli par la douleur, corps disloqué, existence vouée à l'oubli complet, Damien, le pauvre diable, doit disparaître, l'acharnement vise jusqu'à la trace de sa vie, jusqu'au droit de léguer un nom.

voir Candide. Ici la *fabula* est bel et bien le voile d'une vérité philosophique qu'elle sert : elle ne s'en éloigne jamais, puisque le texte a vertu thérapeutique, il lutte contre les idées inadéquates en vue d'une clairvoyance, entreprise en résonance de l'élaboration de l'*Encyclopédie*.

À la différence de celle de Cyrano de Bergerac, l'ironie voltairienne ne déstabilise pas la lecture : elle fonctionne par des jeux d'inversion argumentative ou de friction entre discours et événements fictionnels sans ambiguïté, qui font entrevoir une position sérieuse, visant l'auditoire universel[1], autre fiction d'humanité pensante, défaite de l'empreinte superstitieuse et ainsi apte à saisir l'idée adéquate, contre le personnage-repoussoir. Il en va de même de Jacques le Fataliste englué dans un système explicatif du monde que l'auteur inscrit dans le texte comme personnage et s'ingénie à déconstruire en réaffirmant sa liberté de choix dans le déroulement des intrigues enchevêtrées.

La tutelle philosophique assure la clarté des enjeux et la pérennité de textes qui se prêtent à l'étude, en raison de leur facture logique et de l'autorité éthique qui cimente l'argumentaire fictionnalisé. Il semble presque qu'une vérité en soi émane de la parole du philosophe lorsque, cherchant à « nuire à la bêtise », à faire entendre raison contre les tentations superstitieuses, il reconnaît et exerce le pouvoir des fables. Cette lumière qui facilite le travail herméneutique se gagne sur les jeux de clair-obscur, d'ombres subtiles qui font la saveur d'un merveilleux en liberté, où l'imagination libre trouve ses chemins sans boussole. Il y a dans la littérature philosophique comme un parfum de sagesse tranquille, évacuant les débordements imaginatifs comme si imagination et superstition risquaient fort de s'amalgamer dans les esprits embarqués en fiction. Ce dosage didactique qui vise à conjurer les erreurs d'appréciation d'une réalité à laquelle on revient toujours risque de laisser le passionné de littérature sur sa faim d'expériences : le livre porte si

1. Voir Chaïm Perelman, *Traité de l'argumentation.* Ce concept-clé de la nouvelle rhétorique rend précisément compte du désir de faire coïncider, suivant une tangente, rhétorique et philosophie, en valorisant le judiciaire, comme modèle rhétorique évacuant le spectre de la manipulation par le langage. Or la littérature n'a de sens que si l'on accepte la totalité des possibles fictionnels sans délimitation et hiérarchisation en fonction des auditoires visés : discours adressé à qui veut bien l'entendre.

clairement en lui l'idée de sa leçon qu'il limite le vertige d'une expérience où l'imagination s'essaierait vraiment, jusqu'au bout, là où la raison même est susceptible d'être mise en procès, dans ses enchaînements abusifs, ses acrobaties justificatives. À vouloir à toute force singer les abus superstitieux, le texte, construit tout entier contre cet ennemi, finit par ne laisser planer aucune ombre, interdisant cette savoureuse obscurité, inquiétante, où se logerait la poussière d'une question, le plaisir pris au vacillement du sens.

Candide ou *Jacques le Fataliste,* romans philosophiques qui ne sont pourtant pas reconnus comme livres de philosophie, en tout cas toujours rangés dans le rayon « littérature » des libraires. Pourquoi donc la littérature devrait accueillir en son sein un mode de pensée qui n'est pas le sien, si ce n'est par un jeu de valorisation doxale ? Voltaire et Diderot en témoignent, il est possible de penser par la fiction, les programmes de l'Éducation nationale font d'ailleurs la part belle à ces textes de teneur philosophique. Et si les rayons de philosophie accueillaient à leur tour la fiction, non pour l'utiliser, mais pour la reconnaître comme mode de pensée alternatif ? Michel Serres a eu droit à cette place sur les rayonnages philosophiques pour ses *Récits d'humanisme* (2006), parce que, tout en disant la valeur cognitive du récit, il parle encore en philosophe. À quand *Animal Farm* et *1984* parmi les traités de philosophie politique, à quand les *États et Empires de la Lune et du Soleil* aux côtés des essais épistémologiques ? À quand une reconnaissance de la fable comme mode de pensée susceptible notamment de débusquer les délires de la ratiocination ? Les classements ne sont en rien anodins, ils révèlent une hiérarchisation des paroles qui relègue la littérature dans sa sphère esthétique, mal comprise, comme si la séduction littéraire ne pouvait être au mieux que l'enrobage d'une pensée, empruntée ailleurs, sur d'autres rayons, là où « ça pense », effectivement, puisqu'on y parle sérieusement, sans lyrisme, en éclipsant ce « je » si gênant, qui, croit-on, nuirait à l'universalisation du discours.

Car tel est bien le grief : relativisation des savoirs parce que toujours articulés à un *ethos,* dont l'autorité reste contestable, susceptible de vaciller, parole irrémédiablement arrachée à une subjectivité qui seule en est garante. Dès lors, il n'est pas de vérité littéraire, mais un tournoiement vertigineux des idées, emportées par la force essentiellement centrifuge de la fiction lorsqu'elle n'est pas soumise à la force contraire d'un systématisme centripète qui organise des cohérences vraisemblables, des explications plausibles. Une littérature en liberté garde en elle un souverain désordre et un sourire de mise à distance parce qu'elle révèle à chaque mot une conscience d'exister qui s'éprouve dans le vertige, en acceptant les effets, non dans l'angoisse, mais saisie par une forme d'ivresse clairvoyante. Comment, en effet, adopter sans ridicule la posture sérieuse du donneur de leçons, quand tout fuit alentour ? La littérature cherche le vrai dans cette fuite héraclitéenne des choses, elle accepte le tâtonnement, le piétinement, la circularité qu'elle décline en litanies incantatoires, elle scrute les incohérences et goûte un étrange plaisir à les dessiner en fable, comme si cette compréhension à distance procurait en elle-même une volupté unique. Fable profondément rationnelle, imposant à la raison l'épreuve de ses capacités, suivant un régime de logique élargie où elle doit réviser ses modes de fonctionnement, se risquer à accepter les voies semées d'embûches que lui trace l'imagination, s'y hasarder pour tester effectivement son pouvoir de résistance, son aptitude à tenir le cap lorsque la mer blanchit, que le regard se trouble, brûlé par le sel.

Péché de subjectivité et méditation figurée, que nous pratiquons sans scrupules : comment mieux servir la littérature que d'en épouser les modes de réflexion ? S'il semble attendu que l'on tienne un discours philosophique systématisant pour étudier l'*Éthique* de Spinoza (encore que Gille Deleuze ne s'interdit pas, en l'occurrence, l'explication par fable), on ne comprend guère comment la critique littéraire se bâtit comme édifice avalant la fable en ses innombrables définitions qui aboutissent parfois à des vérités purement taxinomiques s'avérant non seulement décevantes mais stériles, donc nuisibles à l'enchantement fictionnel. Comble du paradoxe : comment en est-on arrivé à tenir un tel discours, rebutant à souhait, sur une parole diverse, qui porte en elle une germination passionnante ? Cette confiscation du plaisir littéraire constitue en soi un fait grave, dans la mesure où elle porte atteinte à un espace critique vital, lieu de résistance par libre questionnement. La littérature dépoétisée, devenue objet de science, reflète la grisaille d'un monde piégé dans un discours désenchantant : les mots échappent, sans séduction, se transmettent machinalement suivant un mimétisme social qui aplanit le langage, vidé de son sens, réduit à l'usage commun, alors que seules s'inventent de nouvelles terminologies absconses, prétendument scientifiques, sorte de trissotinisme généralisé, ou simplement médiatiques, par effet de mode, signe, sous la prétention d'innovation, d'un conformisme inconscient.

« Faire neuf » dans ce contexte, c'est d'abord faire neutre, parler paradoxalement d'une voix engluée dans l'individuel mais qui refuse d'assumer ses jugements, à l'inverse de l'énonciation à la Montaigne qui, à partir d'un « je » qui s'essaie, vise l'humaine condition, les *Essais* dessinant cette séduisante subjectivité impersonnelle, miroir en creux où chaque lecteur pourra contempler la marque entière d'humanité qui décline et dépasse les hasards d'une vie personnelle.

Le repérage linguistique des marques du sujet, renvoyant à la fonction expressive du langage définie par Jakobson, ne dit au fond pas grand-chose sur la subjectivité ainsi repérée et conclut un peu vite à une dimension lyrique du texte, comme s'il suffisait d'un « je » assorti d'éléments axiologiques et d'exclamations pour signaler un épanchement de soi, entendu comme forme poétique canonique. Cet enchaînement d'inférences ne tient guère, d'abord parce qu'il présuppose ce que la psychanalyse a clairement réfuté, relayée ensuite par la pragmatique : il n'est pas d'unicité de ce « je », pronom-leurre qui masque la complexité d'un moi éclaté ; ce « pôle » repéré dans le schéma de la communication est plus un archipel à la géographie incertaine, sans contours précis, lieu poreux aux grottes insoupçonnées. L'étude pragmatique montre comment, à travers l'énonciation de ce « je », se font entendre différentes voix énonciatives, dans une polyphonie intérieure qui ramifie le jeu d'auto-argumentation, toute parole étant en soi menacée de schizophrénie linguistique.

Il conviendrait ensuite de faire clairement le départ entre subjectivité et personnalité : le « je » signale effectivement cette citerne d'où jaillit la parole, sans peindre un visage, sans tracer une histoire, il dit la source où s'invente la plainte, mais il n'est en rien expression d'un moi, dès lors que ce moi échappe et se cherche même dans cette plainte, dans ces mots qui s'échappent et se tracent en signes courant sur la page. Combien de fois la littérature a-t-elle été enniaisée par cette présupposition lui réservant comme fonction l'expression de soi ! On y lit peut-être une des raisons de cette fascination de la critique pour l'objectivisation des phénomènes littéraires, comme tentative pour sortir de cette damnation de la personne disant ses émois, ses soucis dérisoires, mis en fable. Mais le remède relève de la même confusion malencontreuse : si l'on peut déplorer le nombre croissant d'autofictions en forme d'autopsychanalyse inconsciente (vouée au ratage, le cercle fermé de la destination à soi enfermant la parole plus qu'elle ne la libère), le refus de la subjectivité ampute la littérature de sa confuse racine, de cette germination souterraine à la source de la séduction colorée qu'elle déploie dans la transparence des pages. Le ressassement des traumatismes de la personnalité s'oppose radicalement à l'invention de cette posture subjective séduisante qui implique un effort pour s'absenter du labyrinthe personnel, pour s'abstraire de ce qui rive au compte-à-rebours, afin de réinventer, à partir de ce « je », enveloppe disponible, le temps ouvert, à la fois révolu et à venir de la fable.

Faute de cet affranchissement, la parole littéraire piétine, dès lors que l'*ethos* n'est autre qu'un double (fédérateur de la fable) d'un auteur qui ne sait parler que de soi, sans jamais atteindre à cette liberté élégante de la voix, qui, se désengageant de soi, dépasse la plainte et trouve une subjectivité authentique, résonnant en chaque lecteur.

*Le lyrisme où l'*ethos *exhibé ?*

L'empreinte lyrique de la littérature correspond plus à une posture éthique qu'à un épanchement de soi, orientant le discours vers l'expression de sentiments. Si tout un pan littéraire, essentiellement romanesque, investit l'analyse psychologique et se concentre sur le sentiment amoureux, cela n'autorise en rien à affirmer une dominance affective qui confinerait la littérature dans ce parcours guidé d'une Carte du Tendre, remise à jour pour chaque époque. Vocation parmi d'autres, ce traitement des affects ne constitue pas en soi un lyrisme spécifiquement littéraire : la distinction de la littérature tient plutôt à une réflexion qui s'ancre dans la sensibilité et la subjectivité, les assume et les reconnaît, tandis que les discours philosophiques, historiques ou scientifiques traditionnels tiennent leur légitimité d'une raison agissante qui tend à limiter cette influence des sens et du sujet, comme infléchissant la vérité, alors rattachée à un point de vue.

Or les réflexions scientifiques modernes sur la relativité donnent une nouvelle résonance au discours littéraire, apte à construire des fables-hypothèses où les évidences rationnelles, mises à la question par le déploiement d'une logique élargie en régime fictionnel, doivent être révisées ; relativité du fonctionnement des concepts dans l'univers entropique de la bibliothèque, et notamment relativité du temps, que la fiction dilate ou condense à plaisir, dans un choc permanent avec le référentiel où s'inscrit le temps linéaire de l'expérience de lecture. Dans son pouvoir d'inventer la pluralité des mondes, la littérature offre un laboratoire de questionnement, qui repousse les limites du champ d'investigation de la raison, par la mise en œuvre problématique du principe de réfutabilité applicable à une série de modèles explicatifs susceptibles d'entrer en concurrence. Non scientifique, l'espace littéraire, apte à créer et multiplier les référentiels, peut instaurer une perméabilité déroutante entre les mondes fictionnels qui l'autorise à maintenir des propositions contradictoires, opération à effet vertigineux sur les *a priori* rationnels. Plus encore, parce qu'elle pense à partir des points de vue, elle est peut-être le lieu où pourrait se dessiner une pensée éclatée, apte à dire sans trahir un monde fragmenté, qui substituerait au sens de l'histoire la croissance du désordre. En ce sens, elle est relais indispensable à l'avancée scientifique parce que les fables qu'elle tisse offrent un droit d'accès universel aux questions qui trouvent des réponses en attente de réfutation dans le processus jamais achevé de l'explication des phénomènes.

Par la subjectivité vide, que le lecteur viendra combler, elle offre une posture réflexive au sein même de la fable, dès lors qu'elle ne prétend pas se déployer comme explication du monde, mais au contraire lutter, en ses possibilités à faire vaciller les cohérences illusoires, contre les discours parascientifiques, imposant une unité explicative qui enferme l'esprit, sans lui offrir le droit à ce point critique, éthique, qui assure la relativité de la fable.

Foncièrement imaginative, l'hypothèse scientifique est invention, tissure chiffrée, explication d'un phénomène élaborée par un sujet qui innove, à partir d'une synthèse des savoirs. À la source, une pensée, un angle d'attaque qui caractérise la démonstration, susceptible d'être belle, dans le mouvement même qu'elle dessine.

Défendant une connaissance poétique du monde, Edgar A. Poe cherche, dans *Eurêka,* à joindre investigation scientifique et conscience de visionnaire, rappelant ainsi combien mythes et sciences, tout en adoptant des chemins opposés, participent d'un même questionnement, élaborant un cheminement explicatif qui donne sens à l'univers. S'acharnant à trouver les clés du monde, voulant à toute force comprendre les mystères de l'univers, Poe tente d'embrasser la somme de connaissances scientifiques dans une vision éthique du monde, émanant d'un regard de poète-savant. Si le texte ne réalise pas pleinement le projet, l'idée vaut en elle-même pour la problématique qu'elle soulève : fasciné par les sciences, Poe fait pourtant acte de réaffirmation poétique, comme par crainte de voir le regard disparaître dans l'explication, dès lors qu'elle est donnée comme objective, calculable. Appréhender les mystères du monde en poète, c'est non l'analyser sans frémir, mais le comprendre comme par résonance magnétique, connaissance sensitive sans quoi l'explication objective, évacuant le sens ajouté à la perception, lui substitue un modèle élaboré à l'aide de l'outil mathématique, faisant du sujet un étranger au cœur même du monde qu'il habite. Le geste fou de Poe est effort poétique visant à conjurer cet exil sur une terre réduite en chiffres. Le principe de démarcation défini par Popper, essentiel à la délimitation de la sphère scientifique, suffit à réfuter cette entreprise, dans sa prétention à accéder à une vérité. En voulant réaffirmer la nécessité d'une présence éthique, l'écrivain-théoricien crée un texte paradoxal, cosmogonie lyrique qui n'est pas sans rappeler celle d'Hésiode et suggère la nécessité pour chacun d'un questionnement intégré, sans quoi la présence au monde se transforme en étrangeté, l'insoutenable opacité des phénomènes appelant, en désespoir de cause, l'imposition extérieure d'une fable explicative, parasitaire, qui viendra saper la reconnaissance des avancées scientifiques, auxquelles elle prétend se substituer.

Livrée à elle-même, la littérature a le pouvoir d'offrir une posture éthique à partir de laquelle s'inventent non des réponses, mais des problématiques fictionnelles ; elle multiplie les miroirs anamorphiques du monde pour démultiplier les angles de réflexion. À l'inverse d'une production paralittéraire qui piétine à dire, sous couvert de fable, ce qui enferme l'auteur dans ses soucis personnels (l'*ethos* n'étant alors que redoublement figuré de la personne réelle de l'écrivain telle qu'il se perçoit lui-même), le récit peut devenir mode réflexif, exerçant cette force critique qui ouvre l'esprit par l'effet de vertige fictionnel : le livre-voyage de Rabelais, *Don Quichotte* de Cervantès, *Les États et Empires de la Lune et du Soleil* de Cyrano de Bergerac, *1984* d'Orwell, *L'Exil et le Royaume* de Camus, *Fictions* de Borges, ou encore *Auto-da-fé* de Canetti, textes qui mettent en œuvre cette pensée alternative, où les questions s'incarnent et se posent autrement par le déploiement imaginaire, qui suscite un perspectivisme critique.

De l'autre côté du miroir, s'enfuir de la prison personnelle

Lord Patchogue s'est levé. Il se considère en pied dans le miroir. Cinq sens ne suffisent pas à ses voisins du moment ; ils vont une fois de plus manquer le spectacle ; ils ne sont pas plus préparés à percevoir la proximité d'un mystère qu'ils ne pensent à la mort.

Lord Patchogue et son image s'avancent lentement l'un vers l'autre. Ils se considèrent en silence, ils s'arrêtent, ils s'inclinent.

Quel vertige s'est emparé de Lord Patchogue ? Ce fut bref, facile et magique : le front en avant, Lord Patchogue s'est élancé. La glace heurtée, traversée, vole en éclats, mais, lui, le voici de l'autre côté[1].

Voilà les mots qui relatent le geste fou de Jacques Rigaut, *alias* Lord Patchogue qui, en 1924, un soir d'été, se lance soudain à travers un miroir, interrompant la partie de cartes qui se jouait entre amis, dans la maison d'Oyster Bay où Rigaut est alors invité, petite ville de bord de mer, non loin de New York. Geste qui rompt le cours des choses, entaille le temps ennuyeux en faisant perler le sang au front du trouble-

1. Jacques Rigaut, *op. cit.*, « Passage dans la glace à Oyster Bay », p. 59.

fête, geste surtout qui préfigure le suicide, en ce qu'il est déjà tentative pour en finir avec soi, avec cette image irrémédiablement inscrite sur la surface, que Rigaut voudrait transpercer dans l'espoir de s'en défaire, échapper enfin à cette prison du regard, voler en éclats pour mieux s'éclipser, sans laisser trace, ainsi que le suggère la fin du récit : « Le lendemain deux ouvriers vinrent remplacer la glace. Quand ils eurent fini leur travail, Lord Patchogue avait disparu. »[1] Comme une obsession qui tenaille, lancinante, ce rêve méthodique que Rigaut programme révèle la question qui semble pour lui essentielle : le carcan personnel impose le « régime de l'erreur », l'enthousiasme à plonger dans le gouffre de passions qui aliènent plus encore, l'adhésion à soi, la croyance à la possession – du nom, des signes distinctifs, des goûts, de tout ce qui définit une illusoire identité –, résonance pascalienne, s'il en est, haine du moi, en ce qu'il est piège, interdisant de contempler ce qui n'a pas d'image, ce vide, que le miroir trouble de sa présence brillante. Première maxime capitale, constat d'équivalence : « 1. L'envers vaut l'endroit, il fallait s'y attendre »[2], puis, l'image brisée, le miroir de soi perdu, c'est une force qui va, traversant les miroirs successifs, comme une balle qui viserait son but, remontée de question en question de celui qui se définit par une périphrase enfin essentielle :

> L'homme qui cherche à ne pas mourir est lancé ; il marche automatiquement, sans curiosité, sans « expectation », parce qu'il ne peut pas faire autrement, à chaque pas un nouveau miroir vole en éclats ; il marche environné de ce fracas qui est douceur à l'oreille du condamné ; à chaque miroir, il scande : « ... l'œil – qui regarde l'œil – qui regarde l'œil – qui regarde l'œil – qui reg... »[3].

Expérience de l'infini du regard démultiplié : « Le capitaine du dernier œil joue à l'horizon »[4], découverte vertigineuse d'une course sans issue, tentative éperdue d'une glissade hors de soi, princière, qui libérerait des faux-semblants de la personne, se mouvant en ses catastrophes dérisoires. Revenu mort-vivant de ce voyage métaphysique de l'autre côté

1. *Ibid.*, p. 60.
2. *Ibid.*, III, « Derrière la glace », p. 60.
3. *Ibid.*, p. 61.
4. *Ibid.*, p. 62.

du miroir, l'écrivain qui, dans une schizophrénie avouée, s'est donné un nom princier, devient résolument pure question, voix effritée tissant en échos les vestiges disparus de la personne, libérée de ses attributs aliénants. Il y a dans la parole éteinte de Jacques Rigaut une élégance ironique, un aveu de détachement absolu, comme une quintessence du style atteignant, par désengagement de soi et séduction éthique, le pouvoir paradoxal d'un antilyrisme, impersonnel, qui touche, parce qu'il mêle la pudeur à la violence, la logique implacable d'une rationalité sans failles à la folie schizophrénique, la déflagration verbale oscillant entre cynisme et ironie à la voix égarée, sans racines : « L'orgueil amer de se sentir sans origines. »[1]

En cette posture limite du refus de la personne qui confine à la folie, on trouve pourtant, sous sa forme hyperbolique, l'antidote contre l'épanchement autiste, apanage d'une paralittérature fort productive, oscillant entre tonalité dépressive et euphorie niaise, s'abreuvant de sentimentalisme, exhibant à plaisir les méandres de la personne ou revêtant le masque du neutre pour s'autoriser l'écriture constative, complaisante dans le détail de la désolation, dès lors qu'il est permis de s'absenter, d'adopter l'*ethos* zéro, qui transforme le texte en examen clinique d'un sentiment annoncé.

*Pour un lyrisme éclaté, l'*ethos *polyphonique et le charme incarné*

Crise du lyrisme[2], essoufflement poétique, les mots ne manquent pas pour diagnostiquer l'ennui des Muses, comme si les sources de l'inspiration poétique risquaient, périodiquement, de se tarir, sans l'intervention providentielle d'un musicien ingénieux : « Il me faut du nouveau, n'en fût-il point au monde »[3], orchestrant une poésie ressourcée dans son invention même, puisant jusqu'aux racines antiques

1. Trimètre romantique qui fait apparaître en creux, au détour d'une homophonie, l'absence de la mère, *op. cit.*, « Propos amorphes », p. 16.

2. *Cf.* Jean-Charles Darmon, *Philosophies de la fable. La Fontaine ou la crise du lyrisme*, Paris, PUF, « Écriture », 2003.

3. La Fontaine, *Œuvres, Clymène,* vers 35, p. 16.

ou sur les rives lointaines l'élixir qui réanime la voix. Le risque d'un vieillissement poétique est évoqué par La Fontaine dans l'une de ses premières œuvres, *Clymène,* comédie en forme de poème dialogué, faisant intervenir le dieu de la poésie et les neufs Muses :

> Apollon se plaignait aux neufs Sœurs l'autre jour
> De ne voir presque plus de bons vers sur l'Amour[1].

Incipit significatif d'un amalgame entendu que La Fontaine mettra précisément à distance, refusant de restreindre le poétique à la sphère amoureuse, et préférant inventer une poésie narrative, problématique, qui se nourrit de toute matière. Mais si *Clymène* se présente comme un débat philosophique au sujet de l'amour (un *Banquet* littéraire), l'enjeu essentiel est d'ordre esthétique : La Fontaine, qui se met en scène sous son nom de Parnasse, Acante, y propose plus qu'un art d'aimer, un art de dire l'amour, et chacune des Muses y représente une tentation littéraire, un style que l'auteur ne manquera pas de sculpter. De la thématique imposée, le texte glisse vers la question de l'élaboration poétique, de la recherche de formes inédites, aptes à captiver, à conjurer l'ennui qui semble s'installer.

Dans *Les Amours de Psyché et de Cupidon,* La Fontaine adopte clairement la diversité pour devise. L'écriture de ce roman-poème allégorique, œuvre-synthèse difficilement classable, s'inscrit dans les *Fables,* l'Épilogue du livre VI, qui ponctue le premier recueil, justifiant l'interruption de la parole du fabuliste par un appel exhortant l'auteur à se consacrer à ce sujet mythologique :

> Amour, ce tyran de ma vie
> Veut que je change de sujets :
> Il faut contenter son envie.
> Retournons à Psyché : Damon vous m'exhortez
> À peindre ses malheurs et ses félicités :
> J'y consens : peut-être ma veine
> En sa faveur s'échauffera.
> Heureux si ce travail est la dernière peine
> Que son époux me causera !
>
> Épilogue, vers 8-16.

1. *Ibid.,* p. 15.

Il n'est pas anodin que le projet romanesque de *Psyché* suspende ainsi l'écriture des *Fables* ; on pourrait croire, à lire l'Épilogue, que la voix du récitant ne se fera plus entendre ; pourtant elle reprend, après l'expérience de *Psyché,* et le second recueil sera marqué du sceau de la diversité, signature empruntée au roman polyphonique. En effet, ce texte se caractérise par une variation tonale, un mélange des genres sans précédent, un sens du tragi-comique qui renouvelle le thème mythologique. Le nom du récitant, Poliphile, signale d'emblée le choix d'une esthétique de la variété ; les trois devisants n'hésitent pas à commenter l'histoire qui leur est racontée, leurs interventions (comiques, ironiques) venant souvent en contrepoint des commentaires de Poliphile, qui dramatise la destinée de Psyché. Plus encore, le texte semble résulter d'un mélange alchimique qui assure sa saveur : mélange de la prose et des vers, et surtout choix des vers mêlés qui apparente le roman mythologique aux *Fables* et conjure la monotonie.

Empruntant la matière de son texte à Apulée *(Conte d'Amour et Psyché),* La Fontaine réinvente la fable antique pour créer du nouveau, à l'inverse de Perrault, qui vise un conte résolument moderne, faisant table rase de la fable antique. Articulant désir et écriture dans une poétique de la voix[1] héritée du *Décaméron* de Bocace, de l'*Heptaméron* de Marguerite de Navarre, le poète-romancier orchestre et renouvelle ce jeu polyphonique, autour de la figure de Poliphile, et du concept-clé de curiosité, ce trait du personnage féminin valant aussi justification, droit de tout essayer dans l'ordre du récit. Œuvre merveilleusement étrange dans le paysage littéraire français, étant donné la subtilité tonale, l'art du mélange qu'elle réalise, texte où La Fontaine ose tout, à la manière de Psyché, au risque de se perdre dans sa propre voix. Dans son « Discours à Madame de La Sablière », il fait l'éloge de cette figure féminine incarnant l'esprit divers, « Iris », arc-en-ciel à l'intelligence gracieuse, rassemblant les qualités d'un être capable d'incarner une pensée volupteuse, à l'inverse du savoir systématique. Au cœur du

1. *Cf.* Dominique Rabaté, *Poétiques de la voix,* Paris, José Corti, « Les Essais », 1999.

« Contre-Descartes », cette femme-fable incarne la parole mêlée, un art de conférer qui s'autorise la disparate :

> Propos, agréables commerces,
> Où le hasard fournit cent matières diverses,
> Jusque-là qu'en votre entretien
> La Bagatelle a part : le monde n'en croit rien.
> Laissons le monde et sa croyance :
> La bagatelle, la science,
> Les chimères, le rien, tout est bon. [...]
>
> Discours, vers 13-19.

En ce début épidictique, se lit l'apologie d'une esthétique de la diversité, en rapport avec le statut du merveilleux au XVIIe siècle, la catégorie esthétique du baroque, le concept de mouvement, dans la mouvance héraclitéenne, et suivant l'héritage de Montaigne.

La modernité défendue par Perrault se situe du côté de Descartes, incarnant la rupture par excellence avec l'ordre ancien et la confiance souveraine en une conscience rénovée. Pour La Fontaine, à l'inverse, l'empire chimérique de la raison risque fort de consacrer la rupture entre les mots et les choses, par le refoulement de l'imaginaire, jugé suspect, par la confiscation de la parole poétique, taxée de nuire à l'ordre des idées. D'un côté, le conte littéraire inventant des rêves modernes de cour, en fermant les yeux sur les métamorphoses antiques ; de l'autre, la fable puisant dans les hiéroglyphes de l'Antiquité pour épuiser les rêves d'un pouvoir saturé de ses glorieuses métamorphoses.

Figure de chantre du « Grand Siècle » chrétien, Perrault fait l'éloge de la modernité dans un ouvrage qui se veut somme des intelligences remarquables du siècle, comme le programme très clairement le titre à rallonges : *Les hommes illustres qui ont paru en France pendant ce siècle, avec leurs portraits au naturel* (ouvrage en deux volumes, 1696-1700). Le texte qu'il publie en 1686, *Saint Paulin, évesque de Nole, poème, avec une epistre chrestienne sur la pénitence, et une ode aux nouveaux-convertis,* couronne l'apologie des Modernes en faisant valoir, en écho à saint Augustin, la supériorité de l'art chrétien, à venir, sur l'art païen des civilisations antiques. L'œuvre semble tout entière tournée vers cette idée défendue dans « Le Parallèle des Anciens et des Modernes » : le siècle de Louis XIV est élu comme celui de la magnificence des lettres et des arts. Le début du discours en vers énonce une audacieuse comparaison, inversant ainsi la prédominance antique telle qu'elle était notamment reconnue à la Renaissance :

> La belle Antiquité fut toujours vénérable ;
> Mais je ne crus jamais qu'elle fût adorable.
> Je vois les Anciens sans plier les genoux,
> Ils sont grands, il est vrai, mais hommes comme nous ;
> Et l'on peut comparer sans crainte d'être injuste,
> Le siècle de Louis au beau siècle d'Auguste.
> [...]

Les derniers alexandrins rappellent que c'est par la grâce de Dieu que le roi peut espérer voir cette lumière française toujours plus éclatante :

> Ciel à qui nous devons cette splendeur immense,
> Dont on voit éclater notre siècle et la France,
> Poursuis de tes bontés le favorable cours,
> Et d'un si digne roi conserve les beaux jours,
> D'un roi qui dégagé des travaux de la guerre,
> Aimé de ses sujets, craint de toute la terre,
> Ne va plus occuper tous ses soins généreux,
> Qu'à nous régir en paix, et qu'à nous rendre heureux.

L'allusion à la fin de la longue guerre de Hollande (1672-1678) après signature du traité de Nimègue laisse rêver d'une paix favorable au développement artistique. Point de vue divergent : la fable « Un Animal dans la lune » (VII, 17) où La Fontaine célèbre l'attitude du roi anglais Charles II, protecteur des arts et des sciences, tout en évoquant, par contraste, le malheur des Français alors encore en guerre. À l'inverse de l'enthousiasme de Perrault, on entendra les méfiances de La Fontaine à l'égard de l'esprit de conquête du roi que nous avons déjà signalées[1].

1. Voir *supra*, p. 94-96.

En réponse à l'apologie radicale de la modernité, La Fontaine écrit son « Épître à Huet », qui paraît quelques jours plus tard. Craignant de réveiller la susceptibilité du monarque, le poète adresse habilement son texte à l'austère évêque de Soissons, qui, tout en révérant les Anciens, présente l'avantage, en la circonstance, d'être l'ennemi de Boileau, ce qui garantit le fabuliste contre l'accusation de cabale. Parmi les arguments avancés pour plaider la cause des Anciens en rejetant le grief de passéisme littéraire, La Fontaine fait valoir l'idée qu'il incarne à merveille dans ses *Fables* d'une imitation-invention :

> On me verra toujours pratiquer cet usage ;
> Mon imitation n'est point un esclavage :
> Je ne prends que l'idée et les tours, et les lois,
> Que nos maîtres suivaient eux-mêmes autrefois.
>
> « Épître à Huet », vers 25-28.

Réactivation de l'idée d'innutrition telle qu'elle était défendue par Montaigne[1] : il s'agit de faire son miel de la lecture des Anciens et d'inventer du nouveau à partir d'une conscience aiguë des grandeurs passées. C'est cette nouveauté si rare que La Fontaine ose viser, réécriture inventive apte à ressourcer une poésie déclinante, si l'on entend la plainte d'Apollon, exhortant les Muses au réveil de l'invention. Entre le lyrisme amoureux et la déploration de sa propre perte, la poésie cherche de nouvelles résonances ; La Fontaine inaugure une poésie narrative qui oxygène le genre, mais il faut y lire une résistance solitaire contre un déclin qui se précise, si l'on songe à la rareté poétique dans le siècle à venir, où les répercussions de l'empreinte cartésienne se lisent à travers un primat logique qui détourne plus encore les regards des cordes diverses de la lyre. C'est que, à la fois complexe et érudite, la poésie de La Fontaine se donne comme voile léger, parole placée sous le signe d'un sourire qui dédramatise la posture lyrique : le regard

1. Voir *Essais,* I, 26, « De l'institution des enfans », où Montaigne exprime toute son admiration pour la pensée antique : « [...] à me reconnoistre, au prix de ces gens là [les penseurs de l'Antiquité], si foible et si chetif, si poisant et si endormy, je me fay pitié ou desdain à moy mesmes. Si me gratifie-je de cecy, que mes opinions ont cet honneur de rencontrer souvent aux leurs ; [...] » (p. 146-147).

oblique substitue à l'émoi d'une sensibilité perdue dans la confusion des sentiments un clin d'œil d'intelligence qui séduit par connivence de goût, d'appréciation, élargissant la sphère du poétique, rénovée, non par abandon de la thématique amoureuse, ni même décentrement (si l'on songe à *Psyché,* trame canonique de l'histoire d'amour, que le traitement mythologique hyperbolise) : à la larme d'épanchement qui dématérialise l'affect, La Fontaine substitue une parole de désir, marquée de l'animalité, l'écriture des *Contes* témoignant de cette réaffirmation nécessaire d'un matérialisme qui redonne droit de cité au corps au sein du littéraire.

Les mélodies trop limpides sont vouées à l'affaiblissement sonore ; le lyrisme monocorde, focalisé sur l'amour et ne chantant que d'une seule voix, risque de s'éteindre parce que sa vibration ne peut faire entendre toutes les résonances de la sensibilité. La polyphonie énonciative de la fable vise à redonner le souffle, l'*anima* multiple qui livre le chant général du monde. L'alexandrin qui débute la Dédicace « À Monseigneur le Dauphin » constitue une reprise parodique de l'ouverture épique, puisqu'il fait écho aux premiers vers de l'*Énéide* de Virgile : « Voilà que maintenant je chante l'horreur des armes de Mars et cet homme [...]. » Les *Fables* se présentent d'emblée comme une épopée héroï-comique :

> Je chante les héros dont Ésope est le père,
> Troupe de qui l'histoire, encore que mensongère,
> Contient des vérités qui servent de leçons.
> Tout parle en mon ouvrage, et même les poissons :
> Ce qu'ils disent s'adresse à tous tant que nous sommes.
> Je me sers d'animaux pour instruire les hommes.
>
> « À Monseigneur le Dauphin », vers 1-6.

Au seuil du livre IX, la fable intitulée « Le dépositaire infidèle » rappelle ce motif liminaire, associant la gloire de l'auteur à l'invention d'une parole animale dont la force suggestive s'appuie sur la création de personnages :

> Grâce aux filles de Mémoire,
> J'ai chanté les animaux ;
> Peut-être d'autres héros
> M'auraient acquis moins de gloire.

Le loup en langue des dieux
Parle au chien dans mes ouvrages ;
Les bêtes à qui mieux mieux
Y font divers personnages ;
[...]

« Le dépositaire infidèle », vers 1-8.

L'expression « faire un personnage » réveille ici le sens de l'étymon, *persona,* « masque de l'acteur » ; la rime « animaux » « héros » souligne la dimension héroï-comique du projet audacieux qu'il faut entendre ainsi : façonner un miroir parlant qui, par le truchement des animaux, mette en scène et en discours les héroïques folies des hommes. Car la « langue des dieux » s'oppose *apparemment* au *logos* discriminant : concernant l'ensemble des « créatures parlantes », elle n'est plus réservée à l'homme dans l'espace fictionnel ; à l'inverse, elle assure un *continuum* du vivant qui va du minéral, en passant par le végétal et l'animal, jusqu'à l'humain. La hiérarchisation de la vie qui s'établit implicitement dans le choix de cet ordre énumératif n'a plus de sens suivant la logique propre à la fable : qu'il s'agisse d'une lime (V, 16, « Le serpent et la lime »), d'un rat (VIII, 9, « Le rat et l'huître ») ou d'un homme (VIII, 2, « Le savetier et le financier »), le discours qui s'insère dans l'espace allégorique renvoie à une perception proprement humaine des êtres et des choses.

Le livre était déjà présenté comme une scène de théâtre dans la fable qui ouvre le livre V, « Le bûcheron et Mercure », où l'antithèse, ressort essentiel de la théâtralisation, était associée à la représentation de conflits faisant intervenir des rôles opposés :

J'oppose quelquefois, par une double image,
Le vice à la vertu, la sottise au bon sens,
Les agneaux aux loups ravissants,
La mouche à la fourmi, faisant de cet ouvrage
Une ample comédie à cent actes divers,
Et dont la scène est l'univers.
Hommes, dieux, animaux, tout y fait quelque rôle :
Jupiter comme un autre [...].

« Le bûcheron et Mercure », vers 23-30.

Au terme du livre IX, on retrouve le même motif, comme si le récitant ponctuait le chant épique ; l'expression qu'on lisait dans la Dédicace : « Tout parle dans mon ouvrage », se module en : « Tout parle dans l'univers », correspondance qui fait de la parole fictionnelle l'*analogon* de celle du monde. Animisme discursif ? Ce langage du monde, résultant d'un pari audacieux (faire parler jusqu'aux objets), signale un « parti pris des choses » qui s'inscrit en faux contre la vision d'un monde sans chair et sans voix, celle-là même que La Fontaine semble faire coïncider avec la philosophie de Descartes, comme si la science nouvelle menaçait le monde de mutisme :

C'est ainsi que ma Muse, aux bords d'une onde pure,
Traduisait en langue des dieux
Tout ce que disent sous les cieux
Tant d'êtres empruntant la voix de la nature.
Truchement de peuples divers,
Je les faisais servir d'acteurs en mon ouvrage :
Car tout parle dans l'univers ;
Il n'est rien qui n'ait son langage.

XI, Épilogue, vers 1-8.

Propre de l'homme suivant la définition aristotélicienne (l'homme défini comme animal politique doué de langage et de raison), le *logos* ne peut se détacher de la gangue charnelle où, exhibant une trop belle assurance, sereinement il dessine ses cheminements inductifs ; parce qu'elle fait entendre une parole animale, l'allégorie des *Fables* révèle les pièges logiques et montre combien la construction rationnelle sert les affects, élaborant des stratégies d'objectivisation du désir. La « raison du plus fort » consacre notamment cet usage argumentatif qui justifie la loi animale au sein d'un ordre social qui reconnaît l'empire des puissances.

La poésie manquait d'écho, le « je » épuisait sa voix à chanter la litanie amoureuse, La Fontaine dessine un univers propice à l'amplification des résonances, où les voix répercutées se mêlent, suivant un principe de répulsion et d'attraction qui est figuration du désir universel : comme aimantées, les choses s'aiment aussi, elles trouvent leur langage qui est regard humain dévidant le sens ajouté qui poétise le monde de peur de le perdre. Fragments d'un discours amoureux, adressé à l'univers, les *Fables* dépassent le lyrisme de confidence pour atteindre un lyrisme quasi impersonnel, où le « je » est pur regard questionnant.

Discrétion absolue dans l'ensemble de l'œuvre, La Fontaine délègue le « je » au récitant, et ne s'autorise que deux intrusions : la première à la fin (v. 70 à 83) de la fable IX, 2, « Les deux pigeons », ponctuée par cet octosyllabe inquiétant :

> Ai-je passé le temps d'aimer ?

Confidence au lecteur en forme de question posée à soi-même, impliquant une attitude distanciée par rapport au récit qui précède, comme si le poète lui-même avouait la crainte d'un essoufflement lyrique. Regard un instant nostalgique en un alexandrin ternaire, constat d'un impossible retour en arrière dans l'ordre des sentiments :

> Ah ! si mon cœur osait encore se renflammer !

Seconde apparition : l'admirable développement en alexandrins du « Songe d'un habitant du Mogol » :

> Solitude où je trouve une douceur secrète
> [...]

On y entend la défense d'une poésie sans fard qui s'éloigne de l'héroïsme et suggère une esthétique du retrait, éloge d'une *mediocritas* qui convient à la conscience d'exister, foncièrement épicurienne :

> Quand le moment viendra d'aller trouver les morts,
> J'aurai vécu sans soin et mourrai sans remords.

Non rupture avec le lyrisme pour lui-même, mais avec la mélodie lancinante de la plainte, parce qu'elle risque d'ennuyer, à force de complaisance dans l'abandon passionnel engendrant la souffrance ; la voix du poète, adressant son hymne à la Volupté[1], réalise en ses accents jusqu'à la transformation alchimique de la peine en émotion esthétique :

> J'aime le jeu, l'amour, les livres, la musique,
> La ville et la campagne, enfin tout ; il n'est rien
>   Qui ne me soit souverain bien,
> Jusqu'au sombre plaisir d'un cœur mélancolique.
> [...]

1. *Psyché, in* La Fontaine, *Œuvres, Sources et postérité,* p. 777.

Volupté poétique qui rappelle les « sanglots d'Ulysse »[1] sur l'île des Phéaciens, ces larmes détachées de la tristesse qui portent la littérature, comme elles font entendre leurs échos voluptueux en un impromptu de Schubert.

Dans l'épisode de l'*Odyssée,* les sanglots cachés du héros signalent le retour à soi, l'émotion littéraire faisant accéder à une conscience nouvelle : rescapé des flots, alors même qu'il devait périr, Ulysse n'est plus personne lorsqu'il arrive nu sur la plage, effrayant les jeunes filles. Écoutant l'aède, il puise dans la poésie l'émotion qui, le submergeant, le ramène à la vie et lui redonne une identité (qui n'était pas encore acquise) ; plus qu'une simple étape dans le voyage, l'île des Phéaciens est le lieu littéraire qui permettra le retour de celui qui, s'étant reconnu comme héros dans le récit mis en abyme (l'identification faisant couler les larmes), prend le relais du poète Démodocos, et retrouve, voire trouve ainsi son nom. Telle est sans doute la force de l'expérience littéraire : offrir à chacun la liberté de se trouver lui-même par le biais d'une émotion éprouvée dans et par l'expérience fictionnelle. Or cette découverte toujours recommencée réside essentiellement dans la disponibilité éthique qui autorise le lecteur à trouver d'abord un lieu d'où la pensée chemine, son lieu sensitif et réflexif.

L'essoufflement lyrique se traduit par l'impossibilité de créer cet espace au sein du poème, comme si la place éthique faite au lecteur restait vide, faute d'une résonance, d'un effet de miroir ; la parole poétique résonne sans écho, elle s'épuise et s'enlise dans une rhétorique trop bien accordée. L'essor poétique qui caractérise le XIXe siècle tient pourtant à une conscience et une culture rhétoriques qui conduisent à une renaissance lyrique techniquement orchestrée : le romantisme explore les cheminements labyrinthiques de la psyché

1. Voir Marc Fumaroli, « Les Sanglots d'Ulysse », *La Diplomatie de l'esprit,* Paris, Hermann, « Savoir : lettres », 1994, p. 1-22. Essai qui propose de voir dans l'épisode de l'*Odyssée* (Ulysse sur l'île des Phéaciens) « [...] la situation archétypique de la "réception" littéraire [...] décrite en miroir dans le premier chef-d'œuvre de notre littérature : le poète narre les aventures du héros, de l'homme d'action, mais pour des auditeurs plongés dans le plein repos contemplatif du loisir, dont cette narration est le moment de suprême bonheur » (p. 11).

suivant une parole qui n'est pas encore marquée du sceau psychanalytique, parole limpide qui s'avance avec l'évidence d'une clarté à soi-même.

Là, tout n'est qu'ordre et beauté…

Sous la figure d'une marginalité que l'histoire littéraire a accentuée, en se fondant sur des éléments biographiques, jugés inquiétants selon ses propres critères, Baudelaire fait entendre une voix poétique marquée et d'une facture rhétorique traditionnelle, d'une empreinte philosophique néoplatonicienne, chrétienne, opposant l'ici-bas à l'au-delà, et dessinant une féminité topique – mi-ange, mi-démon – enfermée dans une fantasmatique masculine qui s'organise en système.

Il n'est pas de femmes dans l'univers baudelairien, mais des figures soit animales, soit idéales, chimères gravitant autour d'un *ethos* qui affirme l'exclusivité masculine de la pensée, comme la réponse à une menace, qui entamerait l'identité :

> Nous aimons les femmes à proportion qu'elles nous sont plus étrangères. Aimer les femmes intelligentes est un plaisir de pédéraste. Ainsi, la bestialité exclut la pédérastie[1].

La séduction poétique passe ici par une représentation doxale, associant la féminité à la faiblesse du jugement, à l'égoïsme[2] et à la sensualité animale. C'est précisément cette monstruosité de caractère qui séduit Baudelaire lui-même dans son système religieux, assimilant l'amour au « goût de la prostitution »[3], suivant un idéalisme chrétien qui hiérar-

1. *Journaux intimes,* « Fusées », *in Œuvres complètes,* p. 1192.

2. Voir, à ce sujet, *Le Spleen de Paris,* XXVI, « Les Yeux des pauvres », *in Œuvres complètes,* p. 320-321. La figure féminine, « cher ange » haï, incarne une bourgeoisie égoïste, inverse de l'*ethos* du poète, qui s'en démarque, racontant l'histoire progressive d'un désamour programmé : « Ah ! vous voulez savoir pourquoi je vous hais aujourd'hui », phrase liminaire qui annonce la justification du renversement affectif radical. Exhibant ainsi une naïveté première déniaisée, le poète fait croire un moment au rêve d'une communion d'intelligence, que l'histoire détruit, ajoutant une ombre au tableau idyllique, obscurité nécessaire à la cohérence du système baudelairien : le poème a valeur de rectification, rétablissant l'ordre éthique.

3. Baudelaire, *op. cit.,* p. 1190.

chise les expériences : « Ce qui est créé par l'esprit est plus vivant que la matière »[1], séduction à partager avec un lectorat qui en accepte les présupposés idéologiques. C'est dire que la malédiction-élection revendiquée par Baudelaire constitue le ciment éthique d'une poésie morale délivrant un système de réponses, explication cohérente du monde.

Son essai sur le rire[2] témoigne de cette imprégnation religieuse : le rire, envisagé sous l'angle de la caricature, est essentiellement « satanique », manifestation d'un « orgueil inconscient », dérision qui est « signe de supériorité ou de croyance à sa propre supériorité ». Le comique ainsi marqué des stigmates d'une corruption ne convient pas, selon Baudelaire, à la « pure poésie ». Phénomène relevant du mécanique, le rire traduirait une malveillance jouissive, à l'inverse d'une élévation esthétique :

> J'ai dit qu'il y avait symptôme de faiblesse dans le rire ; et, en effet, quel signe plus marquant de débilité qu'une convulsion nerveuse, un spasme involontaire comparable à l'éternuement, et causé par la vue du malheur d'autrui ? Ce malheur est presque toujours une faiblesse d'esprit. Est-il un phénomène plus déplorable que la faiblesse se réjouissant de la faiblesse[3] ?

Cette orientation religieuse rattache le rire au péché d'orgueil, dramatisé en la figure de Melmoth :

> Et ainsi le rire de Melmoth, qui est l'expression la plus haute de l'orgueil, accomplit perpétuellement sa fonction, en déchirant et en brûlant les lèvres du rieur irrémissible[4].

Sous la figure du poète maudit, *ethos* valorisant, se cache la posture éthique d'un moralisme chrétien intransigeant, la séduction des fleurs damnées participant de cette attirance de l'interdit que la Loi génère et entretient par une métaphorisation hyperbolique, qui suscite le charme du terrifiant.

Le manichéisme des *Fleurs du mal,* qui se veut paradoxal et insolent, s'inscrit dans une poésie qui ne dédaigne pas l'argumentation, mais y

1. *Ibid.,* p. 1189.
2. *Curiosités esthétiques,* « De l'Essence du rire et généralement du comique dans les arts plastiques », *in Œuvres complètes,* Paris, Gallimard, « La Pléiade », p. 710-728.
3. *Ibid.,* p. 715.
4. *Ibid.,* p. 716.

puise les éléments constitutifs d'une vision du monde géométriquement dessinée, s'appuyant non sur un questionnement du système de valeurs, mais sur un renversement qui confine parfois au mécanique, usant de l'axiologie pour faire valoir, en creux, un *ethos* de poète à la fois élu et exclu, bouc émissaire, placé sous le signe d'une bénédiction divine, faisant résonner une parole inspirée.

Après l'adresse au lecteur, le poème liminaire de la section « Spleen et idéal », ouvrant le recueil, dessine cette posture poétique qui, parce qu'elle se définit comme marginale, s'autorise le droit d'une élection : suivant un schéma psychologiquement usé, le poète rejeté, maudit par la mère et sacrifié par le désir dévoreur d'une femme harpie, exilé sur terre, préfiguration de « L'Albatros » (poème suivant, comme une transposition allégorique de la douleur élective dépeinte dans « Bénédiction »), gagne en cette souffrance la bénédiction divine. L'amour propre qui teinte la parole de la femme d'une séduction factice se scande en rythme semi-ternaire dans le premier vers faisant entendre la voix féminine : « Puisqu'il me trouve assez belle pour m'adorer, [...] », comme si cette rupture rythmique, qui a valeur de démarcation éthique, disait, en un balancement de bal, le venin d'une beauté fardée. Le ternaire brise l'ordre canonique de l'alexandrin, il est signe de disconvenance : « Et comme elles je veux me faire redorer ; [...]. »

Tout en exhibant au seuil du recueil ce mythe de l'inspiration, topique (solitude affective de l'élu), Baudelaire s'arme d'une technique d'écriture qui rationalise l'effet à produire, au point que la suggestion semble parfois s'absenter, parce que la figure fonctionne avant tout comme argument, déchiffrable, parce que la versification toujours fait sens ; le poème s'analyse dans le cadre de la systématique des correspondances, le spleen lui-même devenant motif central de cet ici-bas, d'où l'esprit cherche à s'élever, par la compréhension synesthésique.

Les deux premiers quatrains du sonnet « Correspondances » condensent, sous la forme d'une métaphore, une analogie entre le sensible et l'intelligible dans une représentation animiste du monde :

> La Nature est un temple où de vivants piliers
> Laissent parfois sortir de confuses paroles ;
> L'homme y passe à travers des forêts de symboles
> Qui l'observent avec des regards familiers.
>
> Comme de longs échos qui de loin se confondent
> Dans une ténébreuse et profonde unité,
> Vaste comme la nuit et comme la clarté,
> Les parfums, les couleurs et les sons se répondent.

La confusion positive réalisée par la synesthésie (perception simultanée) – que l'on retrouve dans « Harmonie du soir » (« Voici venir les temps où vibrant sur sa tige / Chaque fleur s'évapore ainsi qu'un encensoir ; / Les sons et les parfums tournent dans l'air du soir ; / Valse mélancolique et langoureux vertige ! ») –, confusion suivant un axe horizontal, ouvre la voie à une correspondance verticale (par le « truchement » des piliers et des forêts, porte-parole de l'intelligible).

Le mètre mime cette stabilité dans l'instable par le redoublement du rythme des alexandrins semi-ternaires (3-6-3). L'analogie semble se construire dans un entre-deux indéfini entre l'univoque et l'équivoque, dépassant le rythme binaire, comme elle transgresse l'opposition logique. Cette représentation situe l'homme sur la voie de la connaissance, caractérisant sa recherche par le tâtonnement : il écoute une « musique savante » (Rimbaud, *Illuminations,* « Conte ») qui le dépasse, qui est autre, et, par renversement du miroir, le monde l'observe dans son fragile déchiffrement.

Ce poème n'est pas sans rapport avec la question de l'analogie de l'être, puisqu'il pose le problème d'un lien, d'un pont éventuel entre l'ordre des phénomènes et l'ordre de l'être. Si l'on ne peut accéder au second par la connaissance, l'analogie permet du moins de le penser. La poésie elle-même, loin d'être étrangère à la question ontologique, l'épouse en une longue rhapsodie suivant l'ordre du cœur défini par Pascal : « Cet ordre consiste principalement à la digression sur chaque point qui a rapport à la fin, pour la montrer toujours » (*Pensées,* fr. 329).

L'ordre rhétorique prend ainsi naturellement place dans l'édification du poème, qui s'invente au sein de cette systématique idéaliste :

> Car il est évident que les rhétoriques et les prosodies ne sont pas des tyrannies inventées arbitrairement, mais une collection de règles réclamées

par l'organisation même de l'être spirituel. Et jamais les prosodies et les rhétoriques n'ont empêché l'originalité de se produire distinctement. Le contraire, à savoir qu'elles ont aidé l'éclosion de l'originalité, serait infiniment plus vrai[1].

Cette affirmation-acceptation marque une rhétoricisation du poétique qui ne va pas de soi : la connaissance des règles engage l'écriture dans une voie d'élaboration consciente, rationnelle, voire virtuose, celle-là même que le surréalisme et, plus encore, le dadaïsme voudront rejeter. La joie inventive qui semble accompagner la création des Grands Rhétoriqueurs, se plaisant dans une jonglerie verbale, qui vaut pour elle-même, ne se retrouve pas dans la poésie admirablement mesurée de Malherbe, si structurellement parfaite qu'elle en pâtit, comme s'il manquait un défaut vital, une erreur propre à émerveiller. L'art conscient de Baudelaire trouve parfois des saveurs opiacées, mais il reste si sage dans sa facture qu'il accepte l'explication, qu'il se déplie en concepts et figures codifiées ; l'*ethos* ne vole pas en éclats, il tisse la trame poétique et guide le lecteur sur les chemins analogiques, clairement déchiffrés.

Voix déconcertantes

La brisure éthique, essentielle à la suggestion, aurait dû pourtant intéresser Baudelaire, si l'on songe à l'influence qu'exerça sur lui Aloysius Bertrand, inventeur du poème en prose. *Gaspard de la nuit* construit, en effet, une poésie énigmatique jouant de flottements entre les figures dispersées dans le texte, comme si le dessin des visages s'estompait alors même qu'ils apparaissent sous la plume, comme s'il se mêlaient aussi parfois, dans une sorte d'indétermination qui ouvre une nouvelle voie poétique, où le lecteur savoure non la cohérence donnée, mais celle qu'il tente d'établir à la manière d'un enquêteur, suivant les indices, qui dessinent des pistes éventuelles dans la tissure des

1. Baudelaire, « Salon de 1859 », *Œuvres complètes,* Paris, Gallimard, « La Pléiade », p. 1043.

versets. Le poème intitulé « Un rêve » (III, VII)[1] présente notamment une structure fragmentée, chaque verset posant une réalité fictionnelle nouvelle, qui s'articule problématiquement aux précédentes, le « je » lui-même, décliné en « moi » semblant à la fois participer à l'univers du rêve-cauchemar en tant que personnage-victime (« Et moi que le bourreau liait échevelé sur les rayons de la roue », troisième verset), finalement épargné (« Mais moi, la barre du bourreau s'était, au premier coup, brisée comme un verre », dernier verset), et en tant que rêveur échappant, par la bifurcation imaginative et le réveil, à l'emprise onirique : « – et je poursuivais d'autres songes vers le réveil ».

Le « Conte » de Rimbaud que nous évoquions plus haut joue d'une brisure énonciative comparable, l'ambiguïté portant cette fois sur l'identité du prince (par concurrence de deux devenirs fictionnels non probables mais avérés dans le récit) ; le possessif final renforçant le questionnement, puisque la force sonnante du dernier vers s'exerce, énonciativement, en différents sens : « La musique savante manque à notre

1. Aloysus Bertrand, *Gaspard de la nuit,* III, VII :

Un rêve

J'ai rêvé tant et plus,
mais je n'y entends note.
Pantagruel, livre III.

Il était nuit. Ce furent d'abord, – ainsi j'ai vu, ainsi je raconte, – une abbaye aux murailles lézardées par la lune, – une forêt percée de sentiers tortueux, – et le Morimont grouillant de capes et de chapeaux.

Ce furent ensuite, – ainsi j'ai entendu, ainsi je raconte, – le glas funèbre d'une cloche auquel répondaient les sanglots funèbres d'une cellule, – des cris plaintifs et des rires féroces dont frissonnait chaque feuille le long d'une ramée, – et les prières bourdonnantes des pénitents noirs qui accompagnaient un criminel au supplice.

Ce furent enfin, – ainsi s'acheva le rêve, ainsi je raconte, – un moine qui expirait couché dans la cendre des agonisants, – une jeune fille qui se débattait pendue aux branches d'un chêne. – Et moi que le bourreau liait échevelé sur les rayons de la roue.

Dom Augustin, le prieur défunt, aura, en habit de cordelier, les honneurs de la chapelle ardente, et Marguerite, que son amant a tuée, sera ensevelie dans sa blanche robe d'innocence, entre quatre cierges de cire.

Mais moi, la barre du bourreau s'était, au premier coup, brisée comme un verre, les torches des pénitents noirs s'étaient éteintes sous des torrents de pluie, la foule s'était écoulée avec les ruisseaux débordées et rapides, – et je poursuivais d'autres songes vers le réveil.

désir », sentence ponctuant l'expérience troublante du prince, suivant une démarche inductive problématique (impliquant une généralisation abusive) ? Maxime détachée du récit qui se suffirait de sa seule musique ? Confidence d'un « je » sans visage, qui utiliserait le récit, à valeur de preuve effective (suivant un saut logique de la fiction au carré que constitue le récit enchâssé dans « Conte », en abyme, à la réalité fictionnelle du conteur) ? Prise à partie du lecteur, inclus dans ce pluriel, et par là invité à s'identifier au prince cruel, par saut logique inverse, de la réalité effective de la lecture vers l'univers merveilleux où trouver un sens à la formule sibylline ?

Parti pris polyphonique et lyrisme renouvelé

L'éclatement éthique semble constitutif du pouvoir romanesque, du moins lorsque le genre accepte de créer des personnages, qu'ils soient ou non achevés, clairement identifiables. Plus que l'analyse psychologique, le jeu de masques est en soi aptitude à articuler des postures énonciatives problématiques, à tisser un réseau vocal complexe, soit dirigé par un narrateur faisant office de chef d'orchestre, soit disposé sans être véritablement orchestré par une voix surplombante. Le mélange discursif suppose un nouveau mode d'implication du lecteur, puisqu'il ne peut plus simplement endosser la posture centrale d'une voix narrative qui fédère les points de vue et les met en perspective ; le lecteur-acteur doit entendre en lui-même les résonances contrastées, tenter d'orchestrer suivant un art de la fugue l'entrelacs des voix. Expérimentant les limites de cette complexité polyphonique, Albert Cohen construit *Belle du Seigneur* à partir d'une prolifération discursive qui donne un nouveau souffle lyrique et le sape de l'intérieur par une saturation du sens affectif, tournant en dérision l'enthousiasme amoureux tout en exhibant sa force irrépressible. Le moment de la rencontre amoureuse, scène de danse où se réalise le coup de foudre, s'articule et se mêle ainsi aux remarques triviales du mari : en contrepoint à l'extase des amants, une réalité d'estomac, le Ritz, d'un côté, l'inconfort du train, de l'autre :

> Murmures de leur amour en cette danse. Oui, tous les soirs de leur vie, approuvait-elle, et elle souriait au délice de se préparer pour lui tous les soirs,

en chantant se préparer et se faire belle pour lui, ô prodige de tous les soirs l'attendre sur le seuil et sous les robes, en robe exquise et nouvelle l'attendre, et tous les soirs baiser sa main lorsqu'il arriverait, si grand et de blanc vêtu. Belle, lui disait-il, redoutable de beauté, lui disait-il, solaire auréolée aux yeux de brume, lui disait-il, et contre lui il la serrait, et elle fermait les yeux, ridicule, pleine de grâce, charmée d'être redoutable, grisée d'être solaire. Décidément, j'arrive pas à m'endormir, c'est ce gratin, j'en ai trop pris. Le téléphone à 11 heures, pas avant, pas risquer de la réveiller. Bonjour chérie, tu as bien dormi ? Soirée très réussie, tu sais. [...][1].

En cet art du mélange, Cohen parvient à dire le paradoxe de la passion, la figure d'Adrien Deume étant plus qu'un repoussoir, qui embellirait par contraste le couple dansant. À entendre les propos dérisoires du fonctionnaire rivé à ses rêves mesquins de carrière, sa phraséologie amoureuse disant une affection sans envergure, le lecteur perçoit les échos d'une banalité conjugale, faussement confortable, voie tracée désolante. Pourtant l'élan qui fait chavirer Ariane est sapé dans son idéalisme même, « ridicule » et admirablement beau, ce rêve d'une passion sans concession, radicale : c'est en ses accents lyriques que le discours amoureux (dont Cohen transcrit le cheminement obsessionnel et aliénant, dans les pensées à voix haute d'Ariane) trouve sa force et sa réfutation. Car le roman tout entier fonctionne effectivement comme une séduction-réfutation de la passion amoureuse, montrant ses joies élégantes, ses excès, sa fatalité. La dédicace « À ma femme » trouve son sens amoureux dans l'invention d'un personnage qui incarne une féminité absolue, radicale, excessive (nouvelle Psyché), en sa beauté, en sa psychologie contaminant le récit, comme si le « magnétophone intime » d'Ariane envahissait la tissure romanesque, dès lors dominée par le discours direct autonome, se substituant à l'emprise narrative. Cohen invente une voix déployant la psyché féminine, dans son refus d'une trivialité écœurante, du piège conjugal qui accentue la propension excessive, la tendance autiste. Déléguant l'*ethos* à cette figure d'une féminité hyperbolique, le romancier dessine la trame d'une histoire de la folie, qui est aussi histoire d'une intelligence brisée dans sa propre

1. Albert Cohen, *Belle du seigneur,* Paris, Gallimard, « Folio », 1968, p. 442-443.

exigence : cherchant à échapper au conformisme mortifère, à la mort lente du mariage, Ariane plonge dans l'amour comme en un oubli de soi suicidaire.

Le roman problématise ainsi le lyrisme intérieur de la passion, dessinant le paradoxe d'une beauté ridicule, d'un sentiment qui désempare l'esprit, d'une voix qui s'épuise de son propre enthousiasme, parole lancinante, excessive, débordante, d'un désir tyrannique qui exige une matérialité si raffinée qu'il en brime le corps dans ses fonctions biologiques, vitales, d'un rêve ailé qui est oubli du monde et ne se réalise que par la mort :

> Et voici ce fut de nouveau la valse en bas, la valse du premier soir, valse à la longue traîne, et elle avait le vertige, dansant avec son seigneur qui la tenait et la guidait, dansant et ignorant le monde et s'admirant, tournoyante dans les hautes glaces s'admirant, émouvante, élégante, femme aimée, belle de son seigneur[1].

Le Parti pris des choses *: pour un lyrisme impersonnel*

Inventant une poésie descriptive, qui déploie une vision métaphorisée des choses, définies suivant une multiplicité phénoménologique, Francis Ponge rénove le regard, restaurant une réalité sensitive qui est perception attentive au détail constitutif de l'identité des êtres. Prendre le parti des choses implique une révolution même de la personne en ce que la parole lui a toujours été outil d'une prétendue expression de soi, parti pris fonctionnant comme une seconde nature, contractée avec l'apprentissage du langage et de ses usages communs.

La parole poétique implique une résistance, une lutte intérieure contre le mirage d'un déploiement éthique qui ferait du langage un prolongement de soi, arme d'une transparence rêvée que l'on appliquerait à la connaissance des choses. Évoquant « des raisons d'écrire », Ponge exige le dépassement d'un régime de paroles usé :

> N'en déplaise aux *paroles* elles-mêmes, *étant données les habitudes que dans tant de bouches infectes elles ont contractées,* il faut un certain courage pour se déci-

1. *Ibid.*, p. 1110.

der non seulement à écrire mais même à parler. *Un tas de vieux chiffons pas à prendre avec des pincettes, voilà ce qu'on nous offre à remuer, à secouer, à changer de place.* Dans l'espoir secret que nous nous tairons. Eh bien ! relevons le défi[1].

Contre ce parasitage dénué de sens, se façonne un nouveau regard, qui inverse le mouvement du lyrisme romantique, animant la nature comme miroir répercutant les émotions humaines : c'est cette fois le miroir humain qui construit un animisme dramatisant le spectacle du monde, en ses catastrophes biologiques, dont le dérisoire même constitue la séduction insolite. Ce lyrisme transforme radicalement la posture éthique : la voix du poète est subjectivisation impersonnelle des événements du monde par la fable imaginant une vie historiée des choses.

Or cette fable du monde n'a d'autre autorité qu'elle-même, elle s'impose par la force du « je », devenu posture énonciative détachée de la parole personnelle et énonçant une invérifiable vérité poétique, soumise au hasard d'un choix linguistique :

Fable

Par le mot *par* commence donc ce texte
Dont la première ligne dit la vérité,
Mais ce tain sous l'une et l'autre
Peut-il être toléré ?
Cher lecteur déjà tu juges
Là de nos difficultés...

(*Après sept ans de malheurs*
Elle brisa son miroir.)[2]

À l'inverse de la *fabula* entendue comme parole millénaire portée par la belle assurance que le prononcé charrie avec lui-même, l'énoncé est ici miné par le doute. Le jeu de miroir de la fable est en soi sacrilège, puisqu'il porte atteinte au verbe créateur. Monde suspendu, sans commencement ni fin, ou plutôt qui substitue à l'origine un posé linguistique

1. *Proêmes, Natare piscem doces,* « Des raisons d'écrire », II, *in Le Parti pris des choses,* suivi de *Proêmes,* Paris, NRF-Gallimard, 1948, p. 163.
2. *In Le Parti pris des choses,* suivi de *Proêmes,* p. 126.

immédiat (« Par le mot *par* [...] »), la fable s'inscrit dans une temporalité problématique *(« Elle brisa son miroir »)* et s'achève par une suspension discursive. Cette parole hypothétique, substituant au Verbe une voix qui raconte, crée un monde contingent, aux contours indécis, qui peut, à tout moment, se briser comme un miroir, l'*ethos* volant en éclats et laissant le lecteur face au désastre du sens effrité.

Le pouvoir éthique de cette poésie tient paradoxalement à un désamorçage de l'autorité, le « je » dessinant plutôt un espace de création analogique, un lieu d'où réinventer la tissure des choses, dans une enfance seconde – entendons : dans une voix défaite de la parole *(infans)*. Voix qui retrouve le mouvement de questionnement philosophique portant sur les liens susceptibles de fonder la cohérence d'une réalité dont s'explore la transparence réinventée, une fois le voile du langage commun levé, couverture de mots qui, tout en prétendant nommer, recouvrait d'une opacité linguistique la vie de la matière du monde, à réciter.

En finir avec l'autorité narrative ?

Plus encore que la déconstruction de l'intrigue et la mise en question du personnage, *Pour un Nouveau Roman* s'attaque à cette emprise autoritaire qui accompagne la position surplombante du narrateur. La voie explorée par Céline dans *Voyage au bout de la nuit* constitue une véritable révolution dans l'ordre littéraire : scandaleuse, insolente, la voix de Bardamu rompt avec des siècles de tradition littéraire, en ce que sa phraséologie orale populaire, associée à une lucidité cynique, et faisant entendre les échos éclatés de textes ironisés, déconstruit l'autorité narrative, tout en conférant une force lyrique au roman, d'un lyrisme antisentimental, restaurant le régime de la plainte, mais dans un registre ambigu, paradoxal, la voix se faisant tantôt radicalement cynique, tantôt teintée, dans l'invention métaphorique et phraséologique, d'une couleur quasi naïve.

Sans doute, Céline n'est pas le premier à mimer les voix populaires, Flaubert ayant notamment fait entendre, dans la subtilité du style indirect libre, les échos ironisés de discours marqués d'une vitalité antilivresque, comme si le livre respirait l'air des rues, se nourrissant de bribes de paroles entendues ; songeons encore au vérisme italien, à la force proverbiale des voix dans *Les Malavoglia* de Verga. En son entreprise naturaliste, Zola construit de véritables personnalités oratoires, le langage portant lui aussi les stigmates d'un déterminisme social que le roman déploie dans un jeu de preuve fictionnelle.

Maupassant, quant à lui, renforce avec finesse cette tissure discursive du roman, en mêlant les différentes formes de discours, problématisant l'analyse psychologique, montrant notamment les frictions entre le jugement et l'affection, qui caractérisent la confusion des sentiments. Pour exemple, ce beau passage de *Fort comme la mort* : lors de la dernière visite de la comtesse de Guilleroy à Olivier Bertin (qui doit faire son portrait), le peintre lui déclare sa flamme et lui vole un baiser. Venant pour une nouvelle séance de pose, la comtesse lui répond avec froideur. Alors en proie à la confusion des sentiments, le peintre cherche d'abord à trouver les raisons d'un désamour qui conforteraient son dépit pour revenir finalement à la force de sa passion, qui s'impose en un renversement axiologique le désignant comme coupable d'un geste de « malfaiteur ». L'agitation intérieure est rendue par le style indirect libre qui offre une énonciation subtilement décalée par rapport à la voix narrative :

> Tant pis pour elle, après tout, il l'avait eue, il l'avait prise. Elle pouvait éponger son corps et lui répondre insolemment, elle n'effacerait rien, et il l'oublierait, lui. Vraiment, il aurait fait une belle folie en s'embarrassant d'une maîtresse pareille, qui aurait mangé sa vie d'artiste, avec des dents capricieuses de jolie femme[1].

La révolution psychologique s'effectue le temps d'une marche, où les visages croisés dans l'indifférence rappellent, par contraste, l'évidence de la séduction de la comtesse. La saveur du texte tient à cette oscillation entre le jugement et l'affect, comme si le personnage cherchait à rationaliser son sentiment, à justifier ses élans, le récit faisant ainsi apparaître le trouble même, l'évidence amoureuse en sa violence qui accapare l'esprit jusqu'à la ratiocination.

1. G. de Maupassant, *Fort comme la mort,* Paris, Gallimard, « Folio », 1983, p. 66.

À travers le discours mimé, le lecteur accède au mouvement de pensée, dans son indécision même, subterfuge narratif renvoyant (avec effet de sourdine, dû au style indirect libre) à cette « transparence intérieure » analysée par Dorrit Cohn, comme implication psychologique du monologue rapporté :

> Entendre une voix étrangère, dans la tête d'un autre, c'est là l'une des conventions de la fiction à la troisième personne, et cette convention est un aspect de la convention plus générale qui suppose la transparence des personnages fictifs[1].

Le choc célinien est sans comparaison, véritable déflagration discursive : il ne s'agit pas seulement de faire entendre une voix populaire, mais de saper le pouvoir d'autorité littéraire que le narrateur exerce de droit, en inventant une musique vocale complexe, parasitée de jugements intransigeants, poétisée de touches enfantines, mais aussi portée par les résonances littéraires qui sont hommage en acte, sans citation de cérémonie ; une voix pour un nom, insolite, Bardamu, pour un prénom, Ferdinand, qui est aveu de filiation de l'auteur à son personnage. La réception problématique du texte tient essentiellement à cette nouveauté déroutante, propre à choquer la critique littéraire traditionnelle, en ce qu'elle juge à partir d'un modèle de littérature ici renversé, non seulement refusé, mais effectivement mis en échec par la puissance d'énonciation du texte célinien.

Voix qui s'emporte et s'épuise à dire la vacherie du monde, puisque tel est le projet, inverse de celui de Chateaubriand dans ses *Mémoires d'outre-tombe* :

> La grande défaite, en tout, c'est d'oublier, et surtout ce qui vous a fait crever, et de crever sans comprendre jusqu'à quel point les hommes sont vaches. Quand on sera au bord du trou faudra pas faire les malins nous autres, mais faudra pas oublier non plus, faudra raconter tout sans changer un mot, de ce qu'on a vu de plus vicieux chez les hommes et puis poser sa chique et puis descendre. Ça suffit comme boulot pour une vie tout entière[2].

1. Dorrit Cohn, *La Transparence intérieure. Modes de représentation de la vie psychique dans le roman,* Paris, Le Seuil, « Poétique », 1981.
2. Céline, *Voyage au bout de la nuit,* p. 38.

Le style périodique réactualisé engage une nouvelle forme d'écriture moraliste, qui, parce qu'elle sape le discours bon teint sur les vertus humaines, commence par s'incarner étrangement dans une voix éthiquement peu recommandable, apte à arracher le masque, parce que son cynisme crie des vérités viscérales contre la supercherie idéaliste. Le livre entier semble converger vers un point de non-retour affectif, moment clinique de la mort telle qu'elle est, réfutation d'un altruisme de pacotille et définition de ce creux éthique qui constitue le tragique même du personnage de Bardamu :

> Et je restais, devant Léon, pour compatir et jamais j'avais été aussi gêné. J'y arrivais pas... Il ne me trouvait pas... Il en bavait... Il devait chercher un autre Ferdinand, bien plus grand que moi, bien sûr, pour mourir, pour l'aider à mourir plutôt, plus doucement. Il faisait des efforts pour se rendre compte si des fois le monde aurait pas fait des progrès. Il faisait l'inventaire, le grand malheureux, dans sa conscience... S'ils avaient pas changé un peu les hommes, en mieux, pendant qu'il avait vécu, lui, s'il avait pas été des fois injuste envers eux... Mais il n'y avait que moi, bien moi, moi tout seul, à côté de lui, un Ferdinand bien véritable auquel il manquait ce qui ferait un homme plus grand que sa simple vie, l'amour de la vie des autres. De ça, j'en avais pas, ou vraiment si peu que c'était pas la peine de le montrer. J'étais pas grand comme la mort moi. J'étais bien plus petit. J'avais pas la grande idée humaine moi. J'aurais même je crois senti plus facilement du chagrin pour un chien en train de crever que pour lui Robinson, parce qu'un chien c'est pas malin, tandis que lui il était un peu malin malgré tout Léon. Moi aussi j'étais malin, on était des malins... Tout le reste était parti au cours de la route et ces grimaces mêmes qui peuvent encore servir auprès des mourants, je les avais perdues, j'avais tout perdu décidément au cours de la route, je ne retrouvais rien de ce qu'on a besoin pour crever, rien que des malices. Mon sentiment c'était comme une maison où on ne va qu'aux vacances. C'est à peine habitable. Et puis aussi c'est exigeant un agonique. Agoniser ne suffit pas. Il faut jouir en même temps qu'on crève, avec les derniers hoquets faut jouir encore, tout en bas de la vie, avec de l'urée plein les artères.
>
> Ils pleurnichent encore parce qu'ils ne jouissent plus assez les mourants... Ils réclament... Ils protestent. C'est la comédie du malheur qui cherche à passer de la vie dans la mort même[1].

Le texte constitue un renversement de point de vue sur le *topos* de l'agonie, puisque c'est par le regard de l'impossible compassion que

1. *Ibid.*, p. 620-621.

s'observe le spectacle du mourir, dans le refus de l'état d'âme, et l'affirmation d'une seule vérité qui impose une relecture globale du roman : définition d'un amour inverse de l'amour passion, qui se dit en l'occurrence dans l'impossible accompagnement euthanasique. La réalité biologique, qui s'affirme encore et fait image, comme ultime soubresaut de la vie, consacre l'exactitude clinique du texte, qui émeut par la violence verbale qu'il exerce pour effacer le mensonge de la belle mort. Invention d'un rythme qui disloque les vérités phrastiques, les soumet à une référence fictionnelle réaffirmant sans cesse une vérité d'ordre physiologique, tel est le pouvoir d'incantation d'un texte à réciter, parce que, dans la surréalité cruelle qu'il exhibe, se dessine l'une des voix les plus exactes de la condition humaine, voix piégée, avouant ses faiblesses, et touchant par sa musique, d'un lyrisme dépouillé, défait des scories idéologiques, religieuses, amoureuses, une voix simplement humaine, née d'une invention énonciative complexe, forme de parole orale populaire littérarisée.

Déconstruction et neutralité éthiques

Si la psychanalyse engage une brisure éthique qui renverse la parole volontaire, énoncée dans l'assurance d'une autorité unitaire, apparemment sans failles, la modernité invente aussi une neutralité éthique, sorte de zéro énonciatif qui crée l'illusion d'un texte sans origine, posé comme énoncé objectif, miroir vide d'instance humaine, reflétant un monde dé-subjectivisé, à observer en témoin impartial. Le neutre, style en creux, consacre cette démission de l'*ethos*. Michel Houellebecq, notamment, cultive cette posture fuyante, où le narrateur se range derrière les effets de mode, comme si le roman, sans voix, disait un monde sans désir. Si l'essai d'Alain Robbe-Grillet visait à libérer le lecteur de l'autoritarisme de l'écrivain, qui, en régime traditionnel, impose les passions plus qu'il ne les suggère, la démission de l'*ethos* amène, à l'inverse, l'imposition d'une neutralité factice, dont le caractère libérateur reste discutable. La littérature n'est certes plus démonstrative : elle se contente de montrer le spectacle de la disparition des sentiments. L'objectivisation des faits impose une position en creux, les phénomènes s'appréhendent comme des problèmes, à distance : en ce miroir, l'homme n'est plus être-au-monde, mais conscience face à l'objet-monde. La démission éthique dessine une monstrueuse subjectivité collective, le « ce qu'on dit, ce qu'on pense, ce qu'on aime » s'imposant comme une incontournable réalité.

L'ère capitaliste a trouvé son mode d'énonciation, dans ce style positiviste, qui gomme la dimension éthique au profit d'un *logos* faussement constatif, comme si la parole errait sans identité morale[1], prétendant à une vérité en soi, refusant l'affirmation subjective, ce *thumos* qui, selon Aristote, distinguait les Grecs. « Vive affirmation de soi », donnant vie au discours et transformant la parole en un prolongement de la personnalité, lieu où s'inscrit l'identité intellectuelle, morale et affective de l'orateur. À une ère paradoxalement donnée comme celle du triomphe de l'individualisme, l'éclatement du jeu rhétorique traduit un effacement des distinctions individuelles. Car est-ce un individu que celui qui assure seulement son confort au quotidien et laisse la société lui dicter ses désirs jusque dans l'alcôve ? Peur des larmes, peur des passions, quand elles ne concernent que soi, la difficulté d'exister dessine un nouveau destin : non plus crainte des dieux, mais crainte de soi qui mène à se conformer aux passions collectives.

Le désengagement affectif des individus, associé aujourd'hui à un déballage pathétique dans le discours médiatique, fait entendre ses résonances dans l'évolution du genre romanesque, qui, depuis l'expérience à la fois traumatisante et passionnante du Nouveau Roman, a dû se poser la question de l'identification au personnage et celle du point de vue, essentielles dans l'expérience affective que constitue la lecture d'un récit de fiction. La dominance moderne du neutre risque fort de vider le littéraire de sa substance vitale : cette subjectivité, qui s'avance, hésitante parfois, essai du jugement et de la sensibilité, constitue le principe actif d'une séduction dès lors problématique. À l'impératif économique qui dirige désormais l'évolution des sociétés, répond, en régime littéraire, la disparition éthique, qui s'apparente à l'imposition implicite

1. *Cf. supra*, n. 1, p. 45.

d'un *ethos* collectif, cyclothymique, du désir comme il va. Puissance du nombre qui s'exerce sur le lecteur, parfois bien en peine d'oser encore affirmer sa différence subjective, refusant la séduction du glauque, de la dépression exhibée.

En même temps, ce qui est paradoxal, c'est que, sous le couvert de cette énonciation mimétique, fondée sur les effets de mode, le texte ne raconte bien souvent que les tragédies dérisoires de la personne, parce qu'il lui manque précisément cette subjectivité impersonnelle qui est envol, dépassement de soi dans la dimension littéraire. C'est dire que le lecteur n'est ici ni co-auteur ni acteur, puisque le miroir qu'on lui tend est celui d'un autisme collectif, à l'inverse de la subjectivité impersonnelle qui offrirait le droit d'entrer dans l'œuvre en tant que regard critique, s'éprouvant dans l'univers fictionnel. À la mort des idéologies répond cette démission de la fonction critique de la littérature ; essentielle car le littéraire constitue peut-être le lieu le plus réellement démocratique de façonnement du jugement, accessible au plus grand nombre, à la différence du philosophique, qui s'isole par sa terminologie et implique une faculté d'abstraction, raison pure sélective.

Du style ou la matière du voile séduisante

LE PLAISIR DU TEXTE EN QUESTION

Si la rhétorique entend par « texte de séduction » une forme de manipulation essentiellement trompeuse, inverse de la visée argumentative, communément associée à l'enjeu démocratique, à l'art du débat transparent, cette catégorisation rend compte d'une suspicion à l'égard du plaisir que le langage est susceptible d'engendrer, tandis que l'argumentaire logique trouverait sa justification dans l'ennui même qu'il génère. À penser dans le sérieux rébarbatif, on obtiendrait ainsi la garantie d'une parole non coupable, parce qu'utile, visant autre chose qu'elle-même[1].

La réflexion menée par Barbara Cassin dans son article intitulé « Du faux ou du mensonge à la fiction (De *pseudos* à *plasma*) »[2] éclaire la question qui nous intéresse ici. Pour Aristote, la sophistique est une pseudo-philosophie doublement trompeuse : elle dit ce qui n'est pas (*pseudos* objectif) et elle dit le faux dans l'intention de tromper (*pseudos* subjectif). À partir de cette accusation, Barbara Cassin fait entrevoir un autre point de vue sur la sophistique, suivant le titre du colloque dont l'article est extrait : *Le Plaisir de parler*. La substitution qu'elle propose du terme *plasma* à celui de *pseudos* redonne toute sa force à l'activité du sophiste, art de façonner le monde qui peut être assimilé à une *poiesis*. Redéfinir la sophistique implique, selon elle, « un art de n'être pas platonicien ».

1. *Cf. supra*, à propos de Montaigne, p. 105-106.
2. *Le plaisir de parler*, Colloque de Cerisy, p. 6 et s. Qu'est-ce que la sophistique ? », sous la direction de B. Cassin, Paris, Minuit, « Arguments », 1986.

> Lire sous le reproche aristotélicien du *logou Khárin* [parler pour parler, parler pour le plaisir] la possibilité d'une positivité autrement spécifique de la sophistique, et se demander quel type de discours s'instaure, et quel est son intérêt, quand on parle pour ne rien dire.

Cette invite permet d'engager une réhabilitation de la sophistique libérée des dévalorisations platoniciennes et considérée comme une « démiurgie discursive » :

> La sophistique nous aura ainsi transportés de l'accusation de *pseûdos* portée contre elle par la philosophie, et d'où nous sommes partis, à la revendication de *plasma,* la force fictionnelle propre à la littérature.

Il nous semble précisément que la construction de l'*ethos* relève de cette force fictionnelle *(plasma),* ce qui décentre la question du mensonge : si l'on peut se mettre en scène en vue de tromper (*pseudos* subjectif), le mensonge réside dans l'intention et non dans la représentation elle-même, inscrite dans le *logos* comme une *fiction* de soi *(plasma).* Plus encore, à définir l'*ethos* littéraire comme une subjectivité impersonnelle, sorte de fiction dépassant la personne, on en vient à porter un tout autre regard sur le mensonge de la fable : il ne s'agit plus même d'un jeu de représentation, mais d'une pure fiction, engendrant ses propres références, simulacre qui vaut pour lui-même, et d'abord pour le plaisir esthétique qu'il procure. Le « plaisir du texte » est sans doute arme à double tranchant : tantôt éprouvé dans une parole pragmatique enchanteresse qui paralyse par un suc venimeux, tantôt affabulation qui libère l'esprit du pragmatisme, l'invitant à penser dans la liberté imaginative, non rivé à un réel opaque qu'il croit, à tort, pouvoir appréhender de front. La fiction littéraire doit composer avec cette condamnation *a priori,* qui l'assimile sans cesse à un enchantement coupable, musique nocive du Serpent Tentateur, entachée du désir de nuire :

> Dore, langue ! dore-lui les
> Plus doux des dits que tu connaisses !
> Allusions, fables, finesses,
> Mille silences ciselés,
> Use de tout ce qui lui nuise :
> Rien qui ne flatte et ne l'induise
> À se perdre dans mes desseins,

Docile à ces pentes qui rendent
Aux profondeurs des bleus bassins
Les ruisseaux qui des cieux descendent[1] !

Pour le mensonge qui dit la vérité

Parole millénaire que s'approprie Jean Cocteau : « Je suis un mensonge qui dit toujours la vérité » *(Opéra),* parole héritée notamment du prologue du *Roman de la Rose,* à partir de la rime « songe » « mensonge » reprise par La Fontaine dans la fable IX, 1, « Le dépositaire infidèle », v. 32-34. Dans les *Fables,* la « poétique du songe »[2] permet précisément de renverser l'opposition rêve-réalité pour proposer un autre mode de pensée dont le point de départ est l'hypothèse fictionnelle paradoxale. Faisant miroiter des apparences fictionnelles signifiantes, le fabuliste réalise la mise en question de l'apparence trompeuse[3], par déchiffrement d'un rêve doté d'une surréalité. La dénonciation du faux-semblant par construction d'une explication imaginée renvoie à une démarche proprement scientifique : l'affirmation foncièrement paradoxale de Galilée ne se lit-elle pas comme le refus de s'en tenir au seul regard jugé suspect, comme la dénonciation d'une illusion d'optique ? Combinant récréation et re-création, le lecteur s'abîme dans la fiction pour y repenser et refaçonner son monde :

> [...] la fonction de la fiction, qu'on peut dire indivisément révélante et transformante à l'égard de la pratique quotidienne ; *révélante,* en ce sens qu'elle porte au jour des traits dissimulés, mais déjà dessinés au cœur de notre expérience pratique ; *transformante,* en ce sens qu'une vie ainsi examinée est une vie changée, une vie autre. Nous atteignons ici le point où découvrir et inventer sont indiscernables[4].

1. P. Valéry, *Charmes,* « Ébauche d'un serpent », strophe 19, p. 92.
2. Boris Donné, *La Fontaine et la poétique du songe,* « Récit, rêverie et allégorie dans *Les Amours de Psyché* », Paris, Champion, 1995. Pour B. Donné, cette poétique vise d'abord une compensation imaginaire : « Il s'agit bel et bien d'une fuite dans le plaisir régressif de la fiction, une compensation, par l'imaginaire, des imperfections du monde réel. » Elle permettrait, en même temps, de mettre en place, dans le roman composite et polyphonique, une réflexion sur le plaisir littéraire, assumée par les quatre devisants (voir p. 54 du même ouvrage).
3. *Cf.* la fable intitulée « Le chameau et les bâtons flottants » (IV, 10), réflexion sur l'illusion d'optique.
4. P. Ricœur, *Temps et récit,* III, Paris, Le Seuil, 1985, p. 285.

Le mensonge littéraire est torsion par anamorphose, rendant visible l'image latente : il agit avec le pouvoir d'un révélateur, déclenchant une révolution de l'esprit, non perdu en évasion fictionnelle, mais se modifiant lui-même dans cette aventure heuristique. Or le plaisir se situe au cœur de l'expérience, il n'est pas l'excipient qui ferait passer le principe actif du sens. Parce que la littérature, loin de l'évacuer, met à l'épreuve la sensibilité, y enracine la réflexion, l'esprit vivant de cette intelligence de fibres, dont il perçoit les résonances. L'ennui de la lecture, qui semble éteindre la voix, comme si le texte perdait sa force harmonique, aboutit à la démission réflexive : l'esprit s'absente, s'autorisant des enjambements de pages, il cherche à élaborer un texte plus séduisant, si le rythme vient à ralentir à l'excès. Cette rythmique de la réception, que Roland Barthes analyse dans *Le Plaisir du texte,* s'effectue sur un mode aléatoire dont la théorisation reste problématique. Au seuil de l'essai, Barthes avoue d'emblée la difficulté d'une distinction terminologique :

> (*Plaisir/Jouissance :* terminologiquement, cela vacille encore, j'achoppe, j'embrouille. [...][1].)

La distinction qu'il propose n'est pas à entendre comme délimitant des catégories imperméables. Rappelons : d'un côté, le « texte de plaisir », caractérisé par sa dimension culturelle essentielle :

> Texte de plaisir : celui qui contente, emplit, donne de l'euphorie ; celui qui vient de la culture, ne rompt pas avec elle, est lié à une pratique *confortable* de la lecture[2].

De l'autre, le pouvoir dysphorique qui définirait le texte de jouissance comme impossible à commenter, « intenable » (p. 1505) :

> Texte de jouissance : celui qui met en état de perte, celui qui déconforte (peut-être jusqu'à un certain ennui), fait vaciller les assises historiques, culturelles, psychologiques du lecteur, la consistance de ses goûts, de ses valeurs et de ses souvenirs, met en crise son rapport au langage[3].

1. *Le Plaisir du texte, in Œuvres complètes,* t. 2, Paris, Le Seuil, 1994, p. 1493-1529.
2. *Ibid.,* p. 1501.
3. *Ibid.*

Un pôle de réponse rassurante, l'autre de question suscitant le vertige. L'essai lui-même mime l'esquisse de sa propre recherche, suggérant une piste à explorer au gré des lectures. Comme si le goût du livre pouvait s'éprouver avec plus de finesse encore dans cette tentative à le nommer. Ainsi, la lecture de La Fontaine rend l'appellation délicate : apparentées au texte de plaisir par la prégnance culture essentielle, les *Fables* s'en distinguent par la force du style concis qui interdit d'imposer un rythme de lecture en survolant « certains passages » (pressentis « ennuyeux ») :

> Ce que je goûte dans un récit, ce n'est donc pas directement son contenu ni même sa structure, mais plutôt les éraflures que j'impose à la belle enveloppe : je cours, je saute, je lève la tête, je replonge[1].

Le style de La Fontaine semble bien imposer au langage cette « profonde déchirure » donnée comme caractéristique du texte de jouissance (p. 1500).

Fondant le contentement culturel en un style qui fait approcher l'ineffable, La Fontaine crée une parole qui semble marquée par l'empreinte de la première de ses Muses, invoquée à la fin des *Amours de Psyché et de Cupidon*. Laissant le lecteur dans l'imminence d'une jouissance indicible, la fable prolonge l'intensité du plaisir en infinie volupté. Telle serait notre proposition : *texte de volupté,* oscillant entre les deux pôles définis par Barthes, et assurant une séduction sans cesse recommencée, dilatation du désir de lire par la suggestion qui laisse à espérer encore, à poursuivre la voie narrative, à écouter jusqu'au matin la voix déployant ses sortilèges, texte au pouvoir de Schéhérazade, femme-fable, qui s'ingénie à dire le chatoiement dansant du voile fictionnel, arme de vie.

Au commencement était...

La durée voluptueuse du plaisir se joue dans le premier geste, capital, ouverture où la séduction prend ou rate. Pour s'en persuader, il suf-

1. *Ibid.*, p. 1499.

fit de se livrer à un exercice frustrant : ouvrir un roman d'aventures et s'astreindre à refermer le livre à la fin du premier chapitre, rompre soudain le charme qui commençait à poindre. Peut-être aussi manquer la véritable entrée en aventures qui ne coïncide pas nécessairement avec le début du livre (voyez *Vingt mille lieues sous les mers*). C'est surtout refuser de se laisser séduire, suspendre, en même temps que le mouvement des pages, le chatoiement du voile fictionnel. Moment décisif, hautement rhétoricisé, parce qu'il est le lieu d'une capture de l'attention, qui rappelle le précepte cicéronien, invitant à placer en tête l'argument le plus fort pour s'assurer d'être écouté. Alors que le roman d'aventures est communément envisagé comme littérature de divertissement, nous voudrions l'élire pour sa teneur séduisante, comme texte hautement littéraire, assumant cette dominance du plaisir, inscrit dans l'horizon d'attente du lecteur. Impératif de l'événement et du rythme, évitement des longueurs : l'ouverture doit captiver, ne pas faire languir, exposer sans expliquer, tisser le voile imperceptiblement, sans que le travail ne paraisse. À l'orée de l'aventure, dans cet entre-deux (entre la vie réelle et l'expérience fictionnelle acceptée), doit advenir l'événement, ce qui fait basculer de l'autre côté du miroir, arracher le lecteur à son monde et le plonger, comme échappé du quotidien, happé par l'*éthos* littéraire, dans la séduction du signe.

Le récit est un voile qui piège par ses mouvements ondulatoires, dès lors que le regard accepte de s'y attarder ; la *captatio benevolentiae* littéraire n'est autre que cet art de retenir l'œil, concentré sur l'évanescence. Parmi les pièges divers, l'authenticité révélée par les méandres de la fiction exerce une force attractive fondée sur l'effacement de la frontière entre fiction et réalité, confusion féconde dans la mesure où elle embarque le lecteur malgré lui, mordu par le désir de vérité. La préface peut avoir pour fonction d'authentifier le récit : ainsi, dans *Les Aventures d'Arthur Gordon Pym,* Edgar A. Poe construit une sorte de mensonge au carré : le roman lui-même est présenté comme une réécriture et l'argumentation de Pym accrédite l'authenticité de son expérience. Le lecteur pris au jeu de mystification, happé par la présentation alambiquée qui aiguillonne le goût de l'énigme à déchiffrer, devine en même temps que le texte suggère une réalité d'un autre ordre, invitation à une herméneutique qui équivaut à un programme de lecture initiatique.

Autre entrée possible : la fiction cachée sous le manteau de l'histoire, telle qu'elle se dessine notamment dans *Les Trois Mousquetaires* ; le texte serait la première partie d'un précieux manuscrit : « Mémoires de M. le Comte de la Fère, concernant quelques-uns des événements qui se passèrent en France vers la fin du règne du roi Louis XIII et le commencement du règne de Louis XIV ». Le roman résulte d'une investigation à la Bibliothèque royale où l'auteur compulse d'abord les mémoires de M. d'Artagnan. Promesse qui flatte peut-être le goût de l'époque, mais sert surtout à justifier l'entrée en fiction, en estompant la gratuité fictionnelle. *The Pickwick Papers* de Dickens débute par la citation entre guillemets d'un rapport, donné comme morceau véridique, la fin du chapitre livrant les témoignages qui assurent l'authenticité du récit. Ou encore, la fiction du cercle d'auditeurs écoutant le conteur construit en abyme la réception du récit, le lecteur étant implicitement invité à se glisser dans cet auditoire fictionnel, procédé utilisé par Dumas dans *Le Château d'Eppstein*.

La séduction liminaire est ailleurs affaire musicale dans une ouverture poétique qui s'apparente au poème en prose. Enlèvement du lecteur, rapt par le style, le début est rupture radicale avec la banalité du langage, immersion soudaine dans une densité sonore jouissive. Ainsi de la première page de *Bleak House* de Dickens, description du brouillard londonien, qui envahit l'espace, s'étend sur la campagne, jusque dans la pipe de l'après-midi d'un capitaine courroucé. L'effet d'imprégnation est rendu par l'anaphore « Fog [...] fog up to the river [...]. Fog lying out of the yards [...] ». L'atmosphère oppressante d'un novembre embrumé est emblème de thriller. Dans le prologue des *Trafiquants d'épaves* de Stevenson, c'est l'exotisme qui ensorcelle. La première scène est un arrêt sur image à l'heure de la sieste. Le vent alizé, le déferlement des vagues, le trois-mâts français, les nuages menaçants après la pluie diluvienne : paysage vu à travers le regard du personnage au nom mystérieux de « Blanc tatoué ». Le début constitue ici un tout à part, si l'on songe que la suite du récit se déroule aux États-Unis, à Paris.

La force captivante se concentre dans la première phrase, choc sur le seuil, quand l'art du conteur parvient à imprimer une marque stylistique obsédante. Ainsi, de l'attaque de *Cent ans de solitude* : « Muchos años después, frente al pelotón de fusilamiento, el colonel Aureliano Buendía había de recordar aquella tarde remota en que su padre lo llevó a conocer el hielo » [Bien des années plus tard, face au peloton d'exécution, le colonel Aureliano Buendia devait se rappeler ce lointain après-midi au cours duquel son père l'emmena faire connaissance avec la glace[1]]. Le récit qui suit déroule l'ultime moment de souvenir dans l'imminence de l'exécution, dilatation de l'instant en elle-même captivante, parce qu'elle réalise une condensation surréelle de la vie, dont le roman devient le témoignage.

Le piège de l'humour fonctionne par l'illusion de connivence intellectuelle qu'il instaure : ainsi de la désinvolture du conteur dans le premier chapitre des *Aventures d'Oliver Twist.* Refus de nommer l'hospice, la date, le personnage, nonchalance travaillée qui annule le sérieux et fait d'emblée coïncider l'acte de lecture avec une gratuité sans contraintes.

Moment délicat, le début est lieu de naissance, même si le roman ne commence pas nécessairement *ab ovo,* pouvant se situer « sur le milieu du chemin de la vie », choix qui impose une déchronologie parfois fastidieuse (c'est le cas pour l'analepse narrative de *Michel Strogoff*). Naissance de l'illusion romanesque suivant la formule de Valéry : « La littérature est l'art de se jouer de l'âme des autres », le début de roman d'aventures camoufle la genèse, refusant d'exhiber le geste d'écriture (à l'inverse du Nouveau Roman), parce qu'il vise une implication d'abord jouissive, réveil de l'esprit d'aventure et abandon de l'esprit de sérieux. Dans « À bâtons rompus sur le roman », Stevenson évoque « la période éclatante et troublée de l'enfance » où il aimait à inventer des débuts de roman. L'incident est roman en germe, occasion d'un développement imaginaire qui peuple l'existence d'une réalité chimérique plus dense et prégnante que la réalité tangible. Apologie de l'imagination, l'essai intitulé « Sur des porteurs de lanternes » défend la faculté qui embellit, enlumine, conférant une valeur de séduction ajoutée au

1. Traduction de Claude et Carmen Durand, Paris, Le Seuil, 1968, p. 7.

réel lui-même. L'*incipit* romanesque germe dans le cerveau du lecteur fabulé :

> Car aucun homme ne vit dans la réalité extérieure, parmi les sels et les acides, mais dans la fantasmagorie de son cerveau, aux fenêtres peintes et aux murs historiés[1].

Seuil, point de départ, à la manière du proème antique : ce qui précède le chant, ce prélude des joueurs de lyre qui a pour fonction d'exorciser l'arbitraire de tout début. La ballade épique qu'est le roman d'aventures se contente parfois d'un double repère chronologique et temporel, ancrage qui suffit à apprivoiser le lecteur, acceptant de signer le pacte, de livrer son âme imaginative. Lieu-frontière, le début symbolise la fracture nécessaire : ce à partir de quoi je me déracine, je ne suis plus quelque part, mais au centre de l'aventure, d'où j'espère une renaissance. Antidote contre le *taedium vitae,* le livre désenglue la vie en restaurant dans le langage un régime de plaisir, le roman d'aventures s'appuyant fréquemment sur cette représentation de l'ennui hyperbolique pour justifier de rompre les amarres. *Los Pasos perdidos* (traduit *Le Partage des eaux*) d'Alejo Carpentier débute par une scène de tragédie, représentée sous les yeux blasés du héros, morceau théâtral qu'il connaît par cœur jusqu'à l'écœurement, voyant une fois encore sa femme actrice enlisée dans un rôle usé, qui a fini par rendre leur vie commune absurde, le dimanche devenant le septième jour où ils se livrent au rituel conjugal, dénué de sens. L'aventure s'impose face au manque, elle est réaffirmation de l'énergie vitale, redécouverte du goût donné au temps. Le début de *Moby Dick* dit, à travers l'appel de la mer, le goût d'une expérience authentique, quand les fragments, dérisoires, l'insuffisance des recherches étymologiques imposent une coupure, qui est désir d'une connaissance véridique, devant se substituer au savoir panoramique, figé, illusoire.

Aventure initiatique qui fait entrer dans l'ordre du prodige, non au sens superstitieux, mais au sens d'une révélation des aptitudes humaines, lorsque s'évite l'enlisement social. *Typhon* de Conrad participe d'une dimension analogue : le début place le lecteur dans l'attente de

1. Stevenson, *op. cit.*, p. 59.

l'événement, dans l'imminence du désastre, dont la baisse du baromètre est signe avant-coureur. En réactivant l'urgence, en faisant éprouver la réalité d'un temps vital, le roman d'aventures constitue une expérience initiatique qui révèle un réel alangui, temps gaspillé, minutes mortes sans l'ombre d'un risque, sans l'once d'un frisson. Drogue peut-être, qui alimente cette vie végétative d'émois en fauteuil, mais invite aussi, pour qui veut bien l'entendre, à retrouver, à travers la séduction du livre, la saveur d'une existence recommencée à chaque réveil.

Faut-il dévorer ou faut-il brûler ?...

À focaliser l'attention sur les commencements, nous renouons sans doute avec cette étude rhétorique des textes questionnée au préalable, mais c'est précisément parce que le roman d'aventures, dans sa facture aristotélicienne, se prête à ce type d'analyse, ce qui le différencie d'ailleurs du roman picaresque, jouant sur l'errance et exhibant ainsi une ligne structurelle au tracé aléatoire. L'on pourrait ainsi manifester une méfiance à l'égard des romans d'aventures, à l'instar de l'entourage de don Quichotte accusant la passion épique d'avoir gâté le cerveau du Chevalier à la triste figure. Avatar de l'épopée antique, le roman d'aventures peut se percevoir effectivement comme une modélisation dangereuse, dans la cohérence séduisante qu'il tend, affadissant le réel, comme décoloré par contraste. À vouloir vivre selon le livre, le lecteur risque fort de contracter une maladie livresque, dans le geste éperdu qui le pousse à toujours injecter la saveur romanesque au temps monotone d'une réalité sans grande surprise.

La critique de Robbe-Grillet vaut à plein pour ce type de texte qui impose, au fond, une vision du monde, un système idéologique auquel il est tacitement demandé d'adhérer, condition *sine qua non* de la lecture. L'épopée antique repose sur la valeur héroïque comme pétition de principe, elle constitue la justification culturelle de la grandeur d'une cité (l'*Énéide*) ; le roman d'aventures valide une vision sociale entendue, exaltant la virilité manifestée dans l'exploit guerrier, dans l'aptitude à réaliser ce qui apparaît comme relevant du prodige. Le systématisme idéologique des romans arthuriens engage notamment un mode d'écriture codé, laissant attendre des motifs topiques : ainsi, le point de départ de l'aventure, que nous évoquions comme moment de basculement déterminant, coïncide, dans cette forme textuelle, avec le rituel religieux : le début de *La Quête du Graal* est rythmé par ces cérémonies (« a hore de none »), la date de la Pentecôte faisant rejoindre le temps biblique comme l'apparition du Graal rappelle en nous la venue merveilleuse du Saint-Esprit, apparition de langues « qu'on eût dites de feu ». L'univers arthurien reflète une vision du monde qui semble idéologiquement figée, suivant une distribution des rôles préétablie. Ainsi, toujours la dame s'attarde à ne rien faire dans son château, se mourant d'ennui, tandis que le héros s'en va guerroyer, offrant finalement ses victoires en gage d'amour. Dans *Le Chevalier au lion,* Yvain part pour venger Calogrenant ; il met à l'épreuve ses qualités de chevalier en bravant la fontaine magique. L'ouverture nous montre les barons trépignant d'impatience à l'idée de partir ; par le désir d'un défi perpétuel lancé à soi-même, le chevalier signale et affirme une liberté extrême, mais toujours dans une perspective religieuse. Si la passion amoureuse menace un temps la raison de folie, l'excès lui-même se codifie dans la topique d'un retour passager à la sauvagerie, au cœur d'une forêt, régression donnant lieu à une écriture hyperbolisée, qui participe de la logique initiatique du récit.

C'est dire qu'à dévorer ces aventures palpitantes, le lecteur risque fort de s'enliser dans une logique existentielle marquée par l'inertie, car, en sa lecture, il retrouve les éléments constitutifs d'un monde à l'arrêt, fixité qui ferme le regard, notamment si l'on songe à la description contrastée des chevaliers chrétiens et sarrasins, les seconds apparaissant généralement sous l'aspect le plus monstrueux, signe d'un refus de la différence : l'ennemi est hyperboliquement hideux, barbare – entendons : étranger à la beauté poétique du chrétien, qui s'exhibe comme préférence évidente. Voyez la chanson de geste *Aliscans,* caractéristique de ce racisme spontané, qui s'exprime avec l'assurance d'une indéniable vérité.

Pourtant, en son esthétique répétitive, en sa fixité idéologique, l'épopée médiévale laisse tout loisir au lecteur de cheminer librement, dès lors que, pratiquant une lecture problématologique, il entend ce qui se trame dans le récit ; il peut alors savourer à distance les péripéties qui alimentent l'aventure et, souriant de retrouver les motifs obligés, en apprécier la nuance de traitement, jusqu'à évaluer les modalités mêmes d'expression de l'évidence idéologique. C'est précisément de cette lecture à distance que don Quichotte est incapable, rivé au livre comme à une vérité révélée, avalé par l'histoire, pour en avoir bu le philtre empoisonné.

Séduction et maladie livresques

« Étrange folie » [*extraña locura,* p. 499] que celle de don Quichotte, comme il est dit à la fin du chapitre XXVI où une supercherie se prépare pour guérir le héros (p. 289). Le roman de chevalerie laisse croire à une initiation du personnage endurci et rendu sage par les épreuves que la fiction met sur son chemin incertain. En réalité, la multiplication des embûches ressortit plutôt à une esthétique de la répétition : les dangers que brave le chevalier n'ont d'autres raisons que de retarder le retour au temps monotone, car, au fond, on s'ennuie autour de la Table ronde ! Le héros de Cervantès a, quant à lui, perdu la raison, en gagnant son nom, nom qu'il s'est choisi pour entrer dans l'univers mythique qui le fascine :

— Eh bien, monsieur Quichana, s'écria-t-il (ce qui prouve que tel était son nom, du temps où il avait tout son bon sens, quand il était gentilhomme paisible et ne s'était pas encore transformé en chevalier errant), qui vous a mis dans cet état ? (p. 83)[1]. [— Señor Quijana – que así se debía de llamar cuando él tenía juicio y no había pasado de hidalgo sosegado a caballero andante – ¿quién ha puesto a vuestra merced de esta suerte?, p. 234].

1. Nous citons le texte dans la traduction d'Aline Schulman (Paris, Le Seuil, « Points », 1997), résultat d'un admirable travail qui fait intervenir, suivant ses termes, un sens de la « *mesure* entre le respect du texte et le respect du lecteur » (« Traduire *Don Quichotte* aujourd'hui », p. 22). Cette nouvelle version permet au plus grand nombre un accès direct au roman dans sa version modernisée ; en renforçant la « part d'oralité », en simplifiant, quand elle le juge nécessaire, une syntaxe qui aurait rendu la version française confuse, par surcharge de subordonnées, la traductrice fait aussi œuvre d'auteur et laisse ainsi espérer que la passion du livre enchanteur en sera partagée avec plus d'intelligence. Nous mentionnons, en regard, le texte dans sa version originale (*El Ingenioso Hidalgo Don Quijote de la Mancha,* édition établie par Justo García Soriano y Justo García Morales, Madrid, Aguilar, 1973).

L'entrée en aventure coïncide effectivement avec une pseudo-métamorphose : le personnage encore anonyme dans le flot de l'Histoire entend y entrer en revêtant d'abord le costume du chevalier ; l'accoutrement qu'il s'invente mélange la matière du passé, une armure « toute moisie et couverte de rouille » (p. 58), et la fragilité du présent (heaume de carton), puis il baptise son cheval, attribut nécessaire ; cette restauration linguistique fait sourire d'autant que « Rossinante » exprime cette improbable métamorphose de l'ancienne rosse en coursier. Dernière étape du travestissement (p. 59), la trouvaille d'un nouveau nom, plus glorieux, aux résonances épiques, demandant une réflexion de huit jours ; c'est dire que le déguisement imaginé, mime enfantin du chevalier, confère, du moins au yeux de don Quichotte, une réalité nouvelle à une matière ancienne, effaçant les tares du cheval, la rouille du métal, le passé de Quichana. Renaissance à une vie entièrement consacrée à l'idéal chevaleresque, où le héros va pouvoir mettre en œuvre un projet fou : vivre au présent comme dans ses livres adorés, oubliant la distance infranchissable, transporter dans la réalité actuelle, banale, ennuyeuse, marquée par un matérialisme désenchanté, le temps subjectif de l'épopée. Acte de foi dans la transcendance du mythe, mais aussi désir de mettre le livre à l'épreuve du réel.

C'est cette entreprise inédite qui lui vaut d'être regardé comme un fou (p. 83). *Loco, locura,* termes qui reviennent maintes fois dans le texte, pour sanctionner son allure, ses propos (« comprenant à son aspect, comme à ses paroles, qu'ils avaient affaire à un fou », p. 79-80 ou encore p. 140). Mis à l'écart, suscitant la méfiance, don Quichotte inquiète par son comportement déraisonnable, mais aussi par l'étrange logique qu'il déploie pour justifier son projet délirant.

Au Moyen Âge, le desvé ou dervé, fou furieux, étonnamment éclairé (à l'instar de la pythie antique), révèle, dans sa démence, d'étranges vérités ; investi d'un savoir caché, seul apte à scruter le mystère, laissant la bête (et Lucifer[1]) parler en lui, il ne peut être rejeté en

1. Voir *Mélancolie,* « Génie et folie en Occident », sous la direction de J. Clair, catalogue de l'exposition, Franz von Stuck, *Lucifer* (1891), Paris, Gallimard, réunion des musées nationaux, 2005, p. 471.

marge de la société, puisque, dans ses outrances carnavalesques, il lui crie, lui vomit, avec lucidité, sa vérité[1]. La distinction entre le normal et le pathologique, justifiant l'existence de l'asile, est l'apanage de la modernité, qui, étrangement, et avec l'intention avouée de soigner ce qui est reconnu comme maladie mentale, met à l'écart la folie, signe que le discours du fou a bien perdu cette sagesse inspirée qui lui était reconnue dans le passé. Or cette prétendue inspiration ne cache-t-elle pas, sous l'écorce du mythe, une autre conscience au monde, laissant la part belle à l'imagination ? Esprit qui ne connaît pas les frontières, le fou divague, erre, se perd dans son esprit, égaré, il ne suit pas la grand-route du sens (forsené, « hors du bon sens ») ; dévoyé, il rêve (« desver » est construit sur la même racine que « rêver »), n'hésite pas à emprunter tous les chemins possibles. La folie démasque, débusque la supercherie des sens tout tracés par les préjugés, les codes sociaux ; c'est du moins ce qui ressort de la prosopopée magistrale que lui prête Érasme.

Signe de modernité, la folie de don Quichotte est perçue comme une maladie dangereuse, qu'il faut soigner à partir d'un diagnostic simple : ce sont ses livres qui lui ont détraqué la cervelle ! Curieux savoir qui dérange l'esprit, pages qui méritent le bûcher parce qu'elles enjôlent l'imagination au point de mettre la raison à son service, inversion que semble pourtant revendiquer le personnage. C'est qu'il entend plier la réalité aux lois du livre élu, de cette Bible chevaleresque qu'il garde en mémoire en dépit de l'autodafé : il demande au réel de se conformer à la fiction, d'en adopter les règles, d'admettre une nouvelle logique, plus souple dans la mesure où elle donne droit de cité au surnaturel, mais aussi très rigide puisqu'elle doit refléter l'idéologie

1. Voir, à ce sujet, Adam de La Halle, *Le Jeu de la feuillée,* et notamment l'introduction de Jean Dufournet, rappelant les différents types de folie distinguées au Moyen Âge : « [...] les fous furieux qu'on enfermait, les possédés qu'on exorcisait, les mélancoliques qui relevaient autant du prêtre que du médecin. Les fous pouvaient passer pour des sortes d'inspirés qu'on consultait à l'occasion et qui bénéficiaient d'attentions particulières, de subventions, de dons : comme la vie sociale ne les avaient pas dénaturés, ils étaient traversés d'illuminations qui leur permettaient de deviner la vérité, de poser les vrais problèmes » (p. 14). Élu et honni, le fou reçoit sans doute les injures et les crachats, mais le dervé-roi, truchement de l'auteur, aura le dernier mot dans la pièce, signe du triomphe de la déraison dans la taverne, métaphore du monde. Voir le livre essentiel de Michel Foucault, *Histoire de la folie à l'âge classique,* Paris, rééd. Gallimard, « Tel », 1997.

défunte, faire appliquer ses dogmes comme si le temps ne s'était pas écoulé, rêve de fixité qui trouve son origine dans le geste épique.

Don Quichotte récite ainsi les morceaux obligés de son catéchisme littéraire : pas de chevalier sans dame, couple obligé, puisque le livre dit toujours la même vérité en de multiples variations, ce qui ne semble guère lasser le héros, ravi de maîtriser ainsi le savoir intangible, à peine masqué dans ses fables favorites :

> — C'est impossible ; je veux dire qu'il est impossible qu'il existe des chevaliers errants sans dame, car il leur est aussi naturel et nécessaire d'être amoureux qu'au ciel d'avoir des étoiles. Je parierais qu'on n'a jamais vu dans aucune histoire un chevalier errant sans amours, pour la bonne raison qu'il ne serait pas considéré comme un chevalier authentique, mais comme un bâtard, entré dans la forteresse de notre chevalerie non par la grande porte, mais en sautant la clôture, tel un vulgaire larron *[como salteador y ladrón]* (p. 143).

Pas d'effraction possible comme le dit la métaphore qui concrétise le délit idéologique : sauter la clôture (qui traduit *salteador,* « brigand, voleur », pour éviter la redondance avec le presque synonyme de *ladrón*).

Les phénomènes eux-mêmes reçoivent leur explication de ce même livre imaginaire, comme si la perception perdait toute valeur heuristique[1] ; en effet, le simulacre est sans cesse suspecté de provenir de la manœuvre, de la supercherie de quelque enchanteur malfaisant. Pour expliquer pourquoi il n'a pu secourir Sancho lors de sa mésaventure (les vols dans la couverture), don Quichotte a recours à une mystification : paralysé, il n'a pu intervenir, et de conclure, bel enchaînement rationnel : « C'est donc bien que l'on m'a enchanté » (p. 185) [*porque me debían de tener encantado,* p. 365]. L'invraisemblance qu'il croit déceler dans le retour trop prompt de Sancho (qui n'a effectivement pas fait le voyage promis) est évacuée par une raison analogue : c'est un « sage enchanteur » (p. 350) qui doit être la cause du prodige. Ou encore, face à l'objet même, que ses yeux lui désignent comme un

1. Pour don Quichotte, l'hypothèse d'un monde enchanté laisse présupposer que les sens *peuvent* nous tromper, belle résolution simpliste d'un problème philosophique épineux, par recours au merveilleux, qui permet d'expliquer l'erreur d'appréciation.

plat à barbe, il a recours au motif de la métamorphose (p. 221) [*trasmutación,* p. 415] pour persister dans sa vision, et y reconnaître la matière d'un « heaume enchanté » (p. 220).

Plus encore, l'épisode de la folie jouée dans la Sierra Morena nous fait entendre une étrange profession de foi, folie raisonnée, calculée, après un débat dialectique, étrange dissertation qui oppose la fureur de Roland à la mélancolie d'Amadis :

> Mon mérite est de perdre le jugement sans motif, donnant ainsi à penser à ma dame que, si je fais cela de sang-froid, que ne ferais-je à chaud ! [...] Fou je suis, et fou je serai [*loco soy, loco he de ser,* p. 473] jusqu'à ce que tu reviennes, avec la réponse à une lettre que tu vas aller porter de ma part à ma dame Dulcinée (p. 269).

Imiter la folie revient à exercer un art, et don Quichotte, en perfectionniste, cherche à en trouver l'essence : « Je choisirai parmi celles [les folies] qui me paraissent essentielles et j'en ferai de mon mieux l'esquisse » (p. 268). Loin de consister à perdre la raison, sa démence se construit comme un jeu à la fois de lecteur et d'acteur, mise en scène d'un *topos* livresque qu'il s'efforce d'incarner, de réciter de son propre corps.

Sans doute Sancho, dans son matérialisme timoré, met-il un frein à la folie imitative de son maître, mais les chimères que don Quichotte débite à tout bout de champ finissent par déteindre sur lui ; l'écuyer craintif en vient à rêver (d'abord par vénalité) d'« archipel » (p. 99), signe qu'il entre en fiction non par la porte du rêve littéraire mais par celle de l'ascension sociale imaginée. *Leitmotiv,* comme la carotte qui fait avancer Sancho sur son âne, ce fameux archipel semble pourtant se déréaliser dans l'esprit du valet rêvant de grandeur : s'il se réjouit d'accéder au titre de « gouverneur d'archipel » (p. 193), il commence à douter et enverrait bien au diable ce « maudit archipel » (p. 206), puis il dénonce le mensonge derrière le nom sans référent (p. 269) et enfin, déçu, lassé, dans un mouvement de résistance matérialiste, il finit par renoncer au rêve : « Il ne voulait plus entendre parler d'archipels ni d'archi rien du tout » [*sin ínsulos ni ínsulas, que ya no la quería,* p. 287]. Pourtant, séduit par la figure de son maître, il est loin d'être guéri ; l'influence de don Quichotte se traduit par les velléités chevaleresques de

Sancho, qui, suivant le diagnostic du curé, médecin des âmes, semble avoir « la tête farcie des mêmes absurdités que celle de son maître » (p. 329). Double charnel de don Quichotte, le pur esprit détraqué, il s'évade par le truchement de son maître sur les chemins de l'épopée médiévale, imaginant l'exploit dans son propre langage, ce qui n'est pas sans effet de comique.

Pour Sancho, c'est la référence concrète qui sert de critère de vérité, évidence de bon sens que n'apprécie guère le maître embarqué dans une immense entreprise de déréalisation du monde par le livre. Un heaume ou un plat à barbe ? Sancho agacé s'adresse à « Monsieur le chevalier à la Triste Figure », appellatif ici ironique dans la mesure où la suite du discours signale une révolte du valet, s'insurgeant précisément contre cette mystification chevaleresque : « Comment entendre quelqu'un vous dire qu'un plat à barbe est le heaume de Mambrin, et le voir s'obstiner dans cette erreur plus de quatre jours, sans penser que, pour affirmer une chose pareille, il faut qu'il ait la cervelle dérangée *[debe de tener güero el juicio]* ? » (p. 269). Pour preuve de son bon sens triomphant, il rétorque alors par l'évidence de la chose : « Le plat à barbe, je l'ai dans mon sac [...]. »

La réponse paradoxale de don Quichotte remet le serviteur en place[1] et dénonce chez lui une inaptitude à déchiffrer le mystère ; relégué à son rang de subalterne intellectuel, Sancho se voit refuser l'accès aux sortilèges. Esprit étroit, cerveau borné ? C'est surtout pour demander toujours des raisons matérielles que Sancho est exclu de l'univers chevaleresque, pour ne pas comprendre que la vie est un songe, qu'il navigue entre des simulacres organisés par « une troupe d'enchanteurs » (p. 270).

Au commencement était l'approche d'un monde séduisant, le goût des mots retrouvé en cette émergence soudaine d'îlots fictionnels qui happent le désir d'un sens apte à satisfaire l'esprit, en ce qu'il recherche. Satisfaction qui varie radicalement suivant l'expérience de lecture et

1. On pourrait comparer cet échange avec celui entre Sganarelle et don Juan, le grand seigneur répondant au mot insultant de « vilain » par l'éloge paradoxal de l'inconstance (Molière, *Don Juan,* acte I, scène 2).

d'existence, attrait des réponses pour certains, quête de questions pour d'autres, en cet horizon d'attente se dessine déjà les *a priori* d'un jugement de goût non aléatoire mais déterminé par un mode d'être au monde, qui définit un degré de liberté se répercutant dans l'appréciation portée sur les livres. La préférence pour une littérature exhibant la fracture, la question, déconstruisant les systèmes afin de mieux les évaluer, rend compte d'une conception valorisant l'enjeu problématologique et se méfiant de l'imposition de mondes fictionnels marqués par la clôture, montrés comme étant sans failles et engageant une adhésion du lecteur. Mais, si ces textes fonctionnant suivant une fermeture argumentative peuvent être taxés de modélisation idéologique implicite (car la fiction n'affiche pas nécessairement ses intentions rhétoriques), il n'en reste pas moins que la modalité de la réception autorise toujours à refuser le principe d'adhérence. La lecture à distance offre alors d'autres charmes que les jeux d'identification : non plus émotion de transfert, mais volupté des regards ironiques, jouissance des emportements cyniques, face à un texte auquel on refuse d'acquiescer. Les correspondances textuelles participent de ce processus d'intégration partielle du sens, sans cesse questionné, l'espace littéraire se construisant comme un réseau complexe de résonances plus ou moins harmonieux où ce qui compte essentiellement, en tant que stimulant de la sensibilité active, réside peut-être en la discordance.

L'écriture comme antidote ?

Avalé, dévoré, assimilé à soi, le livre injecte ses substances nocives, au point qu'il faudrait pouvoir le vomir, se défaire des rêves idéalistes dont il a peuplé l'esprit, alimentant le malheur. Écrire s'entend alors comme un dépassement de la séduction fictionnelle, par rebond critique : plutôt que de brûler les livres, participer à son tour au jeu d'attraction des âmes, jusqu'à sonder ce que peut faire miroiter le texte, et lire enfin avec la conscience aiguisée qui immunise contre les fascinations de la fable, sans en éteindre les flambeaux joyeux.

Le geste d'écrire brise le miroir séduisant, fait passer de l'autre côté et impose l'invention d'une nouveauté qui est dialectiquement une forme inverse du passé de lecture, non opposé absolu, mais forme distincte, quand bien même on adopterait une attitude maniériste[1] : le style est démarcation, non par rapport à un code courant, mais bien par rapport aux écritures déjà là, dont il a fallu boire la substance. Le principe de l'innutrition que Montaigne réveille en reprenant la métaphore du miel suppose une assimilation, la pensée s'élaborant à partir d'un art de butiner les idées rencontrées dans l'expérience. Il conviendrait de lui ajouter le principe de rejet, écrire pour vomir étant en soi une forme d'affirmation positive du sens critique : cracher le poison, refuser ce qui diffère de la voie qui se trace à force d'user la plume, soumettre les fictions toxiques à une distance (critique) qui restaure la respiration de la pensée.

La réception problématique de *Voyage au bout de la nuit*[2] nous semble s'expliquer par la focalisation d'une partie du lectorat sur ce rejet jugé indécent, insolent, à la fois d'une tradition littéraire et d'une idéologie du bonheur que le roman met en échec : ce « non » de Céline est communément disqualifié sous le terme de « pessimisme », souvent mal défini (pessimisme philosophique dans la lignée de Schopenhauer ou attitude psychologique négative qui assombrit la réalité de l'existence ?). C'est que le texte vomit effectivement une conception traditionnelle de la littérature, non pour l'effacer, mais parce que le temps présent où elle voudrait encore s'inscrire la fait voler en éclats, parce que la séduction qu'elle propose est éculée, mimant des modes d'être au monde dépassés. Dans son essai *L'Ancien et le nouveau*[3], Marthe Robert pose clairement cette problématique à partir d'une comparaison ingénieuse mettant en regard l'*Odyssée* et *Don Quichotte,* non pour dire que la littérature se périme, mais qu'il est des questions nouvelles amenant de nouveaux modes d'écriture, intégrant le déplacement, voire l'éclatement des enjeux fictionnels.

1. *Cf.* Claude-Gilbert Dubois, *Le Maniérisme,* Paris, PUF, 1979.
2. Voir *70 critiques de* Voyage au bout de la nuit, *1932-1935,* textes réunis et présentés par André Derval, Paris, IMEC Éd., 1993, et « Louis-Ferdinand Céline, *Voyage au bout de la nuit* », Revue d'étude du roman du *XXe siècle,* n° 17, « Roman 20 50 », Lille, Presses de l'Université de Lille III, juin 1994.
3. *L'Ancien et le nouveau. De Don Quichotte à Kafka,* Paris, Payot, 1967.

Voix sacrilège, la parole de Bardamu intègre l'impossible retour en arrière, vers le rêve de transparence épique, et l'intenable permanence des fables idéalistes, en cruel décalage par rapport à la « vacherie » du monde. En même temps, et c'est là que l'étiquette de « pessimiste » semble bien insuffisante, le roman se déploie comme une incantation, une admirable plainte, à la séduction raffinée des beautés sculptées. Le texte entier s'envole tel un corps de ballerine, dénudé sans jamais être obscène, ignorant la pudeur parce qu'il vise une vérité d'équilibre, au-delà des regards codés. Anti-roman d'aventures, né de rien, ou presque d'un « ça » suspendu, en un jeu de miroirs qui signale déjà le cercle vicieux qui ramènera finalement au point de départ dérisoire du voyage à rebours, place Clichy, anti-lieu d'évasion :

> Ça a débuté comme ça. Moi, j'avais jamais rien dit. Rien. C'est Arthur Ganate qui m'a fait parler.

Anti-héros réticent suivant le régiment, Bardamu s'engage, par geste de défi absurde, dans une épopée de la désillusion qui, paradoxalement, adopte une rythmique enlevée, évacuant ainsi le caractère lancinant de la plainte : la musique célinienne, imposant la déchirure phrastique permanente, jetant les mots dans une danse haletante, leur insuffle un souffle vital qui anime la fiction d'une élégance *insolente* – entendons : en rupture radicale avec les pratiques fictionnelles en vigueur. Roman du dépouillement, arrachant le masque des vertus illusoires, des passions de pacotille, le texte célinien révèle la grimace, motif récurrent qui réactualise l'écriture moraliste, hommage à La Bruyère et déviation du projet en raison de l'impact psychanalytique :

> De nos jours faire le « La Bruyère » c'est pas commode. Tout l'inconscient se débine dès qu'on s'approche[1].

L'arrachage du masque programmé dans la phrase en exergue des *Caractères* (« Nos vertus ne sont le plus souvent que des vices déguisés ») s'entend désormais comme la révélation du vrai visage, en ses sillons de vérité, silencieux, contre la parole de séduction factice, tournée

1. Céline, *op. cit.*, p. 499.

vers le mirage amoureux : « Vous êtes bien jolie, Mademoiselle, qu'ils disent »[1], formule magique censée effacer la peine :

> Et puis à se vanter entre-temps qu'on y est arrivé à s'en débarrasser de sa peine, mais tout le monde sait bien que c'est pas vrai du tout et qu'on l'a bel et bien gardée entièrement pour soi. Comme on devient de plus en plus laid et répugnant à ce jeu-là en vieillissant, on ne peut même plus la dissimuler sa peine, sa faillite, on finit par en avoir plein la figure de cette sale grimace qui met des vingt ans, des trente ans à vous remonter enfin du ventre sur la face. C'est à cela que ça sert, à ça seulement un homme, une grimace, qu'il met toute une vie à se confectionner, et encore, qu'il arrive même pas toujours à la terminer, tellement qu'elle est lourde et compliquée la grimace qu'il faudrait faire pour exprimer toute sa vraie âme sans rien en perdre[2].

L'entreprise célinienne s'affiche comme décapage éthique des mensonges qui habillent l'âme, le langage recouvrant d'un vernis opaque le spectacle troublant des personnalités éclatées. Luttant contre le camouflage psychologique, le projet célinien se veut antithétique de celui de Proust, la figure de Bardamu apparaissant effectivement comme un inverse de l'élégance de Swann. Le choix de l'*ethos* oriente la réflexion non vers l'analyse psychologique, mais vers l'examen clinique, à partir d'un regard mêlant étrangement naïveté et cynisme, révélateur des grimaces humaines. Le récit proustien adopte une posture oblique sur l'univers bourgeois, marqué par ses politesses hypocrites : le regard se pose, de loin, sur la réalité fictionnelle déployée, le mensonge est décliné avec délicatesse, et non violenté sur le mode pamphlétaire. Styles aussi radicalement opposés que complémentaires, d'une séduction sans failles, dans la mesure où ils conviennent parfaitement à leurs enjeux respectifs. La mention de Proust dans le *Voyage* dit précisément cette conscience d'une différence radicale :

> Proust, mi-revenant lui-même, s'est perdu avec une extraordinaire ténacité dans l'infinie, la diluante futilité des rites et démarches qui s'entortillent autour des gens du monde, gens du vide, fantômes de désirs, partouzards indécis attendant leur Watteau toujours, chercheurs sans entrain d'improbables Cythères[3].

1. *Ibid.*, p. 371.
2. *Ibid.*, p. 371-372.
3. *Ibid.*, p. 99-100.

La phrase proustienne épouse en ses méandres la tissure complexe d'une micro-société du faire-valoir, où toute parole se théâtralise, s'emplit d'un sens injecté de l'extérieur et répercuté avec ostentation. Le regard de Swann pénétrant dans ce microcosme Verdurin est intelligence active analysant les cohérences subtiles de psychés inconsistantes. Le style séduit ici comme aptitude à décliner la circonstance, devenant essentielle dans l'univers proustien, à épouser la sinuosité des déterminations psychologiques, dans leur cohérence surprenante. Monde où le biologique s'estompe au profit d'une vision artiste du clan bourgeois, lieu d'un spectacle où se jouent les affects, travaillés en postures linguistiques (songeons à la fascination des formules qui caractérise Cottard ou aux anglicismes dont raffole Odette). *Un Amour de Swann* raconte la naissance d'une passion musicale : Odette n'est jamais que la femme accidentelle, dont la rencontre, l'entrée en scène, coïncident avec l'apparition merveilleuse d'une phrase musicale, qui revient, lancinante, avec la même séduction, comme si le roman renversait la dominance des événements saillants pour hyperboliser le détail circonstanciel devenant essentiel, déterminant dans la trame narrative. L'évidence de la bêtise d'Odette n'interdit pas la passion jalouse, mais la nourrit, à l'inverse, comme si l'acuité intellectuelle de Swann se trouvait happée par ce vide, comblé artificiellement d'un matérialisme vulgaire. Le désamour ne fait que porter à haute voix, dans le discours direct, cette évidence de la médiocrité d'Odette, admise dans le clan Verdurin pour sa « naïveté » ; imaginant la soirée à Chatou, Swann s'écœure du « bourgeoisisme » ambiant et disqualifie celle qui incarne le mauvais goût hyperbolique :

Il voyait Odette avec une toilette trop habillée pour cette partie de campagne, « car elle est si vulgaire, et surtout, la pauvre petite, elle est tellement bête !!! »[1].

1. *Un Amour de Swann,* Paris, Gallimard, « Le Livre de poche », 1919, p. 129.

Confusion éthique

Le texte proustien mêle à plaisir les formes discursives dans un fondu-enchaîné qui confine à la confusion éthique, comme si voix du narrateur et voix de Swann s'imbriquaient jusqu'à s'entendre en résonance. Le discours indirect libre autorise notamment un vacillement de l'orientation axiologique du récit qui semble essentiel à la finesse psychologique : empathie ou ironie, la voix de Swann trouve son écho dans celle du narrateur, qui semble tantôt épouser cette posture d'intelligence en milieu asphyxié par les conventions bourgeoises, tantôt sourire des mouvements de dépit et des élans retrouvés du personnage en proie à une passion qu'il est bien en peine de contrôler.

Le déploiement de la jalousie comme névrose donne lieu à une ambiguïté du même ordre, reposant cette fois sur la modalisation épistémique : le doute (ou la certitude) manifesté dans le récit peut émaner de l'instance narrative comme du personnage, l'interprétation étant sensiblement différente, suivant l'option de lecture. Pour exemple, les inquiétudes au sujet du personnage de Forcheville que Swann envisage comme rival donnent lieu à des hypothèses, chaque événement étant susceptible de devenir un éventuel signe de tromperie ou une marque de confiance :

> Il est vrai qu'un jour Forcheville avait demandé à être ramené en même temps, mais comme arrivé devant la porte d'Odette, il avait sollicité la permission d'entrer aussi, Odette lui avait répondu en montrant Swann : « Ah ! cela dépend de ce monsieur-là, demandez-lui. Enfin, entrez un moment si vous voulez, mais pas longtemps, parce que je vous préviens qu'il aime causer tranquillement avec moi, et qu'il n'aime pas beaucoup qu'il y ait des visites quand il vient. Ah si vous connaissiez cet être-là autant que je le connais ! N'est-ce pas, *my love,* il n'y a que moi qui vous connaisse bien ? »[1]

« Il est vrai » peut s'entendre comme une concession du narrateur au personnage (avec une touche d'ironie) : il reconnaît que les apparences discursives (Odette, hypocrite, se présente comme soumise à Swann)

1. *Ibid.*, p. 144.

attestent qu'il est aimé. Mais la modalisation peut aussi provenir de Swann, interprétant alors (à tort) les faits et cherchant des preuves d'amour dans les propos d'Odette. Le récit devient l'histoire d'une mésinterprétation, d'un contresens sur le discours, dû à l'aveuglement du personnage victime du mensonge amoureux. Le discours d'Odette, effectivement, ne prouve rien : il se donne comme parole inélégante, inconsistante et exhibitionniste, à l'image du personnage. La perméabilité éthique (entre voix narrative et voix du personnage) permet au lecteur de pénétrer dans le clan Verdurin par le regard de l'intrus finalement exclu, subissant une disgrâce programmée dès la première page du livre, si l'on veut bien entendre que la naïveté (entendons : niaiserie) est condition *sine qua non* d'admission dans le petit monde bourgeois. Plus encore, à la faveur de cette ambiguïté se réalise, plus qu'une analyse psychologique, la vision intériorisée de la ratiocination qui accompagne la progression de la jalousie, jusqu'à son comble de souffrance et en même temps, par distance ironique, subtil décalage narratif, parfois à peine perceptible, l'examen constamment mené jusqu'à la révélation finale, chute qui dégonfle non la réalité de la souffrance, mais bien l'assurance d'une posture de supériorité éthique qui semble animer Swann durant tout le récit, comme si la passion s'accompagnait d'une défaite critique, en dépit de l'intelligence :

> Et avec cette muflerie intermittente qui reparaissait chez lui dès qu'il n'était plus malheureux, et qui baissait du même coup le niveau de sa moralité, il s'écria lui-même : « Dire que j'ai gâché des années de ma vie, que j'ai voulu mourir, que j'ai eu mon plus grand amour, pour une femme qui ne me plaisait pas, qui n'était pas mon genre ! »[1]

C'est ici la voix narrative qui réaffirme clairement sa position centrale, *ethos* en surplomb qui autorise la dérision à l'égard des propos du personnage donnés comme conclusion, ironique s'il en est, de cet amour, réduit à une chimère, quand seul subsiste le dédain, substitut affectif de la lucidité critique.

1. *Ibid.*, p. 249.

LE STYLE, VOIX SILENCIEUSE

Séduction multiple, dont on chercherait en vain à délimiter les contours, la parole littéraire vaut d'abord pour sa diversité, pour cette exploration des possibles que Valéry met en exergue de son « Cimetière marin », en citant la IIIe Pythique de Pindare. La littérature est lutte contre la pensée unique, inlassable déploiement de la liberté d'imaginer de nouvelles configurations de monde, de nouveaux points de vue, de nouveaux langages ; or cette nouveauté essentielle nous semble résider avant tout dans le style, signature qui *anime* le sens, non ornementation qui ferait passer autre chose qu'elle-même, mais bien enluminure artiste ; le rouge sang de la plume n'est ni traduisible, ni transmissible à un continuateur, si zélé soit-il. Non référentiel[1], le récit de fiction ne vise d'autre vérité que celle du style, dans son aptitude à créer des mondes, à susciter la référence imaginée, jamais tangible. Vérité qui ne se vole pas, parce qu'elle est transformation complète de la personnalité jusqu'à disparition de ses marques réelles, jusqu'à l'émergence d'une subjectivité authentique, défaite des mensonges de la parole impliquée dans le réel, soumise aux impératifs pragmatiques, à l'orientation linguistique du sens, toujours en situation, piégée tout entière dans la référence. Paradoxalement, le style est d'abord une voix, qu'on entend dans le silence de la lecture, que l'on distingue comme la marque indélébile de l'auteur absent : ce beau qui nous est laissé à apprécier est le vestige d'une recherche, un choix de combinatoire qui pour nous exhibe sa belle évidence, mais renvoie à l'éclosion aléatoire d'une forme-sens dans un mouvement de pensée, jamais abouti.

Le roman de Cervantès est exemplaire de cette force inouïe de la plume, devenue prolongement de l'écrivain, main greffée qui révèle peut-être mieux que ce que l'on croit être.

1. Voir Dorrit Cohn, *Le Propre de la fiction*, Paris, Le Seuil, « Poétique », 2001, « La "fiction" comme récit non référentiel », p. 24-34.

La vérité littéraire : la plume de l'auteur à la main brisée contre les médisances du plagiaire

Dans ses pérégrinations, don Quichotte n'a de cesse de défendre la vérité des livres, comme Cervantès lui-même devra défendre la vérité de son personnage menacée par une figure de contrefaçon, un don Quichotte falsifié. Étrange aventure que cette continuation frauduleuse du texte qui incite l'auteur à revendiquer comme son enfant légitime un être chimérique, invraisemblable, marqué par une folie dangereuse, comme si, dans cette descendance de papier, il engageait toute sa personne, sa vérité profonde, ses tares et son ingéniosité d'écrivain. Miroir qui dessine une anamorphose de lui-même, ce personnage fantasmagorique, sorte de mensonge au carré, exprime paradoxalement la subjectivité authentique de son « parâtre » génial. « Mme Bovary, c'est moi », dira Flaubert, lui aussi engagé pleinement dans l'aventure de son héroïne hantée par les chimères romanesques, digne descendante de l'hidalgo rêveur. De là à imaginer à notre tour un jeu d'exorcisme littéraire, de *catharsis* ou de libération fictionnelle dans cette affection portée à la figure rêveuse de soi ? Les frontières entre roman et autobiographie que la critique littéraire française s'ingénie à redéfinir sans cesse dans un souci permanent de catégorisation risquent fort de nous faire manquer ici la spécificité du texte, cette innovation qui fait sa modernité : anti-aristotélicien, mettant en échec une exégèse hantée par la systématisation, le roman de Cervantès choisit le flou, réinvente la vie avec une force poétique telle qu'on ne perçoit plus cette dimension profondément subjective du projet. Les correspondances que l'on pourrait établir entre le personnage et ce que nous savons de l'auteur abondent sans doute, mais, plutôt que d'en dresser la liste ennuyeuse, ne peut-on simplement y constater le lien intime entre existence et écriture, suivant un principe d'innutrition qui s'exerce dans les deux sens ?

Il n'est pas anodin que don Quichotte se lance dans son incroyable épopée moderne à peu près à l'âge où Cervantès déploie son imagination d'écrivain. Ou, pour le dire autrement, l'écriture du livre ne parvient-elle pas à enluminer heureusement la vie comme une consécration de soi après les aventures d'un soldat bien mal payé pour sa bravoure ? Cervantès trouve peut-être étrangement dans son double errant la clé d'une personnalité multiforme, cette vérité littéraire qu'il peut enfin porter en lui comme sa propre authenticité. Les aventures du personnage, libéré de la tutelle de son auteur, vivant sa vie jusqu'à nous, font peut-être oublier cette dimension moins manifeste de l'œuvre, secret pour soi, et non pour le public qui, sans le savoir, le recherche et y succombe.

À chercher à retracer la vie de Miguel de Cervantès en glanant des informations souvent données comme incertaines par les biographes eux-mêmes, il est tentant d'établir des correspondances entre cette existence marquée par le voyage, l'expérience militaire et l'errance de don Quichotte qui semble avoir recouvert de sa Triste Figure celle d'un auteur dont on a tendance à oublier le reste de l'œuvre, si l'on excepte les *Nouvelles exemplaires,* publiées en 1613, récit qui prend en partie sa source dans les aventures amoureuses de l'auteur, sujet expliquant peut-être le succès relatif de ce texte tardif, sans commune mesure avec celui du *Don Quichotte.* La quête de l'historien devient périlleuse : qui veut apercevoir la trace de l'écrivain sous le mythe du personnage qu'il a enfanté constate la force de l'imagination qui tord la vie pour la faire coïncider avec la vérité du chef-d'œuvre : ainsi, on prolonge le séjour de Cervantès dans les prisons de Séville, pour lui permettre d'y écrire son roman !

Devant le mystère d'une existence trop lointaine, l'on peut aussi négliger l'homme, l'inventeur au profit du livre, jouer *Don Quichotte* contre Cervantès, comme si l'invention géniale échappait à son auteur, dépassé lui-même par son texte, réalisé dans une semi-conscience créatrice[1]. Pour preuve, on s'appuiera alors sur le reste de l'œuvre, envisagé comme repoussoir, dénigré au profit du premier grand roman moderne que l'on reconnaît en *Don Quichotte.*

1. Voir, à ce sujet, Jean Canavaggio, *Don Quichotte, du livre au mythe,* « En quête d'une identité », un symbole national (p. 167-181) et notamment les pages concernant l'écrivain espagnol Unanumo qui s'oppose au cervantisme officiel, « en exaltant le personnage au détriment de son créateur » (p. 172).

Étrange coïncidence que certains biographes n'ont pas manqué de relever : 1547, Cervantès naît à Alcalá de Henares, dans les environs de Madrid, mais c'est aussi de cette année que date le premier Index interdisant les livres jugés pernicieux. Pris d'une immense passion pour le personnage de don Quichotte, Jacques Brel rêve une telle empathie avec l'auteur qu'il évoque les prétendus démêlés que Cervantès aurait eus avec le Tribunal de la Sainte Inquisition ; or c'est à la justice que le commissaire endetté a dû faire face, et non au pouvoir religieux[1]. Évoquée presque au seuil du roman par la scène violente de l'autodafé, la question de la censure jalonne sans doute l'œuvre, mais elle ne renvoie pas à une expérience vécue. Fragilité et force du livre, qui échappe au feu : plus qu'une métaphore, il faut y lire peut-être la profession de foi de l'écrivain conscient du pouvoir de la fiction, décidé à vivre dans cet espace choisi, élu par lui comme celui où sa vie d'errance l'a heureusement mené.

Difficile également de raconter l'enfance de Cervantès, de savoir notamment s'il a ou non suivi son père Rodrigo, chirurgien itinérant, dans ses pérégrinations. À remarquer que l'existence de son grand-père semble avoir été aussi placée sous le signe de l'errance, certains y ont vu l'indice de la *mancha*[2], cette souillure originelle qui obsède à l'époque les vieux-chrétiens, portant un regard réprobateur sur le *converso,* juif converti qui subit les rancœurs, les jalousies, les haines, en raison d'une réussite sociale jugée scandaleuse aux yeux de ceux qui représentent et défendent la vieille société. Cette hypothèse d'une ascendance cachée est-elle contredite ou corroborée par les témoignages que produit Cervantès pour prouver la pureté de son sang ? À vouloir à toute force démontrer, par de multiples démarches, qu'il n'est pas un « marrane »[3], ne trahit-il pas ses origines apparemment inavouables dans ce contexte historique où l'Espagne semble se débattre avec son identité probléma-

1. Voir Jean Canavaggio, *Cervantès,* Paris, Fayard, 1986, p. 276.
2. En espagnol, au sens littéral : tache ; au sens figuré : flétrissure, déshonneur.
3. Le nom *marrano* signifie « cochon, porc ». L'adjectif qui lui correspond prend le sens de « sale, dégoûtant » (littéralement) et « qui se conduit comme un cochon » (figuré et familier). On comprend alors la valeur péjorative de l'appellatif utilisé pour désigner un « juif converti au christianisme ».

tique ? Et quelle lecture porter alors sur *Don Quichotte,* à voir dans le personnage le fils errant de l'auteur ?

Autre hypothèse délicate : parce que Cervantès fut l'élève de l'humaniste Juan Lopez de Hoyos, doit-on en conclure à une influence décisive de la pensée d'Érasme ? Raccourci dangereux, semble-t-il, même si l'esprit d'ouverture, de questionnement, traduit bien dans l'ensemble de l'œuvre un humanisme qui s'inscrit en droite ligne de celui qui anime la Renaissance. La réflexion sur les rapports entre raison et déraison qui cimente le *Don Quichotte* fait évidemment songer à l'*Éloge de la folie,* discours paradoxal où le jeu d'inversion des jugements déstabilise les certitudes ou, du moins, balaie les préjugés assurant le fonctionnement social : étrange résonance de cette pensée révélatrice d'étrangeté dans le roman qui met le livre, le savoir, à l'épreuve de la vie.

La mystification biographique revêt des formes multiples, elle semble s'expliquer par un effet de retour du roman lui-même, comme si la force fictionnelle du *Don Quichotte* incitait à rêver, affabuler, enjoliver la vie de l'auteur. Ainsi, l'épisode du duel avec Antonio de Sigura qui contraint Cervantès à fuir vers l'Italie en 1569 est parfois passé sous silence. Le coupable devait être condamné à avoir la main droite publiquement tranchée et à être banni du royaume pour dix ans. L'image peu reluisante du fuyard, se dérobant à la justice, contrevenait sans doute à la tendance hagiographique de certaines biographies du grand auteur. Pourtant les amateurs de coïncidences surprenantes et de récits romanesques ne manqueront pas de souligner l'ironie du sort dans cette curieuse existence, Cervantès échappant à une amputation pour malheureusement la subir à l'autre main lors de la fameuse bataille navale de Lépante, blessure qui lui vaudra le surnom de « manchot de Lépante ». D'abord camérier (c'est-à-dire valet de chambre) de Mgr Acquaviva à Rome, il s'engage ensuite (vraisemblablement en 1568) comme soldat aux ordres de Don Juan d'Autriche. C'est en tant qu'arquebusier peu expérimenté et aux côtés de son frère Rodrigo qu'il participe au combat historique qui oppose la Sainte Ligue au Grand Turc. On peut imaginer combien cette expérience militaire a pu être décisive dans l'existence de Cervantès qui évoque à plusieurs reprises sa main blessée, « qu'il tient pour belle »[1] parce qu'il l'associe au triomphe de la coalition chrétienne.

Nouvel épisode, nouveau rebondissement : peu récompensé pour sa bravoure, handicapé et sans argent, il se décide à revenir en Espagne, et sans doute à y obtenir un emploi civil. Il s'embarque à Naples sur la galère *El Sol* ; c'est alors qu'il est fait prisonnier par les corsaires du duc d'Alger ; cinq ans de captivité s'ensuivront, expérience cruciale qui constitue la matière brute d'un récit fictionnel à venir : « L'histoire du Captif », développée sur trois chapitres de la première partie du roman (39 à 41).

Libéré contre rançon du bagne d'Alger, il rentre en Espagne, épouse (en 1584) Catalina de Salazar qu'il connaît seulement depuis deux mois et avec qui il s'installe dans la Manche. Mais après trois ans de vie commune, il reprend sa route, s'éloignant de sa femme, pour des raisons qui restent inconnues. Lassitude, désir d'indépendance, conscience que la vie conjugale ne lui convient guère ? En 1585, il publie son premier roman, *La Galatée,* rhapsodie pastorale où se dessine déjà un art du mélange narratif (histoires enchâssées dans la trame principale) qui s'affirmera dans les récits à venir.

Ce qui est certain, c'est qu'il obtient un emploi de commissaire qui l'amène à Séville ; si ce nouveau métier, qui lui fait sillonner l'Andalousie, semble plus en accord avec son désir de découverte que la vie à Esquivias auprès de son épouse, il lui réserve de nouveaux déboires : vingt ans après le bagne d'Alger, victime d'un abus de pouvoir, puisque le juge grossit sa dette pour le faire arrêter, il est incarcéré dans les prisons de Séville (1597). Ici encore, le mythe romanesque impose ses torsions à l'existence de l'écrivain. Au seuil de son *Don Quichotte,* en guise d'élégante excuse, Cervantès fait naître l'idée du livre « dans une prison » ; suggestion qui amènera certains biographes à prolonger sa détention, cohérence forcée, rêve de voir le roman s'écrire dans un cachot ! Que l'invention géniale du chevalier errant ait germé entre les murs insalubres des prisons de Séville où Cervantès rêve la liberté, voilà

1. J. Canavaggio, *op. cit.,* p. 64.

qui fait sens ; inutile de plier la chronologie réelle au fantasme de lecture.

La parution en 1605 de la première partie du roman, « El Ingenioso Hidalgo don Quijote de la Mancha » ne relève ni du miracle ni de la révélation : l'histoire, le personnage ont été imaginés, pensés des années plus tôt ; une fois libéré, Cervantès ne découvre pas le métier d'écrivain et la force du roman prend sa source dans toutes les tentatives qui précèdent. On pourrait notamment faire remarquer son goût pour le théâtre, né dans l'adolescence, et que sa rivalité avec Lope de Vega a peut-être encouragé. S'il rêvait un autre théâtre, à venir, il n'a pu l'imposer face à son rival qui a su se conformer à l'effet de mode, satisfaisant ainsi le public dans ses désirs du moment et obtenant la confiance des *autores* (qui produisent les spectacles) et des comédiens. En 1615, la parution de *Ochos comedias y ochos entremeses* laisse une trace écrite de ce théâtre problématique, à réinventer, moins consensuel que celui qui l'emporte alors. La saveur que nous trouvons à *Don Quichotte,* la confrontation incessante du réel et du rêve, qui fait voir, comme dans la *comedia* de Calderón, la vie en un songe, ne trouve-t-elle pas l'un de ses plus précieux secrets dans cette représentation ingénieuse qui anime aussi les intermèdes et les comédies moins connues de l'auteur ?

Un mot s'impose enfin sur le texte inachevé de l' « histoire septentrionale », *Persiles et Sigismond,* publiée un an après la mort de l'auteur en 1617 : une interprétation assez répandue propose de lire le texte comme un roman de chevalerie, signe que Cervantès, à la fin de ses jours, aurait renoué avec cette passion qu'il tenterait de soigner dans le *Don Quichotte.* Lecture simpliste du roman, qui, loin de se résumer à la dimension satirique (le ridicule du chevalier), la dépasse par une ambiguïté séduisante, et amalgame par inattention à la matière même de *Persiles,* non plus empruntée à la littérature médiévale, mais prenant comme modèle le roman grec, de facture baroque, que Cervantès cherche à réinventer, à adapter à son époque, suivant en cela le projet humaniste d'une archéologie de la pensée et de l'art antiques qui animait les traducteurs à la Renaissance. Sorte de fantaisie donnant libre cours au merveilleux, qu'il déploie à plaisir, le texte nous fait réfléchir sur les chemins possibles du roman, un regard éclairé sur son art, puisant dans le passé ancien pour se tourner vers l'avenir qu'il perçoit alors même que le temps le lui dérobe, des pages laissées en suspens, traces d'une œuvre foisonnante qui déborde les limites mêmes de la vie, trop étroite pour contenir les méandres d'un esprit suprêmement ingénieux.

Quel signe plus clair de la force du roman à façonner la réalité existentielle que cette suite élaborée par un mystérieux plagiaire (en qui certains ont cru reconnaître Lope de Vega) sous le pseudonyme (ou le nom réel ?) d'Avellaneda, et qui amènera Cervantès à poursuivre lui-même son roman, et peut-être même à faire mourir finalement son personnage pour lui éviter une nouvelle mésaventure ? Si la continuation de l'œuvre était alors une pratique courante, témoignant au fond d'un réel succès de l'original, le but avoué du plagiaire semble ici tout autre : non palimpseste en forme d'hommage, ni même variation exploitant les possibilités littéraires de l'œuvre initiale, mais bien caricature dérisoire, assez falote, visant l'auteur lui-même dans une série d'attaques *ad personam* glissées dans l'œuvre (Cervantès y apparaît comme un infirme, avouant n'avoir qu'une main, un cocu notoire, sénile de surcroît !). La riposte ne se fait pas attendre : un an après la parution du faux *Don Quichotte* (1614), Cervantès publie la seconde partie du roman, où c'est par le pouvoir de la fable qu'il choisit de tourner en ridicule le faussaire. Parce qu'il a voulu rivaliser sur le terrain de l'imagination créatrice, le médisant, pris au piège du roman, devient personnage dérisoire, de peu de crédit. Le débat permanent sur la vérité fictionnelle, qui animait déjà les conversations dans la première partie du roman, s'approfondit ainsi dans la seconde, comme si la médiocrité même de l'ennemi servait l'imagination de Cervantès, réalisant magistralement une revalorisation éthique en acte, par la légèreté ingénieusement ironique de son écriture.

Le refus de rentrer dans le jeu infernal des injures manifeste dès les premières lignes du prologue une suprême élégance littéraire, jamais démentie par la suite. L'adresse directe au lecteur place le malavisé sur la touche sans même qu'il n'ait droit à une sanction morale, à un mouvement de colère, tout simplement oublié, par un silence autrement méprisant que toute réponse enflammée : « [...] tu voudrais peut-être que je traite cet homme-là d'âne, de sot, d'impertinent ? Eh bien, sache que je n'en ai pas la moindre attention. Qu'il soit puni par le péché qu'il a commis ; c'est son affaire et non la mienne » (p. 7). Il incombe alors aux personnages eux-mêmes de se faire les défenseurs de leur auteur, avec témoins à l'appui. Ainsi, Sancho s'échauffe contre son double : « Ce Sancho dont vous parlez [...] doit être un fieffé coquin doublé d'un imbécile. Parce que le vrai Sancho, c'est moi, et j'ai de l'esprit et des plaisanteries à revendre » (p. 573). Et don Alvaro de lui répondre, convaincu : « Je vous crois sans mal, [...] car vous, mon ami, vous avez dit en quelques phrases plus de drôleries que l'autre Sancho dans tous les discours – et il y en a eu ! – que je lui ai entendu débiter » (p. 574).

La *Deuxième partie de don Quichotte de la Manche* par Avellaneda devient dans le roman l'occasion d'une réflexion sur l'authenticité littéraire, les dialogues animés permettant au passage d'asséner quelques coups à l'imposteur, « auteur peu connu » (p. 573), « un dénommé Avellaneda, natif de Tordesillas » (p. 575) devenu suppôt des enchanteurs malfaisants suivant la logique merveilleuse qui le gifle d'un sourire (p. 574-575). C'est le jugement des personnages de fiction qui se substitue alors à celui de l'auteur, truchement qui assure à la fois l'élégance de la riposte et le comique du récit : passage facétieux que celui où les feuilles du livre honni s'envolent, tandis qu'un dialogue entre deux diables, rapporté par le personnage féminin d'Altissidore, nous fait assister à la destruction du livre : « Jette-le, reprit le premier, dans les abîmes de l'enfer ; je ne veux plus le voir ! – C'est donc un si mauvais livre ? – Si mauvais que, si j'avais essayé de faire pire, je n'y aurais pas réussi ! » (p. 561). Ultime flèche décochée au faussaire, comme un salut ironique de l'artiste, le discours de mise en garde du conteur Sidi Ahmed, ouvert par un quatrain (procédé qui fait songer à la manière rabelaisienne), interdisant solennellement de toucher à l'œuvre, est suivi d'une prosopopée de la plume elle-même :

> Oui, don Quichotte est né pour moi seule, et moi pour lui : il a agi, et moi j'ai écrit. Nous sommes faits l'un pour l'autre, quoi qu'en dise et en pense ce prétendu écrivain tordesillesque, qui s'est permis – ou se permettra encore – d'écrire, avec une plume d'autruche mal affilée et grossière, les exploits de mon valeureux chevalier ; il a les épaules bien trop frêles pour un pareil fardeau, et l'esprit bien trop fade pour pareil sujet. [...] (p. 590).

À celui qui lui reprochait d'être « manchot » (p. 7), Cervantès répond par l'élégance de la plume ; dès le prologue, le renversement de l'infirmité en force glorieuse, par le travail de l'imagination active, invente la source mythique de cette ingéniosité qui manque au détracteur : « [...] si aujourd'hui on me proposait de revenir en arrière, je préférerais avoir participé à cette bataille prodigieuse que de retrouver l'usage de ma main gauche et de n'y avoir pas été » (p. 7). Puisant sa fierté dans la souffrance acceptée, Cervantès construit l'image de l'auteur à la main brisée, armé désormais d'une plume que rien ne peut arrêter, l'écriture souveraine resplendissant face à la pauvre médisance.

Cette mystification est significative non d'une appropriation du texte, mais d'un dépassement de soi, de la souffrance même, dans et par le livre où s'invente un autre voyage, surréel et essentiel, où se découvre une autre posture de réflexion, parce que le « je » y devient noyau poétique, origine de ce qui se crée, et non position de repli sur les traumatismes de la psyché. Séduction de la voix : lisez Montaigne, ouvrez les *Essais,* au hasard, à n'importe quelle page, c'est la même résonance que vous entendez en vous, dans le silence de la lecture, c'est cette instance que vous réinventez en vous, une voix qui orchestre le livre, cite Lucrèce comme Cicéron et raconte les anecdotes les plus diverses. Voix qui vous attache au livre parce que se devine une pensée qui trace sa force dans le style, comme un sillage qui ne s'effacerait pas, une voix éteinte, à l'écho persistant.

Éros et écriture

Ce qui se joue alors s'apparente à une impossible rencontre, puisque le texte se livre comme la trace opaque d'une personnalité absente, que le lecteur voudrait rejoindre, tout en sachant que le sens réside dans l'imposition d'une distance salutaire : la littérature échappe à l'empire de la communication, elle dépasse l'impératif du message, elle commence à exister comme parole libre, pensée souveraine, lorsque « je » devient un autre, s'invente dans un espace d'authenticité imaginaire qui confère une dimension subjective au-delà de l'échange, de la recherche d'un regard. Écrire implique alors de se perdre soi-même comme évidence personnelle, de dépasser la notion suspecte de caractère. Pivot d'une déclinaison phénoménologique conçue comme voyage en bibliothèque, l'*ethos* littéraire est permanence dans le mouvement : regard qui tient le cap, tandis que se trace le sillage, conscience embarquée dans une aventure ontologique, amarres rompues, rivage délaissé, miroir brisé, quand se vise un horizon qui est paysage né d'une imagination comprenant la force de dérive, dans un désintérêt de soi. L'écriture est inscription dans le temps qui ramène à cette fuite héraclitéenne, acceptation de la loi souveraine du perpétuel changement :

> Ains, quant et l'estre tout un, change aussi l'estre simplement, devenant tousjours autre d'un autre[1].

Par les jeux éthiques qu'autorise la parole littéraire, et notamment la création de personnages, se révèlent l'instabilité du moi, la quête de l'être comme errance jouissive, où, à force d'une usure de la matière, le geste poétique acharné de déclinaison ontologique dessine une sculpture jamais achevée qui façonne le regard porté sur les choses. Dans la fracture entre le monde et le langage gît le rêve de Cratyle et s'avoue l'abandon des certitudes sur le moi, devenu piège, toile d'araignée où s'enlise la pensée, alors qu'elle découvre l'aptitude à voguer en haute mer, quand il n'est plus question de contempler le reflet de soi, mais de s'abîmer dans les reflets ondulés qui font question.

Le Pr Kien, imaginé par Canetti, exprime sa méfiance à l'égard du roman, dans un morceau en discours indirect libre qui dit en même temps, par la friction entre les voix, la reconnaissance de la diffraction éthique, multipliant les points de vue :

> C'est vrai, il lui [Thérèse] avait promis un livre. Pour elle, il ne pouvait s'agir que d'un roman. Mais l'esprit ne se nourrit pas de romans. On paye trop cher le plaisir hypothétique qu'ils apportent : ils arrivent à désagréger le caractère le plus ferme. Ils vous apprennent à vous mettre à la place de toutes sortes de gens. On prend goût à ces changements perpétuels. On se confond avec les personnages qui vous plaisent. On admet tous les points de vue. On s'abandonne de bon gré à des buts qui vous sont étrangers et l'on perd pour longtemps les siens de vue. Les romans sont comme des coins que l'écrivain, ce

1. Montaigne, *Essais,* II, 12, « Apologie de Raymond Sebond », p. 603.

comédien de la plume, enfonce dans la personnalité fermée de ses lecteurs. Mieux il calcule les dimensions du coin et la résistance qu'il rencontrera, et plus grande sera la fissure. Les romans devraient être interdits par l'État[1].

Suspecté par le personnage, le roman représente, dans la lignée philosophique héritée de Platon, le pouvoir d'érosion de la fiction, apte non seulement à façonner mais à fissurer les âmes : sanction qui trouve tout son sens ironique dans cet écho de la voix fictionnelle elle-même, puisque la maladie livresque de Kien réside, à l'inverse, dans une forme d'idéalisme forcené, lecture donquichottesque qui assimile la parole du livre à une vérité révélée, applicable, tandis que l'espace de réalité (fictionnelle) est perçu comme en un songe où Kien avance, presque en aveugle, étranger au mouvement des vies, marchant en lui-même, avançant en une mémoire de bibliothèque. Comme frappé d'agueusie, Kien plonge dans le livre pour y trouver la seule saveur qui subsiste en sa psyché désolée, trop assurée de la médiocrité ambiante.

Or la séduction littéraire, dont Kien se méfie, est précisément redécouverte de la saveur du monde, enluminé par la fiction qui enchante le regard d'une colorisation poétique, comme si la plume disait, en son désir d'écrire, le refus d'un mutisme des choses : les faire vibrer de paroles sonnantes, leur donner un sens fictionnel parce qu'on les sait insensées, tel est l'attrait qui porte à tracer d'une voix silencieuse un sillon sur la matière endormie du monde et à ouvrir le livre, tombeau qui recèle la mémoire musicale de l'être éparpillé en éclats de mots.

La poésie des chapitres 55 et 56 du *Quart Livre* de Rabelais, épisode des paroles gelées, se nourrit de la matière colorée des mots réveillés, retrouvant leur matérialité, ce qui suscite la peur panique de Panurge, désemparé à l'écoute de ce concert insensé, inapte au plaisir de la gratuité verbale. « Ventre bieu ! est ce mocque ? Nous sommes perdus ! Fuyons !... » (p. 1068). Le choc des mots de gueule renaissant au dégel fait voir la réalité sonnante du langage, en redonnant au son sa force de déflagration :

Lors nous jecta sur le tillac plenes mains de parolles gelées, et sembloient dragée perlée de diverses couleurs. Nous y veismes des mots de gueule, des

1. Elias Canetti, *op. cit.*, p. 55.

mots de sinople, des mots de azur, des mots de sable, des motz dorez. Les quelz, estre quelque peu eschauffez entre nos mains, fondoient comme neiges et les oyons realement, mais ne les entendions car c'estoit languaige Barbare. Exceptez un assez grosset, lequel ayant frere Jan eschauffé entre ses mains, fit un son tel que font les chastaignes jectées en la braze sans estre entomnées lors que s'esclatent, et nous feit tous de paour tressaillir. « C'estoit (dist frere Jan) un coup de faulcon en son temps. »[1]

Le plaisir pris à la récitation insensée libère le mot du cadre de la signification pour instaurer un ordre musical où la plume elle-même semble dessiner une caresse toujours recommencée, où le sens se définit essentiellement comme « ce qui plaît », valeur intacte de séduction esthétiquement authentique, non adaptation rhétorique à un public déterminé, mais bien charme qui relie temps et subjectivité. « Penser sans s'en apercevoir », énoncé insolent car il pose la possibilité d'une facilité réflexive en elle-même sacrilège, refus d'une suprématie du labeur, du travail, revendication d'un art de ne rien faire, laissant advenir un trajet intellectuel involontaire. J'accepte que « ça pense » en moi, dans un et par le plaisir de lire, parce que je devine dans ces lignes mystérieuses les vestiges d'une voix de désir, d'une faim de dire le monde, de se hisser au-delà des barreaux d'une prison personnelle, pour un clin d'œil comme le rêve d'entrevoir, l'espace d'un instant, l'être des choses.

Voyager en bibliothèque

Le livre exerce aujourd'hui une séduction anachronique, objet élégamment désuet à l'ère des nouvelles technologies, qui retient par sa matérialité même, alors qu'il recèle la possibilité d'un déploiement imaginaire sans images imposées. Activité à rebours que ce voyage immobile en bibliothèque, tandis que le mouvement brownien s'accroît alentour. Jusque dans l'avion, le livre trace pour l'esprit un chemin de pensées mêlées, restaurant le rythme ralenti du temps de la lecture. L'écran est limitation du regard, obstacle qui bouche l'horizon,

1. Rabelais, *op. cit., Quart Livre,* p. 1073.

lieu des décors déjà là ; le livre est pliage de mots qui implique l'œil de l'imagination, là où rien n'est donné à voir, où tout est fabrique de l'esprit suivant le fil d'Ariane d'une parole muette. Savoir lire ne veut rien dire : la lecture ne vaut que si elle fait voir le monde, vraiment, autrement, traçant un voyage surréel qui permet d'approcher la question même des limites du savoir. La fiction y tient une place reine, parce qu'elle se donne comme voix jouant de l'autorité, avouant un régime propre de mensonge, construite autour de l'éclatement éthique ; au sein de la bibliothèque, le roman est peut-être le livre qui, par excellence, mérite le feu.

La nouvelle de Borges « La Bibliothèque de Babel », débute par une assimilation, établie à partir d'une correspondance linguistique : « L'univers (que d'autres nomment la bibliothèque) [...] »[1] ; la découverte de cet étrange lieu sans contours précis s'apparente à un voyage dans un espace infini et un temps éternel, bibliothèque fantasmatique qui recèle tous les secrets du monde, immense livre-réponse où l'esprit avance paradoxalement dans une pensée inscrite *ab aeterno,* sanctuaire de l'intelligence imaginé comme un labyrinthe organisant des entités uniques, aucun livre n'ayant son semblable. Inacceptable dans cet espace parfaitement organisé, l'idée même du non-sens : « Les impies affirment que le non-sens *[el disparate]* est la règle dans la Bibliothèque et que les passages raisonnables, ou seulement de la plus humble cohérence, constituent une exception quasi miraculeuse. »[2] La veine fictionnelle, romanesque ne se situerait-elle pas à la lisière de ce non-sens ? Livrée à elle-même, la fiction pulvérise l'organisation de la Bibliothèque par le régime de désordre qu'elle instaure, par le rire qu'elle fait entendre, courant d'air joyeux venant dépoussiérer le savoir sérieux, lui intimant non de répondre aux questions insolentes qu'elle lui adresse, de biais, ironique, mais à tout le moins de les accepter. Faire entrer le jeu dans l'espace du dogme mène à une déconfiture du savoir, pris au piège de sa posture d'inertie. La fable est surprise qui désarçonne l'esprit et substitue au livre parfait, image du monde susceptible d'être à tout le moins

1. Jorge Luis Borges, *Fictions,* Paris, Gallimard, « Folio », 1994, p. 149.
2. *Ibid.*, p. 167.

appréhendée, un livre en errance, image d'un monde soumis à l'entropie, en devenir, évoluant entre transparence et opacité, livre multiple jamais achevé.

Apprendre à lire est apprendre à voir dans l'ombre, à percer la nuit de l'imagination et, si le regard s'épuise à déchiffrer les hiéroglyphes, c'est en vue d'une plus grande acuité du regard de l'esprit : paradoxe d'un risque de cécité, physique, accepté dans l'espoir de percer le miroir du monde. Aveugle volontaire, refusant de porter le regard alentour, Kien craint la cécité, hantise d'être privé du livre, exilé dans sa propre bibliothèque :

> Kien se jura de se donner la mort s'il était menacé de cécité[1].

Regard rivé à la page, esprit égaré dans un monde qu'il dédaigne, le professeur renverse l'opposition entre réalité tangible et monde intelligible, en affirmant par sa pratique la surréalité livresque, non seulement supérieure mais radicalement choisie comme étrangère au mensonge :

> Comme il n'éprouvait pas la moindre envie de prêter attention aux gens, il tenait les yeux baissés, ou, au contraire, son regard passait au-dessus d'eux[2].

Cauchemardée, la menace d'autodafé s'apparente à la destruction d'un gigantesque ouvrage, livre-univers qui sature le regard, somme de savoir saccagé dans les visions fantasmées de Kien, animant le livre d'une vie sacrée :

> Il voit un livre qui grandit de tous côtés et qui finit par emplir le ciel et la terre, l'espace entier jusqu'à l'horizon. Lentement, patiemment, une braise rouge en consume les bords. Calme, silencieux, résolu, le livre subit la mort des martyrs. Les humains poussent des cris aigus, le livre brûle en silence. Les martyrs et les saints ne crient pas[3].

L'une des inventions majeures de Montaigne consiste en l'élaboration d'un mode de lecture-écriture sans précédent qui dessine une pensée voyageuse, à jamais embarquée, pensée qui interdit à l'âme de « prendre pied » (« Du Repentir », p. 805), l'oblige toujours à s'essayer,

1. Elias Canetti, *op. cit.*, p. 30.
2. *Ibid.*, p. 21.
3. *Ibid.*, p. 53.

en aventure, pensée composant avec un défaut de mémoire qui interdit le psittacisme et oblige à réactualiser sans cesse l'état des connaissances susceptibles de s'évanouir. À lire le *Journal de voyage,* c'est tout un mode d'être au monde qui se découvre, en résonance profonde avec une réflexion inlassablement menée hors du carcan de la dissertation, anti-rhétorique, au sens où Montaigne entend ce mot, réflexion impliquant un art de la transition, qui, refusant le voyage intellectuel organisé, ose faire confiance au cheminement naturel de la pensée, à l'improvisation permettant au jugement de s'exercer librement.

> Qui ne voit que j'ay pris une route par laquelle sans cesse et sans travail, j'iray autant qu'il y aura d'ancre et de papier au monde ? (*Essais,* III, 9, « De la Vanité », p. 945).

Articulation entre l'allusion au mot de l'*ecclesiaste* : *Vanitas vanitatum, et omnia vanitas,* qui ouvre le chapitre « De la Vanité », et la critique du vain babil (« Tant de paroles pour les paroles seules », p. 946), cette phrase allie étrangement autodérision – Montaigne se choisit comme première cible en taxant son entreprise de vanité – et revendication – la question purement oratoire permet d'affirmer plus fortement l'évidence d'une pulsion-puissance de l'écrivain : l'écriture des *Essais* résulte d'une soif d'écrire inextinguible.

Le risque d'adhérence, qui conduit Kien à l'autisme livresque, passe par la mémorisation. Fort de son amnésie avouée, « incroiable defaut de memoire » qu'il évoque dans le chapitre « De l'Institution des enfans » (I, 26, p. 174) ou encore dans l'essai « Des Livres » (p. 418), « trahison de ma memoire, et son defaut si extreme, qu'il m'est advenu plus d'une fois de reprendre en main des livres comme recents et à moy inconnus, que j'avoy leu soigneusement quelques années au paravant et barbouillé de mes notes... »), Montaigne invente un art de lire antiscolastique, refusant l'impossible récapitulation du savoir : « Je ne cerche qu'à passer » (III, 9, « De la vanité », p. 949), profession de foi voyageuse à mettre en rapport avec l'enjeu esthétique et philosophique : « Je ne peints pas l'estre. Je peints le passage... » (III, 2, « Du Repentir », p. 805), affirmation qui découle elle-même d'une conception du monde, en mouvement : « Le monde est une branloire perenne » (même chapitre, p. 804).

À la fois désacralisation du livre et passion du livre lorsqu'il témoigne pour la vie de l'esprit. Faire son miel, ce n'est pas avaler le livre (dans le roman de Canetti, on rencontre un personnage de dévoreur de livres à l'estomac rectangulaire[1] ; songeons aussi au vénérable Yorgué, bibliothécaire dans *Le Nom de la Rose* d'Umberto Eco, qui avale les pages du livre interdit : « Je scelle ce qui ne devait pas être dit dans la tombe que je deviens »), ce n'est pas non plus posséder le livre, mais s'y trouver dépossédé. Montaigne choisit un mode d'écriture qui conjure l'endoctrinement : écriture polyphonique et additive : dialogue avec les auteurs, dialogue avec soi, sans prétendre à l'amendement.

Pratique insolente de la bibliothèque.
Ouvrir le livre au vent

Insolente au sens étymologique : qui vient contredire l'habitude, s'invente, nouvelle, contre une pratique scolastique, refusée comme pure gymnastique mécanique permettant l'acquisition d'un savoir qu'on pourra alors imposer aux autres, comme une arme rhétorique contraignante : *Aristoteles dixit.*

L'innovation de Montaigne est aussi redécouverte d'un mode de pensée antique qu'il adapte pour lui-même, s'inspirant du *sermo pedestris* pour construire une poétique de la voix, faire entendre la pensée en chemin, jusque dans ses errances. Pourquoi une telle fascination pour l'*Ecclésiaste* ? Il ne s'agit pas seulement d'un étrange effet de mode philosophique[2]. Par-delà l'engouement, c'est bien une affinité profonde avec cet air que Montaigne insuffle à la bibliothèque, résonance qui se conçoit à travers la référence insistante à la voix de Quohelet, « celui qui s'adresse à la foule ».

1. Elias Canetti, *Auto-da-fé,* p. 324. Le Cochon-démon du Mont-de-Piété, personnage forgé par Fischerle pour susciter l'effroi de Kien, incarne cette terrible menace d'engloutissement de la connaissance : « Avez-vous vu son ventre ? [...] Il y a des gens qui disent que le ventre fait des angles. [...] Il... – dévore les livres ! »

2. *Cf.* Alain Legros, *Essais sur poutres. Peintures et inscriptions chez Montaigne,* Paris, Klincksieck, 2000, p. 207 : « Les contemporains de Montaigne, surtout dans les années 1570, avaient pour l'*Ecclésiaste* une sorte de prédilection qui avait gagné jusqu'à la Cour. »

Dépassant le paradoxe ouverture-fermeture, Montaigne fait respirer le livre, l'anime d'un souffle de vie, en élaborant une polyphonie qui mêle les voix reconnues, les citations livresques, les bons mots, et les paroles jetées au vent que l'essayiste vient recueillir comme un précieux pollen. Les *Essais* offrent une réelle émotion intellectuelle : théâtralisation d'une philosophie qui fait tournoyer les savoirs en un tourbillon qui les éclate, invention d'un mode d'écrire et de penser qui donne accès à la relativité. Extrait d'un rayonnage, le volume se trouve embarqué dans un entrelacs citationnel qui vient construire un discours nouveau, où chaque autorité, mise en perspective, défossilisée, reprend souffle de vie. À travers la parole dictée, Montaigne trace son chemin, sinueux à plaisir, cherchant dans les livres non un savoir établi, mais un aiguillon pour sa propre réflexion, il butine, glane, sans prendre racine : « La lecture me sert specialement à esveiller par divers objets mon discours, à embesongner mon jugement, non ma memoyre » (III, 3, « De trois commerces », p. 819).

Le refus de l'étude s'explique par l'objectif visé, non se farcir la tête, jeu de mémoire d'écolâtre, mais exercer son jugement ; car c'est bien là le concept essentiel qu'il invente. Désacralisation des livres et mise en doute permanente de leur fonction prétendument instructive ouvrent la voie à un mode de lecture autonome, décomplexée. « Je ne cerche aux livres qu'à m'y donner du plaisir par un honneste amusement » (II, 10, « Des livres », p. 409). Divertissement mais aussi objet de diversion, puisqu'ils « destournent » d'une « imagination importune » (III, 3, « De trois commerces », p. 827).

Suspicion, réticence à l'égard du livre, non pour l'abandonner, mais pour le lire autrement, pour y faire respirer la voix d'un auteur, prédécesseur, devancier, qui s'est essayé à penser. Méfiance aussi, qui entre en résonance avec les mots de l'*Ecclésiaste* :

> Car
>
> Dans abondance de sagesse est abondance de chagrin et ajoute-t-on à la science, on ajoute à la douleur (*Ecclésiaste,* I, 18)[1].

1. *La Bible, Ancien Testament,* II, édition publiée sous la direction d'Édouard Dhorme, Paris, NRF-Gallimard, « La Pléiade », 1959, p. 1505.

Une pensée voyageuse

Montaigne fait figure de Voyageur-découvreur :

Qui suit un autre, il ne suit rien. Il ne trouve rien, voire il ne cerche rien (I, 26, C, p. 151).

Les *Essais,* relais de la pensée antique, livre ouvert qui nous en ouvre mille, immense prosopopée, mais surtout livre témoignant d'une vie qui se pense, voire d'un écrivain qui se laisse penser : acceptant que « ça pense » en lui-même. Montaigne respecte ses pérégrinations intérieures, il s'aventure avec son jugement pour seule boussole sur la mer des opinions. *Topos* antique, que l'on trouve notamment chez Horace où est évoquée la traversée sacrilège représentant la témérité humaine : « En vain, un Dieu, dans sa sagesse, a désuni et séparé les terres : des bateaux sacrilèges traversent les eaux qu'ils ne devraient pas franchir. La race humaine a toutes les audaces : elle se rue sur ce que lui interdit la divinité » (*Odes,* I, 3)[1].

Deux métaphores, « passer par l'estamine » (I, 26, p. 151) et « sonder le gué » (ouverture capitale du chapitre I, 50, « De Démocritus et Héraclitus », p. 301), pour concrétiser ce travail du jugement, le gué trop profond, disant l'aporie, signale non l'échec mais la confirmation de la limite des compétences. La seconde métaphore fait de l'essai une exploration d'aventurier : « Tantost à un subject vain et de neant, j'essaye de voir s'il trouvera dequoy donner corps, et dequoy l'appuyer et l'estançonner. Tantost je le promene à un subjet noble et tracassé, auquel il n'a rien à trouver de soy, le chemin en estant si frayé qu'il ne peut marcher sur la piste d'autruy. Là il fait son jeu à eslire la route qui lui semble la meilleure, et, de mille sentiers, il dict que cettuy-ci, ou celuy là, a esté le mieux choisi. »

De la vanité des paroles. Les masques rhétoriques

Montaigne diagnostique les maladies intellectuelles contractées par la lecture, notamment dans l'essai « Des Boyteux » où, à partir de la

1. Horace, *Odes et Épîtres,* traduites pas François Richard, Paris, GF, 1967, p. 51.

paronomase cause-chose, il développe une réflexion sur les égarements de la raison cachés sous le vernis rhétorique : « Notre esprit est capable d'estoffer cent autres mondes et d'en trouver les principes et la contexture. Il ne luy faut ny matiere ny baze ; laissez le courre : il bastit aussi bien sur le vuide que sur le plein, et de l'inanité que de la matiere [...] » (III, 11, « Des Boyteux », p. 1027).

Il s'inscrit en faux contre l'obscurité et la difficulté utilisés comme procédés par les savants pour imposer leur imposture : (voir l' « Apologie », p. 508, « monoye C que les sçavants employent, comme des joueurs de passe-passe, pour ne descouvrir la vanité de leur art »). Il refuse encore les subterfuges rhétoriques visant à créer des cohérences forcées, par peur du vide. Refus, enfin et surtout, de la fixation du discours, qui fait croire au mythe du texte inaltérable. Montaigne semble reprendre à son compte la parole d'Horace ; les mots s'usent avec le temps : « [...] toutes les œuvres sont mortelles et condamnées à disparaître, à plus forte raison les mots ne conserveront-ils pas un éclat et un crédit éternels [...] » (*Art poétique,* p. 261). En même temps, le mot une fois lancé ne revient pas, à la fois vain et irréparable, il ne peut être corrigé, mais suscite commentaire. La dynamique des *Essais* tient à ce parti pris de la non-correction, qui construit une nouvelle forme d'œuvre, non lieu de pétrification, mais lieu où résonnent pour nous encore des mots qui enfin ne perdent pas leur éclat.

Métaphores du voyage

Constamment, par un mouvement de représentation, de métaphorisation de la pensée, Montaigne offre à percevoir une géographie où vient s'essayer l'esprit en aventure[1] : « Ceux qui ont la clé des champs », les innovateurs en matière de lois, les vagabonds irréfléchis (I, 23, « De

1. *Cf.* Margaret Mac Gowan, « De la plume comme des pieds », *in Montaigne et la rhétorique,* colloque de la SAM, Paris, Champion, 1985. Évoquant « une autre rhétorique, plus séduisante » : « Qu'il s'agisse de l'instabilité et de la mobilité de la pensée et de l'écriture, Montaigne arrive à leur donner une présence presque matérielle. L'abstrait est incorporé [...] par une extériorisation des processus mentaux où l'on voit le "pied" dessiné par la "plume" » (p. 172).

la coustume et de ne changer une loi receüe », p. 122) ; comme un *leit-motiv,* l'idée d'un chemin, d'un tracé, d'une route que l'esprit emprunte.

Et, notamment, nous nous arrêterons sur la « borne » ; parmi les vingt emplois du mot dans les *Essais*[1], dix-huit sont à entendre au sens figuré : non frontière spatiale, qu'on reconnaît de fait, mais barrière qu'on s'impose délibérément. Dans l' « Apologie », Montaigne pointe du doigt la présomption humaine en opposant les « bornes de notre science » aux « bornes [que] nous [...] prescrivons [à Dieu] » (p. 253). À rattacher à la devise « Je suspens », la métaphore de la borne sert un agnosticisme de prudence intellectuelle.

Ailleurs, la borne métaphorise la mort nécessaire, la prudence naturelle voulant que l'on sache s'arrêter à temps « sur le chemin de la vie » de l'humaine comédie[2] afin de ne pas transformer l'existence en un fardeau. Mourir de vieillesse, « c'est bien la borne au-delà de laquelle nous n'irons pas » (I, 57, « De l'Aage », p. 326). L'idée qu'il convient de partir à temps pour s'épargner les prolongations douloureuses est héritée de Sénèque : « Voilà ce qu'on trouve dans une vie qui dure, comme en un long voyage, la poussière, la boue et la pluie » (lettre XCVI)[3]. Ou encore : « Et toi tu ne pensais pas que tu finirais par l'atteindre, ce lieu où tu allais depuis longtemps ? Tout chemin a son terme » (lettre LXXVII, p. 92). Ces passages pourraient être mis en regard de l'emblème d'Alciat[4], intitulé « Terminus », dessinant un homme, jambes scellées dans une tombe. Autre belle métaphorisation du mourir, Sénèque représente la mort comme « une glissade hors de la vie » (lettre LXXVII, p. 91).

Le but, le bout ? — On notera une substitution significative :

Le but de notre carriere, c'est la mort, c'est l'objet necessaire de nostre visée (I, 20, « Que Philosopher c'est apprendre à mourir », p. 84).

1. Voir Roy Leake, *Concordance des* Essais *de Montaigne,* Genève, Droz, 1981.
2. *Cf.* Pascal, *Pensées,* éd. de Philippe Sellier, Paris, fr. 595, p. 415, pour faire entendre ces mots en une autre résonance : « Les rivières sont des chemins qui marchent, et qui portent où l'on veut aller. »
3. Sénèque, *Lettres à Lucilius,* traduites pas Alain Golomb, Paris, Arléa, 1990, p. 132.
4. Alciat André, *Les emblèmes,* Paris, Klincksieck, 1997, fac-similé de l'édition lyonnaise Macé Bonhomme de 1551.

Mais il m'est advis que c'est bien le bout, non pourtant le but de la vie ; c'est sa fin, son extrémité, non pourtant son objet (III, 13, « De l'Expérience »).

Par le biais de la métaphore-clé de l' « humain voyage », l'angoisse liée à la certitude de la mort s'émousse au fil des *Essais* jusqu'à laisser percer une sagesse proprement épicurienne : la simplicité du vivre s'exalte en une litanie de la joie interdisant la fixité d'un regard sur la mort. Glissement métaphorique essentiel qui dit peut-être une pensée plus sereine. La reformulation est modification essentielle de l'orientation, non rectification qui annulerait le moment réflexif précédent, mais ajout d'une strate qui induit une nouvelle conception, montrée dans le déplacement de l'image, le texte ne pouvant dès lors être perçu comme structure statique, mais s'inventant comme corps dynamique, dont la texture métaphorique assure la métamorphose permanente.

Le texte embarqué

Sans cesse soucieux de préserver la respiration vitale du texte, Montaigne construit par le procédé d'addition une subjectivité d'écriture en allée, en devenir, jamais arrivée à terme : « J'adjouste, mais je ne corrige pas » (III, 9, p. 963). Affirmation à rapprocher d'une réflexion du secrétaire accompagnant Montaigne en voyage : « Monsieur de Montaigne fuyait fort de repasser même chemin. »[1] Il fait aussi remarquer le goût de Montaigne pour les détours ou crochets improvisés qu'il s'offre (p. 111, 120)[2], par exemple pour voir « certaines villes d'Allemagne » (p. 120). Une double équation semble s'établir : corriger = repasser même chemin, et ajouter = se détourner de sa route. Comme si détours du voyage et additions des *Essais* provenaient d'une même démarche : éviter le déjà-vu (*Essais,* p. 962 : « Je hay a me reconnoistre et ne retaste jamais qu'envie ce qui m'est une fois eschappé »), multiplier les points de vue pour faire surgir les questions. En même temps, l'ajout est refus de la correction chez un esprit libéré de la croyance en un « amende-

1. Montaigne, *Journal de voyage,* éd. de Fausta Garavini, Paris, Gallimard, « Folio », 1983.
2. *Ibid.*, p. 111, 120.

ment » : « Moy à cette heure et moy tantost sommes bien deux ; mais quand meilleur, je n'en puis rien dire. Il feroit beau estre vieil si nous ne marchions que vers l'amendement. C'est un mouvement d'yvroigne titubant, ou des joncs que l'air manie casuellement selon soy » (III, 9, « De la vanité », p. 964). Ajouter ou être embarqué dans le mouvement de pensée irrémédiablement inscrit dans le temps, accepter d'avancer dans le régime de l'erreur, plus vrai que l'inertie idéaliste.

À la belle illusion d'une marche vers le progrès, Montaigne oppose deux peintures suggestives, l'une montrant l'égarement par l'ivresse, l'autre la versatilité par les changements de direction au gré du vent : errance, maître mot qui caractérise la nature humaine. L'addition, nouvel essai de soi, substitue au mouvement linéaire illusoire un tracé labyrinthique plus apte à dire une vérité d'instant, l' « âme » étant « tousjours en apprentissage et en espreuve » (III, 2, « Du Repentir », p. 805). L'addition est entendue par Montaigne comme une dérive éclairante qui gomme les évidences réductrices, et non digression qui ferait perdre le fil du discours ; elle épouse les méandres d'une pensée en chemin[1]. On décèlera dans l'auto-ironie de Montaigne une forme de regard oblique[2] sur soi, qui est conscience critique évitant le pédantisme de l'omniscient, tel qu'il sera dépeint par René Daumal ; figure absurde dont le trône s'orne de cette inscription : « JE SAIS TOUT, MAIS JE N'Y COMPRENDS RIEN. »[3]

S'ouvrir au monde depuis la Tour

Dans ses *Essais sur poutres,* Alain Legros évoque la position ambiguë de la librairie de Montaigne :

> [...] un lieu retiré, à l'écart, d'accès pénible, loin de la presse, de la mère, de l'épouse, de la fille, un bastion, un « coin » ; une tour de guet, un poste avancé, une sorte de barbacane, un centre de commandement et de surveil-

1. Voir les analyses d'André Tournon dans *La Glose et l'essai,* Lyon, PUL, 1983 ; Paris, Champion, 2000.
2. *De l'Ironie littéraire. Essai sur les formes de l'écriture oblique,* Paris, Hachette, 1996.
3. René Daumal, *La Grande Beuverie,* Paris, Gallimard, « L'Imaginaire », 1938, p. 106.

lance qui domine le château et l'entrée. Un espace clos et rond, centripète, une enveloppe protectrice, mais ouverte sur trois, et même – avec le cabinet attenant – sur quatre points cardinaux. Une bibliothèque dont les livres ne seraient pas lus, à peine feuilletés ; un endroit où l'on jouit d'être seul, en dépit de la présence probable, quand bien même elle serait éphémère, d'un secrétaire ou d'un ami de passage. Un recès où réfléchir et où écrire, mais en se promenant, l'immobilité des jambes paralysant sinon toute pensée. Un logis où Montaigne habite et n'habite pas[1].

La « librairie » est décrite à la fin du chapitre « De trois commerces » (III, 3, p. 828) : c'est une cabine de capitaine (« ma librairie d'où tout d'une main je commande à mon mesnage »), c'est son lieu : « C'est là mon siège. » Rêvant d'un « proumenoir » (« j'enregistre et dicte, en me promenant, mes songes que voicy »), Montaigne évoque le mouvement inhérent à la pensée : « Mon esprit ne va, si les jambes ne l'agitent » *(ibid.)*. Lieu où s'exerce aussi le regard, du livre à l'horizon qui s'offre à travers chaque percée, le texte ne pouvant s'écrire face à un mur. Montaigne domine son domaine, sa région, son temps depuis ce poste favori où les savoirs, mis à la question, viennent faire l'épreuve de la vanité.

Le Voyage livresque comme initiation

Mot gravé sur les poutres de la bibliothèque comme un hommage à l'éclair de pensée, la citation ne vient pas orner un sanctuaire. En ce lieu préféré, Montaigne tisse son texte, trace un portrait de lui-même emporté dans le flot de l'existence, « tousjours autre d'un autre » (II, 12, « Apologie de Raimond Sebond », p. 603), observé « comme un voisin comme un arbre » (III, 8, « De l'Art de conferer », p. 942). Au second étage de sa tour, il embrasse du regard les livres en arc de cercle (« meilleure munition que j'aye trouvé à cet humain voyage », p. 828), vestige (appréhendé presque comme infini) de l'intelligence active. Bibliothèque qui échappe en même temps, mêlant la diversité des langues à la multiplicité des points de vue, la tour de Montaigne contient en elle, comme pour le conjurer, l'éclatement de Babel.

1. *Op. cit.*, p. 226.

Le souverain détour du livre. Fuir l'aliénation sociale, se désaccoutumer. — Première fonction dévolue aux livres : une diversion efficace qui fait oublier les soucis, « la presse » (III, 3, « de trois Commerces », p. 827), et offre ainsi le luxe de la pensée, s'abreuvant d'elle-même, non soumise à la nécessité d'un raisonnement imposé par une cause extérieure. Dans ce loisir lettré, c'est la force tyrannique de la coutume que Montaigne vient contrecarrer, laissant son esprit s'étourdir (avec le nôtre) de la diversité des mœurs. Il faudrait relire ici le passage admirable de l'essai « De la Coustume et de ne changer une loi receüe » (I, 23, p. 111) où Montaigne donne à entendre une accumulation de coutumes : « Il est des peuples où [...] ailleurs [...] », anaphore que l'on retrouve modulée dans l' « Apologie » (p. 573) : « On trouve des nations où [...] ». Sorte de voyage-éclair qui étourdit pour mieux réveiller la vue, la désaccoutumer, évincer le risque d'apathie qui menace le jugement, faire voir le champ du possible en un survol qui détruit le normal. En guise d'exemple d'accoutumance sournoise, Montaigne évoque dans ce chapitre le « tintamarre » de la grosse cloche qui « effraye ma tour mesme » (p. 110), pour témoigner d'une forme de surdité d'habitude ! Nous sommes « envieillis », « encroustés » dans notre point de vue : c'est pour voir autrement, voir de nouveau, ou voir enfin que Montaigne accepte d'ouvrir le livre.

Quête de soi et défaut d'amnésie. — Rêvant d'un esprit nomade, non enraciné, Montaigne évoque, dans le chapitre « Des Cannibales » (p. 205), l'idéal d'un homme « qui n'ait rien d'épousé », qui sache modifier ses mœurs s'il s'en présente de préférables. C'est ce regard neuf, cet « œil de lynx » qui est sans cesse visé, et non le regard myope du savant usé de livres risquant la cécité (menace qui pèse sur le savant fou de Canetti). Regard qui se porte au loin et revient sur soi et, dans ce va-et-vient, ose affronter le plus troublant voyage, cette quête d'une personnalité échappant toujours, leitmotiv chez Montaigne qui refuse le concept douteux de caractère, sorte de justification employée d'ordinaire pour conforter une posture d'inertie, un encroûtement dans une seconde nature qui compromet d'emblée le voyage.

C'est peut-être l'amnésie avouée qui explique en partie cette attention de Montaigne à la fluctuance du moi, cette impression de dépossession de soi dont il témoigne avec une acuité étonnante, visionnaire des méandres de la psyché, témoin décomplexé des égarements de l'esprit humain qu'il envisage, du haut de sa tour, avec un regard oscillant entre deux modes d'humeur philosophique, entre Démocrite et Héraclite, entre inquiétude et détachement.

Lire s'entend comme un travail si ce n'est sur l'absence, au moins sur le vestige. Dans le *Journal de voyage,* le secrétaire rend compte de la visite de Montaigne à Rome. S'attendant à découvrir des vestiges, il ne découvre qu'une absence : « Il [Montaigne] disait qu'on ne voyait rien de Rome sous le ciel sous lequel elle avait été assise et le plan de son gîte. » Il lui faut imaginer Rome sous les bâtiments récents, sortes de greffes parasitaires comme les « nids que les moineaux suspendant en France aux voûtes et parois des églises que les huguenots viennent d'y démolir » (p. 201). La grandeur déchue s'exprime par la métaphore filée du tombeau, faisant de Rome, morte et enterrée, un cadavre insaisissable sur lequel est jeté un voile pudique de respect en souvenir de son ancienne puissance[1]. On songe aux *Antiquités de Rome* de Du Bellay, poème débutant par une invocation aux morts : « Divins esprits, dont la poudreuse cendre / Gît sous le faix de tant de murs couverts [...]. » Texte que l'on entendra en résonance dans « Le Cimetière marin » de Paul Valéry (strophe 19)[2]. Exhumant une pensée antique, Montaigne invite à un voyage dans le temps, qui est recherche de traces, comme s'il guettait l'invisible présence d'une pensée qui seule permettrait d'aborder les rives présentes.

1. *Cf.* Pierre Laurens, « Monsieur de Montaigne disait que... bathmologies », *in Montaigne et la rhétorique,* colloque de la SAM, Paris, Champion, 1985. Selon Pierre Laurens, l' « espace vide » où Rome est « découpée en creux est, au contraire, le signe de la résistance des choses face à la destruction acharnée » : « [...] la trace de la trace est là, comme indélébile même de l'être [...] » (p. 75).

2. Paul Valéry, *Poésies,* Paris, NRF-Gallimard, 1929, 1958 : « Pères profonds, têtes inhabitées, / Qui sous le poids de tant de pelletées, / Êtes la terre et confondez nos pas, [...] » (p. 104).

Voyager dans le sillage de Montaigne

Il y a tousjours place pour un suyvant C ouy et pour nous mesmes, B et route par ailleurs. Il n'y a point de fin en nos inquisitions, notre fin est en l'austre monde (III, 13, « De l'Expérience », p. 1068).

C'est d'abord entendre sa voix, imaginer cette pensée qui se dessine, vivante au fil des pages. Ce en quoi Montaigne a réussi à transmettre de la vie pure, dans sa quintessence (la pensée), mot qui se pose sur le papier comme nous lisons, des siècles plus tard. Seul peut-être parmi les philosophes à avoir offert cette voix inaltérable, témoignage d'une vie de pensée, de mouvement, de ce qui fut sans doute le meilleur de Montaigne. La séduction-réflexion des *Essais* réside dans ce courant d'air permanent qui assure une pensée vive, déconcertante, invitant à un voyage où chacun fait l'essai de sa propre bibliothèque, imaginaire, rêvée, improbable peut-être, Montaigne nous disant à chaque mot la nécessité du livre, lieu de respiration. En résonance toujours, une voix nous accompagne (comme le faisait remarquer Danielle Sallenave, invitée il y a quelques années par la Société des Amis de Montaigne à évoquer cette réflexion-séduction des *Essais*), Montaigne marche avec nous dans une promenade à la manière du *Phèdre* de Platon, car marcher et réfléchir, dans la souveraine fluctuance, ne font qu'un. À nous d'apprendre à suivre l'esprit « faisant le cheval eschappé » (I, 8, « De l'Oisiveté », p. 33).

La posture de Montaigne lecteur est foncièrement ironique : regard qui questionne toujours, refuse l'acceptation tacite : cette « veuë oblique » qu'il exerce sur toutes les formes de discours (anecdotes, fictions, voix autorisées). Montaigne nous le dit dans le chapitre « Des Livres » : « Ce que j'en opine, c'est aussi pour declarer la mesure de ma veuë, non la mesure des choses » (II, 10, p. 410). Posture ironique qui rappelle la méfiance cynique : Montaigne jauge, évalue, traque les fausses monnaies intellectuelles et place sa propre écriture sous le signe d'une gratuité (cynique également, si l'on songe comment Rabelais affirme prendre modèle sur Diogène) qui le met à couvert de toute entreprise dogmatique. La désacralisation jouissive des savoirs ouvre la voie à une pensée en devenir, souriante et angoissée, parce qu'elle ne répond pas du lendemain, avoue ses limites, les traque même sans cesse. Montaigne nous apprend à choisir le détour, la réflexion sinueuse, parce que conforme à la vie, « mouvement inegal, irregulier et multiforme » (III, 3, « De trois commerces », p. 819). Plus encore, c'est à un voyage cosmique qu'il nous convie, d'inspiration héraclitéenne. Se dessine une conscience d'atome embarqué, mouvement de fuite sans que puisse se connaître le port. La relativité du jugement s'éprouve dans la conscience du point de vue, idée qui trouve notamment sa métaphore physique chez Pascal : « Le langage est pareil de tous côtés. Il faut avoir un point fixe, pour en juger. Le port juge ceux qui sont dans un vaisseau. Mais où trouverons-nous un port dans la morale ? »[1]

Choisir de faire circuler le sens dans la bibliothèque pour « frotter et limer sa cervelle contre celle d'autrui », geste inaugural d'une pensée conçue comme navigation depuis la Tour, qui pourrait être encore un phare. Trouver par la vue oblique les sillages éventuels, tel est le défi relevé par Montaigne, armé de sa prudence, de son jugement ; sillages ou voies à inventer, tracés sinueux comme autant de façons de faire résonner cette voix qui commande à tout, parole de capitaine entendue jusque dans la cacophonie de la tempête. Cette pensée épouse la vie, en son essence mouvante : « [...] it is a tale told by an idiot full of sound and fury and signifying nothing », *Macbeth,* V, 5).

La posture littéraire contre les savoirs d'imposture

Le style de Montaigne est reconnaissance en acte de la saveur des mots et refus du dogmatisme en ce qu'il se décline, hors de la subjectivité, comme un discours sans voix, insipide. Plus qu'une négligence du style, en effet, c'est une négation du pouvoir de séduire que la philosophie systématisante et dogmatique manifeste, exhibant ainsi son aptitude à dire le vrai, dépouillé des scories de la fable. *Ainsi parlait Zarathousta* constitue en soi une parole insolente, scandaleuse : poème

1. Pascal, *op. cit.,* fr. 576, p. 410.

philosophique, incantation laissant ses échos se répandre dans la montagne, le texte de Nietzsche est revendication d'une philosophie littéraire, qui pense par fable et s'inscrit en faux contre les châteaux de cartes pseudo-rationnels.

Dans les analyses menées sur les rapports entre littérature et philosophie, il est frappant de constater combien la hiérarchie entre les deux disciplines résiste, la fable pouvant au mieux répercuter les résonances d'une pensée qui la dépasse, dans sa dimension réflexive sérieuse. La réception des textes de La Fontaine est, à ce sujet, fort instructive. À opposer la grivoiserie des *Contes* au libertinage érudit des *Fables,* comme pour excuser La Fontaine de s'être adonné à l'écriture du corps, on assure sans doute la notoriété respectable du poète-philosophe, mais au prix d'une torsion interprétative qui évacue peut-être l'enjeu majeur de cette pensée libertine. Un autre regard est possible, qui n'effacerait pas la trace des *Contes,* mais la rechercherait dans les *Fables,* un point de vue soucieux du lien entre libertinage érudit et libertinage de mœurs, redonnant vie à l'œuvre : comme pétrifiées, colonnes imposantes de l'édifice culturel français dont s'est emparée l'institution, faisant de La Fontaine un moraliste, lieu où puiser des récitations, les *Fables* trouvent aujourd'hui une reconnaissance dans la critique philosophique, qui y voit les résonances d'un matérialisme raffiné. Le texte pense, soit, mais ce sérieux reconnu ne risque-t-il pas à présent de l'enfermer, l'œuvre littéraire se voyant mise au service d'une certaine philosophie ?

René Pintard[1] a ouvert la brèche et découvert l'horizon d'une pensée libertine non plus taxée de gauloiserie sans profondeur, ou sanctionnée comme la voie ouverte à la débauche justifiée. Les travaux de Jean-Charles Darmon sur libertinage et littérature au XVIIe siècle[2] ont apporté un nouvel éclairage sur cette prégnance philosophique de penseurs littéraires, antisystématiques, choisissant, à l'instar de Montaigne,

1. Voir *Le Libertinage érudit dans la première moitié du XVIIe siècle,* Paris, Boivin, 1943 ; réimpr., Paris, Slatkine, 1983.
2. Notamment la thèse publiée : *Philosophie épicurienne et littérature au XVIIe siècle,* Paris, PUF, « Perspectives littéraires », 1998.

une réflexion en souplesse, confiante dans le cheminement naturel de l'esprit. C'est que paradoxalement, pour conférer à la pensée du corps ses lettres de noblesse, il semblait nécessaire et de l'excuser de parler du corps, et de montrer son raffinement et sa complexité. Mais croire reconnaître le sérieux du texte libertin, n'est-ce pas précisément risquer de passer à côté de l'essence même du libertinage ? Jeu de regards obliques qui décentre les questions pour mieux se jouer du faux sérieux systématique, le texte libertin semble viser une autre profondeur, qui n'impliquerait pas d'opposition entre surface trompeuse, illusoire (lieu du superficiel[1]), et intériorité cachée (où réside la vérité des essences suivant une logique idéaliste) ; à l'inverse, il semble bien que la matière même soit entendue comme tissure complexe, feuilleté délicat qui perturbe le regard invité à y déceler une stratification subtile : profondeur des apparences à laquelle accéderait une conscience baroque (d'une étrange modernité si l'on songe aux rapports établis depuis entre dimension 2 et dimension 3 par l'expérience du plan plié)[2].

Or la mise à l'épreuve du corps semble bien constituer le cœur toujours honteux du matérialisme compris comme l'antidote contre l'idéalisme forcené, désincarnant, pensée triste, qui s'invente, les yeux fermés, dos tourné à la vie. L'engouement que suscite *Don Quichotte* en Espagne tient essentiellement à sa dimension burlesque : c'est le rire qui séduit d'abord dans le roman, le héros de Cervantès vivant rapidement son existence autonome sur les planches. La critique française (Chapelain, Pierre Perrault ou Pierre-Daniel Huet) émettra des réserves sur le génie du roman, sans doute trop anti-aristotélicien. Le filon du plaisir carnavalesque, associant invraisemblance et jubilation comique, s'il déplut aux doctes européens, n'en reste pas moins l'une des voies possibles, inscrites dans le texte, ou encore la voix décomplexée qui fait entendre les cris d'un Sancho, secoué dans une couverture, personnage qui assure la démystification des idéaux éthérés, rappelant, par ses souf-

1. Lire, à ce sujet, Jean-Clet Martin, *Parures d'Éros*, « Un traité du superficiel », Paris, Kimé, 2003.

2. Voir Gilles Deleuze, *Le Pli, Leibniz et le baroque*, Paris, Minuit, Paris, 1988, et notamment le chap. 1 : « Les replis de la matière », p. 5-19.

frances et ses plaisirs triviaux, la présence tangible du corps, cette pesanteur qui plombe et brise les ailes. Intelligence du Carnaval : Sancho retombant en hurlant fait l'épreuve douloureuse de la matérialité pesante, incapable d'envol, il souffre de tomber sous nos yeux, comme une bête de foire (on songe à la fable VIII, 12, « Le cochon, la chèvre et le mouton »), et ses cris nous touchent de leur profonde réalité, nous font rire d'un rire complexe et non de gaudriole.

La truculence rabelaisienne, en cela héritière des fabliaux du Moyen Âge, ne choque que le lecteur inapte à avouer les mésaventures du corps, sourd, par complexe, à la parole sans tabous, qui devrait être source de libération. Souvenons-nous de la réponse de Pantagruel à Panurge qui s'échauffe et s'irrite, prêt à frapper pour quelques mots : « Si les signes vous faschent, ô quant vous fascheront les choses signifiées ! »[1] En point de mire du voyage rabelaisien, le goût des mots enfin retrouvé. À l'aune de l'ivresse rabelaisienne, le goût de l'eau et celui du vin pourront se confondre, indifférenciation première qui distinguera les « beuveurs tres illustres », lecteurs qui, sous l'égide de la Pontife Bacbuc, plongeront dans le puits de l'imagination pour s'y abreuver, s'abandonnant au carnaval des mots jusqu'à dire la saveur du vin à inventer : « Or imaginez et beuvez ! » Et l'eau de devenir vin.

Expérimentation qui dépasse les cadres de la logique, le roman conjure les peurs paniques qui proviennent de phobies linguistiques en plaçant le lecteur dans une position vertigineuse. Étourdi par le délire verbal, *homo sapiens,* celui qui goûte les saveurs, le lecteur modèle (rêvé et improbable) de Rabelais savoure en poète passionné la puissance de joie des choses, sans craindre les lendemains de désillusion. La truculence s'entend alors comme contrepoint de la mélancolie, ou de l'idéalisme dévorant qui voudrait à toute force faire coïncider les mots et les choses.

Dans une ballade en forme d'hommage[2], La Fontaine défend en Cervantès celui qui, avant lui, a pressenti le pouvoir des fables, assu-

1. Rabelais, *Œuvres complètes, Tiers Livre,* chap. 20, Paris, rééd., Le Seuil, 1995, p. 640.
2. Jean de La Fontaine, *Œuvres, Sources et postérité d'Ésope à l'Oulipo,* p. 271-273.

mant pleinement, à rebours du principe d'inertie qui ferait adopter les codes narratifs en vigueur, cette intelligence de la fiction. Poème qui est plaidoyer en faveur du roman moderne contre Cloris au goût difficile, feignant de dédaigner ce pouvoir ; la révérence à l'esprit ingénieux de Cervantès ponctue un éloge souriant qui, évoquant Amadis comme Roland, traduit le même penchant que le romancier espagnol.

Ce qui se joue plus profondément, c'est, semble-t-il, l'autonomie de la pensée littéraire : le charme de la fable n'est pas procédé pour faire passer la morale ou la philosophie, non plus un voile pour masquer la rigueur et le sérieux, mais résistance en acte aux fables du savoir, à leurs chimériques prétentions à la vérité. Combat qui s'impose contre les impositions de sciences contraignantes qui se vantent de détenir les clés du monde. La Fontaine est proche, en ce sens, de Gassendi qui perçoit dans le discours aristotélicien un « comique des idées », divisant la matière du monde en catégories, substituant un savoir linguistique stérile à l'étude effective de la nature, faute de parvenir à l'appréhender dans sa diversité. C'est ainsi qu'il tourne en dérision ces philosophes qui confondent pensée et « science des mots » : « Eux, ils s'enferment bien pendant des années entières dans les cellules du lycée, et trouvent beaucoup d'agrément à n'attraper que des chimères avec des pièges en toile d'araignée. »[1] Et si l'on veut bien entendre des résonances philosophiques chez la Fontaine, la métaphore de la « toile d'araignée » nous autoriserait-elle à repérer ici les traces d'une philosophie qui ne boude pas la littérature, ni la jubilation des sourires de l'esprit ?

Plaisir pris aux charmes d'une parole gracieuse, qui s'invente dans le déploiement sans complexe de l'imaginaire, pour sculpter par les mots la chair du monde ; telle est l'audace sans cesse reprochée comme indécence, insolence, à la littérature qui fuit les sentiers battus pour préférer le vertige des voyages dans la lune, chanter la pluralité de ses mondes inventés, comme autant de facettes miroitantes, apparences séduisantes propres à révéler l'infinie poésie du monde.

1. *Exercitationes*, 62, 114 *b*, cité par J.-C. Darmon dans *Philosophie épicurienne et littérature au XVIIe siècle.*

Intelligence du dérisoire

Dans les jeux de cache-cache que s'autorisent les auteurs de fiction se livre une subjectivité séduisante, ne s'interdisant pas l'amusement, oscillant entre présence et absence, disparition et intrusion, de sorte que le texte toujours s'anime d'un souffle souriant, d'un regard porté avec minutie sur le moindre détail. La description littéraire, déployée avec splendeur dans les ouvertures symphoniques des romans balzaciens, laisse deviner une attention scrupuleuse, comme si la matière tout entière devait se décliner sous l'œil du lecteur, transmission d'une passion pour le dérisoire, qui démarque la réflexion des enjeux « majeurs » que soulève la philosophie. La littérature est méticuleuse en sa tentative sans cesse recommencée de peindre en un séduisant mensonge l'anodin, l'insignifiant, la circonstance, d'y trouver les racines de l'essentiel, pensée qui remonte à la germination du sens.

Tchekhov excelle dans cette exploration de l'infime, chacune de ses nouvelles campant d'emblée, avec une netteté aspirant le regard, une atmosphère qui s'impose comme déterminante, un parfum d'ennui qui enveloppe d'une élégance aérienne chaque forme humaine venant à marcher au sein du tableau. Temps suspendu où rien ne se passe et tout advient, dans l'envol d'un oiseau, le frémissement d'un bouleau, le froufrou d'une robe, les effluves évadées du samovar, une voix qui retentit dans le silence, un discours emporté, qui s'épuise à refaire le monde, le regard pensif qui dévoile la vie ratée, le silence trop conscient sur le vieillissement des êtres et l'usure des passions, un point d'orgue qui n'en finirait pas de durer, où se goûte toujours la quintessence même de la vie, ces minutes partagées de l'adieu, à la manière russe, quand se savoure, dans l'imminence du départ, jusqu'au poids du silence. Parmi les récits de Tchekhov, « La Salle n° 6 » laisse entendre une résonance apparemment discordante, le texte lui-même étant perçu avec peu d'indulgence par son auteur, si l'on en juge par ces mots adressés à L. A. Avilova : « Je termine une nouvelle très ennuyeuse, absolument dépourvue de femme ou de l'élément amoureux. Je ne peux pas supporter ce genre de nouvelle, j'ai écrit celle-ci par hasard, par légèreté. »[1] Commentaire qui semble étonnant après lecture du texte, splendide de terreur, l'asile de fous étant comme une représentation en abyme des déchirures de la Russie, récit visionnaire aussi, en ce que, « par hasard », Tchekhov décrit ce qui, ironie du sort, deviendra réalité, lorsque le régime communiste fera usage des hôpitaux psychiatriques pour éliminer les dissidents. Regard de médecin glissé dans le style précis : la description initiale, assortie d'une invite à pénétrer dans cet espace de désolation, concentre l'effet de choc sur le seuil, non séduction de l'effroi, mais curiosité aiguillonnée par ce spectacle de la décrépitude, du délabrement. À travers la ruine s'annonce la déliquescence sociale, cette grande faillite qui s'exprime ensuite en discours-fleuves, rêves de changement avortés, gémissements des malades, comme une plainte générale, enfermement des âmes sans avenir :

> La Salle n° 6
>
> Dans la cour de l'hôpital se dresse un pavillon entouré d'une forêt de bardanes, d'orties et de chanvre sauvage. Le toit en est rouillé, la cheminée à demi écroulée, les marches du perron sont pourries et couvertes d'herbe ; quant au crépi, il n'en reste que des vestiges. Sa façade donne sur l'hôpital, par-derrière il donne sur la campagne dont le sépare une vieille clôture grise au-dessus hérissée de clous. Ces clous, pointe en l'air, la clôture, le pavillon lui-même ont cet air particulier de tristesse et de malédiction que l'on ne voit chez nous qu'aux hôpitaux et aux prisons.
>
> Si vous ne craignez pas les piqûres d'ortie, prenons l'étroit sentier qui mène au pavillon et regardons ce qui s'y passe. [...][2].

Ethos antidoctoral, comme si la voix du récitant déroulait seulement la trame narrative : les nouvelles de Tchekhov respirent d'une séduction sans fard, d'une simplicité qui confine parfois au dépouillement, regard de clinicien, qui comprend, qui semble caresser la misère humaine, sans grandiloquence.

Cette intelligence du dérisoire anime, dans une autre tonalité, la voix multiple de Flaubert, peuplant ses récits d'une matière descriptive

1. Anton P. Tchekhov, *Œuvres,* III, *Récits, 1892-1903,* trad. par Édouard Parayre, révision de Lily Denis, notes par Claude Frioux, Paris, Gallimard, « La Pléiade », 1971, note, p. 1011.
2. *Ibid.,* p. 39.

si méticuleusement orchestrée que se dessine un monde, comme si les mots, récités, disposant les éléments fictionnels, trouvaient une nouvelle densité : plus que la chose nommée dans la réalité, l'objet fictionnel désigné advient dans l'espace imaginaire, né de la déflagration du nom. L'ouverture de *Salammbô,* portrait *in absentia* du chef Hamilcar par l'exhibition d'une profusion étourdissante, se construit comme une description dynamique impliquant une lecture en éveil, une imagination sensitive qui littéralement goûte le texte regorgeant de saveurs, perçoive les heurts, les bruits en tout genre, suive le mouvement du regard comme convié au festin orgiaque :

> I. Le festin
>
> C'était à Mégara, faubourg de Carthage, dans les jardins d'Hamilcar.
>
> Les soldats qu'il avait commandés en Sicile se donnaient un grand festin pour célébrer le jour anniversaire de la bataille d'Éryx, et comme le maître était absent et qu'ils se trouvaient nombreux, ils mangeaient et ils buvaient en pleine liberté.
>
> Les capitaines, portant des cothurnes de bronze, s'étaient placés dans le chemin du milieu, sous un voile de pourpre à franges d'or, qui s'étendait depuis le mur des écuries jusqu'à la première terrasse du palais ; le commun des soldats était répandu sous les arbres, où l'on distinguait quantité de bâtiments à toit plat, pressoirs, celliers, magasins, boulangeries et arsenaux, avec une cour pour les éléphants, des fosses pour les bêtes féroces, une prison pour les esclaves.
>
> [...]

Le texte (qu'il faudrait poursuivre pour en éprouver l'effet) soumet le lecteur à une saturation des sensations proprement merveilleuse, comme si la description, suggestive, dépassait les pouvoirs de l'image, emplissait l'esprit d'une présence synesthésique, s'imposait comme une surréalité picturale en mouvement où plonger le regard, soudain réveillé, happé par la description incantatoire.

La plume et le serpent : histoire d'amour

La parole littéraire est invention d'un bruissement de la langue, sifflement de serpent né du glissement de la plume : une histoire d'amour avec la page qui devient charme sonore pour le lecteur apte à remonter

« à la source où cesse même un nom »[1]. Dessin en arabesques, le récit se tisse comme le suc évadé de la plume, à boire d'abord du regard, car telle est bien la première séduction, physique, du texte : un tracé combinant des signes encore opaques, qui s'offre suivant une organisation géométrique (que la poésie s'autorise à perturber jusqu'à l'enchevêtrement). Trace d'anciennes figures, plus hésitantes, que la lecture d'un manuscrit fait découvrir, là où apparaît la rature, l'ajout qui perturbe la linéarité du texte. Or en cette tissure de surface, sans aspérité, étrangère au relief, le lecteur peut gager une découverte, il devine la marque persistante d'une intelligence active, d'une pensée, d'un mouvement de l'esprit. Parole serpentine, souverain détour, la fiction littéraire n'est pas étrangère au mythe fondateur de la connaissance, elle en subit les échos, entre fascination et condamnation : mensonge du serpent, « ce vieil amateur d'échecs »[2] glissé subrepticement dans l'arbre, sifflant au désir le geste interdit, invitant à cueillir le fruit, à connaître et comprendre :

> Parmi l'arbre, la brise berce
> La vipère que je vêtis ;
> Un sourire que la dent perce
> Et qu'elle éclaire d'appétits,
> Sur le jardin se risque et rôde,
> Et mon triangle d'émeraude
> Tire sa langue à double fil...
> Bête je suis, mais bête aiguë,
> De qui le venin quoique vil
> Laisse loin la sage ciguë[3] !

Masque animal, *ethos* du séducteur, s'incarnant dans la peau marquetée du reptile, charme échappé de l'obscurité des feuilles, aux contours indécis, contrepoint de la clarté solaire, ce serpent ébauché est double mythique du poète, ciselant les mots pour l'oreille, adressant au désir une parole de tentation[4]. Glissant sur la feuille, « tant qu'il y aura

1. Valéry, *op. cit.*, « Le Rameur », p. 109.
2. Valéry, *op. cit.*, « Ébauche d'un serpent », p. 96.
3. *Ibid., p. 86.*
4. On songe au *Vase d'or* d'Hoffmann, où le serpent féminisé au nom de Serpentina est l'objet d'une quête improbable, figure rêvée par l'étudiant Anselme, comme forme souple et fuyante, savoir lové au cœur de l'arbre, promesse d'une connaissance

d'encre et de papier au monde », la plume cherche ce qui attise encore la curiosité, non un plaisir de satisfaction facile, mais une nouvelle résonance, jouissive en ce qu'elle balaie les anciennes lois, rénove l'harmonie, en accords aigres-doux, goûtés en clair-obscur, loin des évidences solaires de la raison triomphante. Contre la Vérité de la Loi s'imposant comme le seul récit possible de l'existence, la fiction tisse ses vérités suspensives, ses questions posées dans la pénombre, là où la raison s'égare, là où les formes se confondent, où les caractères s'estompent, où s'inventent, avec pour seule limitation la fatigue de l'imagination, les jeux éthiques de l'incarnation, du masque.

Nicolas Grimaldi définit l'expérience esthétique comme un jeu de mime intérieur : l'individu, effaçant le monde, se livre à une feinte passion qui lui permet d' « entrer dans son personnage comme on entrerait dans une nouvelle vie »[1]. Paradoxalement, l'art se définit à la fois par l'imitation (puisque c'est à partir du monde que la *mimèsis* se construit) et par le refus de la naturalité : « Il n'y a [...] d'expérience esthétique que par ce jeu qui feint d'abolir la réalité naturelle du monde et de percevoir l'apparence que l'art a produite comme l'unique réalité. »[2] Poursuivant l'investigation en cinq études sur l'art dans *L'Ardent Sanglot,* Grimaldi confère à l'œuvre d'art une fonction vitale de mise en mouvement de l'intelligence : réveil de la conscience d'étrangeté, révolution de l'esprit à la source même du questionnement philosophique :

> Entre le monde qui nous était familier, que nous pouvions parcourir en tous sens, et que nous n'avons jamais fini d'inventorier, et cet autre monde qui s'esquisse dans une œuvre d'art, inconnu, qu'à peine quelques signes nous font imaginer, l'art symbolise donc un voyage, mais un voyage métaphysique. [...] L'art nous rappelle [...] combien fut d'abord étrange ce monde auquel il nous

amoureuse éprouvée d'abord par la séduction des sens, quasi-hallucination visuelle et auditive : « Il lui sembla même qu'il distinguait plus nettement que la première fois que les adorables yeux bleus appartenaient au serpent vert doré qui montait en s'enroulant au milieu du sureau, et que c'étaient certainement les ondulations de son corps flexible qui faisaient étinceler les tintements magnifiques de cloche cristalline qui le remplissaient de délice et d'extase » (version française par Paul Sucher, Paris, Aubier bilingue, 1942, p. 125).

1. Nicolas Grimaldi, *L'Art ou la feinte passion,* Paris, PUF, « Épiméthée », 1983, p. 142.
2. *Ibid.*, p. 13.

fallut aussi *venir,* et que seul un abus de langage nous fait parfois nommer le nôtre. Nous n'y avons ni destination ni demeure. D'ailleurs, l'art serait-il cette invitation au voyage s'il ne nous trouvait toujours déjà prêts au départ ? [...] L'art est symboliquement une re-naissance[1].

Pensée voyageuse qui concerne la littérature telle que nous nous efforçons de la servir, en ce qu'elle peut vraiment, plus qu'en ce qu'elle devient parfois lorsque, à la multiplicité des questions, se substitue le texte-réponse, arrimant l'esprit à l'évidence donnée plutôt que de l'embarquer pour ce périple vertigineux, comme si les possibles littéraires se réduisaient par un conformisme frileux qui substitue à l'aventure le voyage organisé.

En finir avec la fable ?

Nous avons déjà évoqué comment, construisant une fable critique qui tourne en dérision la théorie cartésienne des animaux-machines, La Fontaine questionne une philosophie en ce qu'elle risque d'aboutir à une conscience exilée, l'explication scientifique évacuant la sensibilité qui rattache l'être au monde, suivant un principe d'empathie, qui, s'il n'est pas *vrai,* motive pourtant l'élan poétique et correspond à une compréhension affective du monde persistante. En ce refus d'assimiler l'univers à une grande machine, il ne faut pourtant pas lire un anticartésianisme radical (La Fontaine intègre la démarche cartésienne), mais la crainte des conséquences induites par l'émergence d'une nouvelle science qui entend faire lumière sur toute chose, annulant l'obscurité où se jouaient des ballets d'ombres à la saveur mystérieuse ; et si cette imposition solaire amenait paradoxalement une résurgence des superstitions, tournées en dérision par le poète[2], précisément parce que l'esprit, communément, ne peut vivre sans fable ? Et si la science elle-même devenait fable ? Songeons au devenir du positivisme d'Auguste Comte,

1. Nicolas Grimaldi, *L'Ardent sanglot. Cinq études sur l'art,* La Versanne, Encre marine, 1994, p. 149-150.
2. Voir, à ce sujet, la fable VII, 14, « Les devineresses ».

à la tournure sectaire que finirent par prendre les réunions scientistes organisées sous son égide, comme si, à vouloir à toute force évacuer l'irrationnel, une philosophie résolument progressiste risquait de sombrer dans un dogmatisme explicatif, autre fable, autrement dangereuse que nos « Il était une fois... », dans la mesure où elle a valeur de vérité et, aplanissant le divers, elle plaque un sens linéaire (articulant des ères historiques) sur une temporalité chaotique. S'érigeant en Église, le positivisme s'oriente vers la voie des réponses, alors même que la démarche scientifique initiale visait à restaurer l'ordre des questions, à dépasser le régime des solutions superstitieuses.

Vouloir en finir avec la fable impliquerait une amputation des saveurs de la philosophie même, si l'on songe que celui-là même qui proposait d'exclure la poète de la Cité apparaît comme un génial dramaturge, voire fabuliste : Socrate n'est-il pas le plus séduisant des personnages ? Et les dialogues de Platon ne nous retiennent-ils pas précisément en ce qu'ils théâtralisent la philosophie, animent le débat dialectique d'une vivacité discursive, non dénuée d'humour ? Le *Phèdre* constitue sans doute l'exemple typique du *sermo pedestris,* d'une « promenade » littéraire : la discussion est menée au cours d'une escapade dans la campagne ; elle s'inscrit dans l'intervalle du temps compris entre la rencontre inattendue : « Socrate I – Mon cher Phèdre, où vas-tu donc, et d'où viens-tu ? » (première parole prononcée, p. 101[1]) et l'annonce d'une remise en route après l'escale sous le platane (p. 105, lieu des discours : « Allons-nous-en » (dernière réplique de Socrate et fin du livre, p. 172). Les deux interlocuteurs évoquent le premier discours de Socrate (également sa palinodie) comme une piste à suivre. Il est introduit ainsi : « Je vais parler voilé, afin de courir ma carrière le plus vite possible [...] » (p. 113), ponctué par les deux liaisons, « Poursuivons » (p. 115) et « Bornons-nous » (p. 116). Puis Phèdre demande : « Pourquoi donc, Socrate, t'arrêtes-tu en route ? » (p. 119) ; Socrate, estimant en avoir dit assez, répond, pour finir : « Pour moi, je repasse la rivière et je m'en vais pour éviter de plus grandes violences de ta part. » L'ap-

1. Platon, *Le Banquet, Phèdre,* trad., notices et notes par E. Chambry, GF, Flammarion, Paris, 1964.

parence d'improvisation tient à cette correspondance entre la trame de la conversation et le trajet fictionnel. Dans la lignée du dialogue platonicien, La Fontaine présentera ainsi, en fable, la rencontre entre Racan et Malherbe :

> Ces deux rivaux d'Horace, héritiers de sa lyre,
> Disciples d'Apollon, nos maîtres, pour mieux dire,
> Se rencontrant un jour tout seuls et sans témoins
> (Comme ils se confiaient leurs pensées et leurs soins),
> Racan commence ainsi : [...].
>
> III, 1, v. 9-12.

Le discours fabulique, censé être prononcé par Malherbe, se trouve ainsi situé dans le champ du hasard ; discours fortuit sans doute, mais venant en réponse aux questions que Racan pose sur ses choix existentiels. La fable acquiert ainsi, dans l'espace fictionnel où elle se raconte, une valeur pragmatique, puisqu'elle est donnée comme une parole de sage (« Vous qui devez savoir les choses de la vie », v. 14) susceptible d'influencer l'interlocuteur en éclairant les ombres qui obscurcissent le tableau de sa réalité personnelle.

C'est le même hasard de rencontre qui place Démocrite sur le chemin d'Hippocrate (« sous un ombrage épais, assis près d'un ruisseau [...] ») dans la fable « Démocrite et les Abdéritains » (VIII, 26), occasion d'un dialogue non retranscrit mais caractérisé par un évitement des vaines paroles (« les entretiens frivoles », v. 40) ; fonction phatique réduite à sa plus simple expression, refus du discours convenu, vide de sens :

> Leur compliment fut court, ainsi qu'on peut penser.
> Le sage est ménager du temps et des paroles.
>
> VIII, 26, v. 38-39.

Ainsi, la fable met en abyme le débat philosophique, suivant un effet de tableau qui confère à la pensée en acte une valeur quasi instantanée, moment suspendu où le hasard porte deux esprits à avancer de concert dans une complémentarité éthique qui estompe la voix, dès lors que le silence signale l'entente, la résonance intellectuelle, inespérée, dans un univers fictionnel – cette fois miroir fidèle d'un monde conformiste – où l'idée géniale est symptôme de folie.

Rappelant la fable exilée, lui offrant une place de choix dans la Cité, Nietzsche consacre une philosophie en acte, refusant une pensée étrangère à la constitution nerveuse, à la sensibilité reconnue et avouée dans le poème, à l'animalité même qui porte le sens par l'incarnation, rupture, si l'on veut, avec la tradition philosophique systématique et idéaliste, mais au fond continuation d'une parole qui, sans le dire, a puisé dans le pouvoir des fables la force même de sa pensée, et, si ce n'est l'invention, du moins l'explication de ses concepts.

Peur de la fiction comme lieu du chaotique

Par une sorte de complexe fictionnel collectif, la parole doxale manifeste périodiquement son inquiétude, sa méfiance, lorsqu'une voix littéraire vient ébranler l'édifice de ses certitudes univoques ; sous couvert de raison morale, religieuse ou idéologique, elle vise, peut-être même sans le savoir, cette force corrosive qui constitue la raison littéraire. Faux procès, donc : on prétend toujours qu'il y a de bonnes raisons de s'offusquer, voire de se scandaliser, de rejeter avec l'assurance du professeur informé, compétent, ce qui n'est pas acceptable, parce que le sens va trop loin ou, pis encore, s'éparpille. Bref, c'est par la défense naïve d'un sens littéral étriqué (provenant d'une lecture à œillères) qu'on s'en prend à la liberté d'invention, qu'on adopte la posture éthique du philosophe, du prêtre, de l'idéologue, pour condamner le texte à partir d'un déni même de sa spécificité littéraire. Par une imperméabilité à l'invention métaphorique, à la perception analogique, on plaque alors un système de symboles convenus sur ce qu'on a bien voulu laisser subsister du texte, après sélection tendancieuse. Tentation du sens préétabli, trouvé non dans le texte mais dans les limites d'un cerveau qui refuse d'apprendre à lire, encore et toujours, par la confrontation active avec une pensée sans balisage. À travers toutes les formes de censure, il se pourrait bien que se cache très simplement la peur de cette vertigineuse ouverture d'esprit qu'autorise la fiction littéraire. Il n'est pas rare que la sanction tombe sans même que le livre ne soit lu, mais par l'effet négatif de l'*ethos* préalable d'un auteur parfois étonné de l'aura diabolique qu'on lui prête[1].

En ce malentendu tant de fois répété, la littérature ne cesse de clamer son innocence – entendons : de réclamer un procès qui s'appuie sur l'état de la cause exact, à partir d'une reconnaissance de ce qu'est effectivement la littérature. C'est d'ailleurs en ce sens que l'essai de Sartre nous semble dangereux, dans la mesure où, prétendant définir globalement la littérature, il impose une conception restrictive qui donne de nouvelles armes à ceux qui voudront poursuivre cette sempiternelle chasse aux sorcières-poètes, pour raison idéologique, cette fois.

En ces procès d'intention se lit l'aveuglement donquichottesque que nous évoquions en ouverture : la lecture hyperboliquement sérieuse du livre amène à lui demander de dire la vérité, toute la vérité, rien que la vérité. L'emploi du « je » devient alors particulièrement périlleux, dès lors que le lecteur assimile d'emblée cette posture subjective ancrée dans la fiction à la vérité intérieure d'un auteur qui restera toujours à distance, à la lisière de ce monde virtuel, en dépit des jeux d'intrusion, de mimétisme. Ce « je » dangereux fut à la source de la condamnation à mort de Théophile de Viau, finalement brûlé en effigie, et au cœur de son plaidoyer, puisque, pour défendre sa vie, le poète n'eut de cesse de rappeler la frontière entre fiction et réalité, refusant d'être assimilé à cette voix libertine du sonnet jugé obscène et blasphématoire, placé en tête du *Parnasse satyrique,* et qui justifia, entre autres, l'accusation :

> Philis, tout est foutu, je meurs de la vérole ;
> Elle exerce sur moi sa dernière rigueur :
> Mon vit baisse la tête et n'a point de vigueur,
> Un ulcère puant a gâté ma parole.

1. *Cf.* Christian Salmon, *Tombeau de la fiction, Essai,* Paris, Denoël, 1999, p. 37-38, où l'on peut lire le rapprochement savoureux de deux anecdotes, la première à propos de Staline (condamnant un comédien pour avoir trop bien joué le traître), la seconde évoquant la façon dont Khomeyni, sans avoir lu le livre, condamna les *Versets sataniques* en constatant les effets pragmatiques du roman à la télévision. Christian Salmon rappelle ainsi comment la censure s'exerce à partir de la crainte du pouvoir de la fiction.

J'ai sué trente jours, j'ai vomi de la colle,
Jamais de si grands maux n'eurent tant de longueur,
L'esprit le plus constant fût mort à ma langueur,
Et mon affliction n'a rien qui la console.

Mes amis plus secrets ne m'osent approcher,
Moi-même, en cet état, je ne m'ose toucher ;
Philis, le mal me vient de vous avoir foutue.

Mon Dieu, je me repens d'avoir si mal vécu :
Et si votre courroux à ce coup ne me tue,
Je fais vœu désormais de ne foutre qu'en cul[1].

Point d'orgue provocateur, le vœu de sodomie, associé au motif religieux de la repentance, constitue un mélange explosif propre à déclencher les hauts cris du P. Garasse. Assimilé à son personnage libidineux, avouant la pratique jugée contre nature et motivant la peine de mort, Théophile de Viau doit répondre à la lecture non distanciée du prêtre, inapte à seulement entendre les résonances éclatées du rire. Voltaire ne voit en Rabelais qu'ordures, pour le même esprit de sérieux, qui est méconnaissance du régime fictionnel. Cyrano de Bergerac joue d'une insolence analogue dans ses *États et Empires de la Lune et du Soleil,* à travers la figure du voyageur, qui, esseulé sur la lune, se voit paré d'une nouvelle identité, faisant de lui « l'ami du petit animal de la reine ». Invité à s'accoupler, contre nature, le personnage confesse un plaisir qui mériterait les mêmes foudres :

[...] environ un quart d'heure après le roi commanda aux gardeurs de singes de nous ramener, avec ordre exprès de nous faire coucher ensemble, pour faire en son royaume multiplier notre espèce.

On exécuta point en point la volonté du prince, de quoi je fus fort aise pour le plaisir que je recevais d'avoir quelqu'un qui m'entretînt pendant la solitude de ma brutification[2].

Difficile d'affirmer que le dispositif de déréalisation qu'autorise le voyage aurait pu jouer en faveur de l'auteur, si le texte avait été publié

1. Théophile de Viau, *Œuvres poétiques,* éd. de G. Saba, Paris, Bordas, « Classiques Garnier », 1990, p. 358.
2. Cyrano de Bergerac, *op. cit.,* p. 76.

de son vivant, mais les mésaventures du texte après la mort de son auteur, qu'il s'agisse de problèmes éditoriaux ou d'interprétations abusives (Cyrano de Bergerac confisqué, devenu philosophe hermétique, chantre de l'alchimie[1]), montrent que la logique sérieuse, au service des dogmatismes de tout poil, ne laisse rien passer, ne permet aucune entorse fictionnelle susceptible de porter atteinte à la Loi qu'elle défend farouchement, bec et ongles, arc-boutée à ses propres peurs.

Dans un très bel essai sur cette liberté littéraire sans cesse menacée *(Tombeau de la fiction),* Christian Salmon montre, à partir d'une réflexion sur la fatwa lancée contre Salman Rushdie pour ses *Versets sataniques,* que l'impact du livre et la mise en péril de la vie de son auteur tiennent plus précisément à une véritable fatwa contre la fiction, correspondant à un « délit de littérature »[2] :

> La fatwa qui frappe Rushdie ne sanctionne pas un délit d'opinion (sa défense ne relève donc pas de la liberté d'expression) mais un roman ; non pas seulement le roman de Rushdie, les *Versets sataniques,* mais le genre romanesque en tant que tel[3].

Plus encore, en retraçant, à contre-courant des mythes biographiques, les liens inextricablement imbriqués entre vie et littérature, chez Gogol puis Kafka, il dévoile la lutte intérieure des écrivains eux-mêmes comme une

1. Voir les remarques de Madeleine Alcover, *in* Cyrano de Bergerac, *op. cit.,* p. CLXXXVIII et s., notamment, à propos de la filiation interprétative souterraine et de l'appropriation du texte par Canseliet, dans « Cyrano de Bergerac, philosophe hermétique » : « Canseliet n'a pas signalé, dans son article, que son maître Fulcanelli, l'auteur du *Mystère des cathédrales,* avait consacré quelques pages de ses *Demeures philosophales* à Cyrano, "le grand philosophe hermétique des temps modernes". Aussi, à l'exception de W. H. Veldder, qui a tenté de démontrer que Cyrano était un mystique, et de Martine Cotin, qui accorde à l'alchimie un rôle fondamental dans les deux romans, la plupart des critiques ont-ils ignoré que Canseliet avait eu un précurseur. Il a donc fait figure d'initiateur et c'est à lui que se rattachent explicitement les adeptes d'un Cyrano ésotérique ou théosophe. » Aspiré par la torsion interprétative qui assure la notoriété critique, le roman devient propriété d'une voix qui le trahit en l'investissant d'une mission inverse aux enjeux qui le définissaient comme œuvre ouverte. Et Cyrano de Bergerac, encore aujourd'hui, doit subir cette méconnaissance-usurpation venant d'une parole falsificatrice (ou simplement sotte et ignorante, n'ayant pas seulement ouvert ou entendu le texte qu'elle trahit) qui s'arroge le droit de faire figurer son nom sur un site internet tel que Rosa mystica !

2. Christian Salmon, *op. cit.,* p. 27.

3. *Ibid.,* p. 41.

sorte de complexe fictionnel intégré, cette oscillation entre une passion d'écrire qui équivaut à la vie et la dévore, et un renoncement à cette force littéraire parce que trop gigantesque, silence de l'imagination qui équivaut alors à la mort. Le poids doxal n'est sans doute pas étranger à ces formes de renoncement, puisque la réception des textes conforte ou mine les auteurs dans ce qui leur apparaît comme l'espace privilégié d'une authenticité éthique, où, au-delà de soi, se trouve une forme épurée de sujet, apte à voguer sur les eaux de tous les hasards, à contempler tous les possibles. La littérature à la fois piège et libère celui qui s'y adonne, traversé par ce qui le dépasse ; elle l'amène à voir au-delà de sa propre existence, à épuiser le discours jusqu'à entendre les résonances du silence. Mot exact de Kafka, cité par Christian Salmon :

> Écrire signifie s'ouvrir jusqu'à la démesure[1].

Ouverture qui est dépossession de soi, ou plutôt reconnaissance d'une maîtrise illusoire, la séduction littéraire est attirance pour le vide, vertige aussi grisant que bouleversant, à l'inverse de la recherche constante d'une assise qui anime la pensée scientifique. Salmon cite encore une lettre d'Albert Einstein à Hermann Bloch, où, suivant une inversion paradoxale, il est question d'une fuite dans la science. Aveu troublant de la part d'Einstein que cet hommage au romancier, en ce qu'il accepte d'être dépassé :

> Ce que vous avez dit dans votre livre de l'Intuitif rejoint ma propre pensée. En effet, la forme logique épuise aussi peu l'essence de l'acte de connaître que le mètre, l'essence de la poésie ou que la science du rythme et de la succession des accords, celle de la musique. L'essentiel reste mystérieux et le restera toujours, peut seulement être ressenti, mais non pas compris[2].

LE STYLE OU LA PAROLE DÉFIGURÉE

Échapper à la prison du moi, tentative follement réalisée par Jacques Rigaut, passant à travers le miroir : ouvrir le regard, traverser la

1. *Ibid.*, p. 117.
2. *Ibid.*, p. 96.

glace qui ramène à soi toujours, pour engager une course éperdue de question en question, multiplier les éclats de verre, briser les cohérences factices qui font croire à l'enveloppe lisse, harmonieuse. Le style amène un autre régime de parole, acceptation, voire recherche de la ride, de la cicatrice, de cette grimace obsédante qui envahit le *Voyage* de Céline. De l'autre côté de soi, la réflexion commence :

ET MAINTENANT,
RÉFLÉCHISSEZ,
LES MIROIRS[1].

Elle est traversée, dépassement, non saut d'obstacle, mais bien passage à travers, qui entame l'intégrité de l'image, la réduit à l'état fragmentaire, au point qu'il n'est plus de figure, mais une voix traçant les traits d'un visage à jamais invisible, transfiguration de soi par l'invention du style. On ne devient soi qu'en acceptant la balafre, les marques qui fissurent jusqu'à montrer sur la face l'histoire tracée par le temps ; analogue à la cicatrice, la marque stylistique porte atteinte à la belle enveloppe inachevée qu'on exhibait, sans y lire la beauté du diable, elle fait perler le sang dans la langue, défaite de ses atours, et portée à une authenticité qui la rend absolument belle. Dans ce geste littéraire, se trouve peut-être l'antidote contre cette séduction rhétorique, ressort publicitaire essentiel qui vise non la brisure du miroir, mais l'enluminure du cadre qui vient happer celui qui s'y contemple, pris dans les rets d'une personnalité factice, forme de mort à soi-même par servitude volontaire.

« Miroir, miroir, dis-moi que je suis la plus belle » : rhétorique de séduction

La force de la parole dont parlait Nietzsche[2] ne peut s'exercer sans un effet de miroir : l'auditoire doit trouver son lieu, au cœur du discours, la parole flatteuse allant jusqu'à métamorphoser l'inconsistance

1. Jacques Rigaut, *op. cit.*, « Le Miroir (Fragments) », 7, p. 52. On songe à la parole de Cocteau : « Les miroirs feraient bien de réfléchir un peu avant de renvoyer les images. »
2. Voir *supra*, p. 101.

en mirage d'être : « Vous êtes le Phénix des hôtes de ces bois. »[1] La peinture chimérique du corbeau-Phénix s'entend comme le fragment d'un discours amoureux qui occupe l'espace discursif jusqu'à le saturer, suivant la logique de séduction qui permet de happer l'autre, pris au piège d'une identité fictionnelle qui l'incite à renoncer à soi. Idéal mythique, symbole de l'immortalité, le Phénix est un mot-appât auquel le corbeau mord, flatté, c'est-à-dire floué par le morceau épidictique qui vise, par la séduction, la prédation. Si la rhétorique peut se définir comme la négociation d'une distance, ainsi que le proposait Michel Meyer[2], la séduction renvoie plus précisément à une phénoménologie du désir : le discours tend à l'autre une image désirable, éveillant, en même temps (à moins qu'il ne préexiste), le sentiment d'une insoutenable imperfection, à fuir à tout prix : « La séduction a pour objet une différence pour atteindre indirectement l'identité, elle cristallise l'apparence dans laquelle le sujet peut se réfugier. De vide, le Moi est devenu plein, plein de cette apparence creuse qui se suffit à elle-même. »[3]

L'identité fabulée devient objet désiré, la flatterie dévoyant l'amour-propre qui délaisse le sujet pour viser l'objet chimérique que le discours lui tend. De façon analogue, les femmes ne tombent pas amoureuses de don Juan mais du miroir embellissant que constitue son discours de miel, fondé sur le mime pathétique. Stratégie qu'il expose lui-même devant son valet subjugué, fasciné par la figure du séducteur à laquelle il rêve de s'identifier :

> On goûte une douceur extrême à réduire, par cent hommages, le cœur d'une jeune beauté, à voir de jour en jour les petits progrès qu'on y fait, à combattre par des transports, par des larmes et des soupirs, l'innocente pudeur d'une âme qui a peine à rendre les armes, à forcer pied à pied toutes les petites résistances qu'elle nous oppose, à vaincre les scrupules dont elle se fait un honneur et la mener doucement où nous avons envie de la faire venir. Mais lorsqu'on en est maître une fois, il n'y a plus rien à dire ni rien à souhaiter ; tout le

1. À propos de cette fable, voir Louis Marin, « Les tactiques du renard », *Le Portrait du roi,* Paris, Minuit, « Le Sens commun », 1981, p. 117-129.
2. Voir Michel Meyer, *Questions de rhétorique,* « Langage, raison et séduction », p. 22.
3. *Ibid.,* p. 132.

beau de la passion est fini, et nous nous endormons dans la tranquillité d'un tel amour, si quelque objet nouveau ne vient réveiller nos désirs, et présenter à notre cœur les charmes attrayants d'une conquête à faire[1].

Morceau remarquable dans la mesure où le discours épouse ici la logique de séduction, mimant la dialectique du désir tout en révélant la supercherie affective, clé du ravissement féminin : ravie de se faire ravir, sous l'effet du narcotique pathétique, la femme consent, tel est le jeu de la séduction-manipulation réalisant un rapt éthique, équivalant à une mort symbolique.

L'autre séduction : le lecteur à la question

À l'inverse, la séduction littéraire requiert, comme condition *sine qua non* de lecture, la mise en jeu de la personnalité, non pour y mourir, mais bien pour y délaisser les oripeaux d'une présence à soi illusoire, d'un *ethos* de carton, qu'il soit social ou affectif, qui entrave le questionnement en interposant toujours l'image d'une carte d'identité qu'on ne cesse de brandir, jusqu'à s'y épuiser, comme l'évidence d'une collection de certitudes sur soi. Au-delà de ces vérités indéniables, qui s'avèrent représentations peaufinées avec le temps, se découvre une ouverture en forme de point d'interrogation, une disponibilité éthique qui fait accepter de penser de concert avec une voix, séduisante, traçant des chemins nouveaux dans ses propres sphères imaginaires, dessinant des horizons réflexifs inconnus par multiplication des miroirs brisés.

Porte étroite de l'abbaye de Thélème, n'entre pas qui veut dans ce qui ne peut se définir comme lieu utopique, dans cet espace qui vacille sous les yeux qui voudraient le saisir, le cerner, enfin forcer la devise « Fais ce que voudras » pour faire passer sous le portique les idéologies en guenilles. Lieu syncrétique, Thélème ne peut se réduire à figurer un idéal identifié : comme en un songe, l'abbaye attire l'imagination et cristallise les désirs et les peurs. Une ombre au tableau, enfouie dans les

1. Molière, *Don Juan,* Paris, Classiques Larousse, 1971, p. 32.

fondations, glissée dans l'énigme en forme de prophétie, l'éventuel triomphe de l'ignorance, nouveau déluge, par inversion de l'ordre des valeurs intellectuelles (p. 286) :

> Alors auront non moindre authorité
> Hommes sans foi que gens de vérité :
> Car tous suivront la creance et estude
> De l'ignorante et sotte multitude,
> Dont le plus lourd sera receu pour juge.
> Ô dommageable et penible déluge[1] !

Le principe de l'élection qui régit le passage est en harmonie avec la spécificité de la parole littéraire, au point que l'interdiction d'entrer dans le lieu onirique semble couler de source, puisque, d'accès réservé, la liberté fictionnelle implique d'être dans une disposition qui autorise à s'affranchir, le texte définissant une noblesse, une aristocratie de l'esprit, qui signale l'aptitude esthétique. L'ensevelissement du désastre révèle à la fois la permanence de l'ignorance reconnue, avec laquelle il faut composer, et une tentative pour la conjurer en usant du pouvoir fictionnel, comme si la métaphore pouvait agir, pragmatiquement, sur l'empire de la bêtise.

Au seuil de la fiction, il n'est pas rare de trouver pareille mise en garde, comme si une frontière invisible était tracée pour délimiter l'espace privilégié du « pays des romans », de cette libération carnavalesque de l'esprit où il est permis de tout dire. La censure s'envisage alors sous un nouvel angle : elle n'est que manifestation d'une intrusion indiscrète de l'esprit de sérieux en terre d'aventure, une erreur, au fond, au pays de toutes les erreurs. S'il est un « lecteur modèle » apte à cheminer en fiction, pour y faire ce qu'il voudra, c'est un œil grand ouvert, non qui entre (fiction n'est pas religion), mais qui sort et se dirige vers les hauts plateaux et les horizons sans limites.

Texte écrit pour son ami Dassoucy, l'épître de Cyrano de Bergerac qui ouvre l'édition de 1648 du *Jugement de Pâris* dessine en creux cette ouverture du regard, esprit de discernement[2] auquel l'écriture pointue

1. Rabelais, *op. cit., Gargantua,* 58, p. 288.
2. Voir *supra,* p. 61, sur le mot de La Bruyère.

s'adresse, en ses arabesques ironiques, ses déviations métaphoriques, protégeant d'un filtre d'intelligence active la pomme défendue, la saveur du texte à goûter, où la vulgarité vient se casser les dents. À l'orée du livre, une lettre acrobatique, à la fois hommage à l'ami et adresse au lecteur banni de la sphère du plaisir, forme de séduction paradoxale, qui incite plus encore à lire seulement les pages si bien gardées, placées sous l'égide du sourire ingénieux :

Au sot lecteur et non au sage.

Vulgaire, n'approche pas de cet ouvrage. Cet avis au lecteur est un chasse-coquin. Je l'aurais écrit en quatre langues si je les avais sues, pour te dire en quatre langues : « Monstre sans tête et sans cœur que tu es ; de toutes les choses du monde la plus abjecte », et que je serais même fâché de t'avoir chanté de trop bonnes injures, de peur de te donner du plaisir. Je sais bien que tu l'attends par dépit de donner la torture à cet ouvrage. Mais si tu l'as payé au libraire, on ne te permet pas seulement d'en médire, mais encore de t'en chauffer. Aussi bien quelque jugement que tu en fasses, il est impossible qu'on en soit vengé de ton ignorance, puisque de le blâmer tu seras estimé stupide, et stupide aussi de le louer, ne sachant pas pourquoi. Encore suis-je certain que tu en jugeras favorablement, de peur qu'on ne croie que cet avis au sot Lecteur n'ait été fait pour toi. Et ce qui est cause que je te berne avec plus d'assurance, c'est qu'il n'est point en ta bassesse d'en empêcher le débit, car quand ce serait ton arrêt de mort, ou Nostradamus en syriaque, deux belles grandes images, par où sa prudence a su débuter, triompheront si bien de ton économie que tu ne seras plus maître de ta bourse. Cependant, ô Vulgaire, j'estime si fort la clarté de ton beau génie, que j'appréhende qu'après la lecture de cet ouvrage tu ne saches pas encore de quoi l'auteur a parlé. Sache donc que c'est d'une pomme, qui n'est ni de reinette ni de capendu, mais d'un fruit qui a trop de solidité pour tes dents, bien qu'elles soient capables de tout mordre ; que si par hasard il te choque, je demande au Ciel que ce soit si rudement que ta tête dure n'en soit pas l'épreuve. L'auteur ne m'en dédira pas, car il est l'antipode du fat, comme je souhaiterais, si tous les ignorants ne faisaient qu'un monstre, d'être au monde le seul HERCULE DE BERGERAC[1].

« Nuire à la bêtise », en l'enferrant dans sa propre ratiocination frileuse, en lui montrant le peu d'assise de son jugement, et, plus encore, en l'étouffant dans les rets d'une ironie qui se dessine en volute,

1. Cité par Madeleine Alcover, *in* Cyrano de Bergerac, *op. cit.*, Biographie, p. XXXIX.

sculpture aérienne des mots qui s'enroule autour du monstre vulgaire, jusqu'à dire son impuissance, inaptitude à la jouissance esthétique.

En ces constructions énonciatives, la fiction multiplie les jeux de miroirs, évitant ainsi le reflet trop limpide, l'attirance narcissique qui fonde la séduction rhétorique visant la dévoration du sujet, avalé par l'image falsifiée de lui-même que le discours séducteur lui tend. Achevant la pointe par la signature mythologique, Cyrano-Hercule de Bergerac inverse le mécanisme de la séduction, aiguillonnant l'esprit, le piquant, le choquant, en redonnant au langage une force physique ; le texte tout entier devient tissure de métaphores vives, qui se crée sous les yeux au rythme de la lecture, comme la preuve d'une puissance effective des mots, arme bien matérielle contre les régimes de la chimère, les jugements portés *in abstracto,* appréciations qui cachent, sous le goût difficile, l'ignorance de la saveur[1]. Ouvrir le livre équivaut à passer la porte étroite de l'abbaye de Thélème, le romancier programmant l'erreur de lecture, comme conscient de la difficulté d'accepter le régime de l'erreur que sa fiction absolue propose.

Entre sens symbolique et dégradation d'un sens littéral jugé de mauvais goût[2], la fiction en archipel de Rabelais est sans cesse soumise à la torsion interprétative, texte qui fascine parce que le lecteur y pressent une force qui le dépasse, une imagination incontrôlable, résistant à la réduction significative. Et c'est précisément cette vitalité sans pareille qui incite à s'approprier la parole rabelaisienne, trop libre pour ne pas mériter la cage du sens assagi. Alors commence la lente construction du château fort qui pourrait emmurer la voix, la contraindre à emprunter les canaux qu'on lui réserve, tout un édifice technique non d'explication du sens, de déploiement du divers, mais de verrouillage argumentatif qui aboutit à l'imposition d'une vraisemblance forgée à l'aide de

1. *Cf.* La Fontaine, *Fables,* II, 1, « Contre ceux qui ont le goût difficile », et l'ouverture virulente de « Démocrite et les Abdéritains » (VIII, 26).

2. Pour exemple parmi tant d'autres, ce jugement de Voltaire, utilisant Rabelais comme repoussoir pour faire valoir Swift : « M. Swift est Rabelais dans son bon sens, et vivant en bonne compagnie ; il n'a pas, à la vérité, la gaieté du premier, mais il a toute la finesse, la raison, le bon choix, le bon goût qui manquent à notre Curé de Meudon [...] » (*in Lettres philosophiques,* XXII, « Sur M. Pope et quelques autres poètes fameux », Paris, Classiques Larousse, 1972, p. 116).

coupes indélicates, de lectures sélectives, et consacre finalement le travail de l'architecte, non l'ingéniosité de l'auteur, réduit au mutisme. Lecture-labeur, torsion-torture : à la séduction littéraire se substitue le mythe du complexe, difficilement intelligible, qui s'affiche d'abord par un langage en rupture radicale avec la poésie première du texte commenté. L'art de la pointe tel que le pratique Cyrano constitue précisément une stratégie de mise en déroute des tentatives d'interprétation aboutissant à la fossilisation de l'œuvre : le mouvement d'imbrication métaphorique assure la mouvance du sens, constamment métamorphosé, le texte-corps changeant sous le regard émerveillé qui doit en épouser la danse étourdissante[1].

Séduction des simulacres : penser dans la caverne-bibliothèque

Inventeur de l'Idée, créateur de fables dialoguées, Platon anime la philosophie d'une vie incarnée, il la théâtralise et use ainsi en permanence de la représentation éthique, autour de la figure centrale de Socrate, devenu personnage, ressort du questionnement sans cesse réitéré, comme un cheminement pas à pas vers l'exactitude de la pensée. Pourtant sa démarche ne s'assimile jamais à celle d'un fabuliste : la fiction discursive reste procédé d'écriture visant à montrer la maïeutique en acte, nul égarement dans la circonstance. La description stylisée, minimale, n'offre que le cadre où vient s'inscrire la parole dialectique ; et s'il est une séduction du dialogue, elle tient à la fois au plaisir cognitif, d'une avancée vers l'Idée et à la vivacité teintée d'humour des échanges assortis d'une mise en scène rudimentaire, estompée, colorisant par contraste les débats, comme si les mots résonnaient plus fortement dans cet espace quasiment vide, mots acidulés d'une soif de comprendre que Socrate parvient à transmettre par contamination langagière à ses interlocuteurs

1. Peut-être le plus bel exemple de cet effet de vertige littéraire, que Cyrano de Bergerac réalise avec une virtuosité jubilatoire : la lettre VIII « Autre. D'un cyprès », *in Lettres satiriques et amoureuses,* précédées de *Lettres diverses*, présentation de Jean-Charles Darmon, Paris, Desjonquères, 1999, p. 67-68.

parfois initialement peu vivaces. En cette appréciation littéraire sommaire du dialogue platonicien, nous voudrions seulement inverser le point de vue : et si la philosophie s'évaluait à l'aune de la fable ? Après tout, la littérature a maintes fois été jaugée philosophiquement. Et si nous ne parvenions même à lire Platon que par le biais de ce qui subsiste de fictionnel dans son entreprise ? Quelle beauté dans le mythe de la caverne ! Au point que, dans notre tare littéraire, nous accepterions volontiers les chaînes, pour égarer notre regard un temps dans cet antre obscur, avant d'affronter la lumière éblouissante de l'Idée. Nous songeons malgré nous aux antres qui peuplent la littérature depuis l'Antiquité, nous injectons dans la description stylisée de Platon les souvenirs de romans, nous peignons dans la pénombre tout un monde de chimères qui nous attachent à ce lieu du désordre, de la confusion des formes, renforcée par le vacillement de la flamme, espace où se perd la notion de discontinu, espace en creux, comme le négatif de l'Être, lieu de l'opacité des phénomènes. En une fable dirigée, le dessin du texte de Platon réside dans le regard, le point de vue ; il opère un détournement pour focaliser vers l'extérieur, impossible à voir : il ne trace qu'une orientation valide dans l'espace en trois dimensions du mythe. Or cette direction du regard est refusée par la configuration même, le récit engendrant la frustration, privation de l'Idée qui devient alors ce que l'œil convoite, comme l'invisible inaccessible.

La démarche littéraire nous semble étrangement complémentaire de cette suggestion d'inversion optique : en nos fables dévidant à plaisir la diversité des phénomènes, appréhendées comme des objets mystérieux, ombres mouvantes entr'aperçues sur les murs d'une caverne, dont l'imagination cherche à définir l'identité problématique, nous livrons un premier regard, celui qui est bien à la source *subjective* de la recherche ontologique, puisque ni le soleil ni le feu ne sont donnés à contempler (ni même observables directement sans aveuglement). Nous naviguons ainsi à vue dans le régime de l'erreur, voire nous en déployons la séduction, parce qu'il ne nous est pas donné d'y échapper : c'est en nous y perdant, en butant sur la réalité effective des simulacres, en les affublant de noms approximatifs (comme un enfant nommerait un nuage, pour ses contours, par analogie formelle intuitive), que nous appréhendons non l'Idée en soi, définie positivement, mais son négatif phénoménologique. La littérature se perd elle-même lorsqu'elle n'accepte plus de s'égarer ; lorsqu'elle doit viser un but, elle se laisse happer par la rhétorique ; lorsqu'elle renonce au plaisir désordonné du chant phénoménologique pour prétendre à la cohérence lumineuse, elle se farde alors d'une teinte philosophique qui ne lui sied guère.

La bibliothèque des lettres ne saurait s'envisager comme le seul lieu d'un archivage organisé : elle n'existe réellement que lorsque le désordre émerge de l'ordre des rayonnages, que se dispose sur la table du lecteur des volumes ouverts, non en piles mais entassés en équilibre instable, parce qu'une page lue en a appelé une autre, dans l'urgence, suivant une relation en chaîne qui ne fonctionne efficacement que si l'on accepte de suivre ces chemins inconnus découverts au sein d'une bibliothèque, à chaque fois nouvelle. Entre la bibliothèque-sanctuaire et la bibliothèque fantasmée, mille voies possibles mènent où l'esprit veut aller, s'il ose s'égarer, s'il conçoit la bibliothèque comme cet antre du divers, où chantent en discordance toutes les voix de l'erreur, séduisantes parce qu'imparfaites, émouvantes parce qu'incarnées en fiction et non idéales, voix éteintes dans les tombeaux, couchées sur les pages en attente d'un nouveau souffle qui les animera de sa présence au monde, intelligente.

Ouvrir le livre fait espérer une rencontre rêvée, et découvrir une réelle résonance : le nom sur la couverture comme la trace d'une ancienne pensée, le lecteur trouvant en son silence l'équivalent d'un recueillement réflexif, réveillant le mouvement qui anima l'esprit d'un autre, physiquement absent, mais envahissant le livre d'une autre présence, multiplication de signes qui dessinent un accès à rebours vers ce temps d'avant le temps de la lecture, d'avant le temps de l'écriture même, vers ce point de fuite jamais atteint de la germination de l'idée. Le style comme cicatrice inscrite dans le langage, parole défigurée, concentre le résidu subjectif de cette méditation d'abord pressentie comme alchimique par le lecteur : effacement de la personne en ces attributs réels en vue d'une transformation de soi en un « paysage avec figure absente », le texte devenant effectivement lieu d'où émerge la voix éclatée, nouvelle, authentique parce qu'enfin sortie de la gangue du langage codifié, parole échappée à la condamnation perpétuelle du sens convenu. La séduction littéraire réside dans ce dessin, dans ce geste de libération linguistique radicale que le style révèle, rend possible sous les yeux du lecteur invité à désapprendre sa langue pour apprendre à lire un langage dans le langage marqué par une subjectivité affranchie, dégagée des tracas de l'*ego*.

Effet de miroir, le pastiche est hommage, par le style, c'est-à-dire par l'essence même de la littérature à la parole défigurée en laquelle l'écrivain trouve à la fois résonance et re-connaissance :

> Qu'on s'imagine un nombre d'hommes dans les chaînes, et tous condamnés à la mort, dont les uns étant chaque jour égorgés à la vue des autres, ceux qui restent voient leur propre condition dans celle de leurs semblables, et, se regardant l'un l'autre avec douleur et sans espérance, attendent à leur tour !
>
> Pascal, *Pensées,* fr. 686 (éd. Sellier), « Lettre pour porter à rechercher Dieu ».

> Autre tableau qui fait défaut : les hommes, dans un supplice terrestre, condamnés à tourner autour d'un stade dans lequel il faut répondre et répondre sans cesse. Celui qui s'arrête dans une réponse définitive (et bien entendu c'est là l'espoir unique des suppliciés) est tordu entre le pouce et l'index d'une divinité.
>
> Image qui a l'air d'une réponse de ma part.
>
> Que la suivante l'efface !
>
> Jacques Rigaut, *Écrits,* « Pensées », Questions/dilemmes 114, p. 97.

Pour s'en tenir aux marques frappantes, le parallélisme syntaxique (« dans les chaînes » / « dans un supplice terrestre » et « ceux qui [...] » / « Celui qui [...] ») assorti d'une annonce picturale « Autre tableau », modulation à partir de l'attaque verbale : « Qu'on s'imagine [...] », permettent une reprise-variation de la phrase pascalienne. Pour qui douterait de l'hommage : le nom de Pascal est cité dans la rubrique « Réflexions » : « Pascal, l'homme d'affaires et sa comptabilité. L'ascète et le jouisseur, un seul esprit positif » (140, p. 103). La remarque 169, à propos de la maladie[1], pourrait s'inscrire dans le sillage

1. « On n'ôtera jamais de l'esprit d'un homme malade que la guérison n'en vaut pas la peine si la récompense en est une exactitude à des ennuis précis et une distraction

du pessimisme (mot justement choisi) augustinien : voir le texte de Pascal, « Prière pour demander à Dieu le bon usage des maladies ». La peinture tragique constitue un parallèle parmi d'autres ; ce qui est remarquable, c'est le style même, pastiché, conférant une même force de frappe, parole qui entend violenter le lecteur (à l'inverse d'une rhétorique insinuante, l'écriture vise l'effet de choc). Art maniériste : savoir se nourrir et dépasser le modèle pour acclimater peut-être la pensée à l'air contemporain.

Aussi percutant, d'une subtilité ironique, le mot de Rigaut intègre, en une résonance philosophique, l'augustinisme de Pascal (le monde-cachot, où l'homme erre en roi déchu, cherchant la grâce...). Des brouillons qui forment les *Écrits* de Rigaut aux liasses qui structurent les *Pensées* de Pascal, un regard se porte, à rebours, qui n'omet pas de poser à nouveau la question essentielle du jeu, centrale dans un argumentaire visant à convaincre les libertins chez Pascal, devenu peut-être ingrédients d'un discours à soi pour Rigaut, piégé dans l'ennui de ses propres pratiques libertines. Le pari est spéculation excitante qui fonde la séduction littéraire de l'*Apologie* pour « l'esprit fort » qu'il s'agit de convertir. C'est aussi une figure dédoublée de l'auteur selon Rigaut, qui s'y mire lui-même (le joueur derrière le prêtre, ce que Rigaut indique clairement : « l'ascète et le jouisseur »). Pascal connaît par cœur, pour s'y être baigné, cette source du libertinage (traduisons : de l'incroyance et du doute), et c'est à partir d'une expérience de vie qu'il entreprend et laisse en plan ce qui aurait dû devenir une apologie de la religion chrétienne. Rigaut répond en connaissance de cause, comme s'il s'observait, en personnage, traversé de la même ambivalence : « l'ascète et le jouisseur ».

L'écriture de Rigaut est intégration artiste de la lecture qui nourrit sa propre fracture et fait germer une nouvelle métaphore du cercle vicieux, condamnation au stade, qui anime d'un sourire de l'esprit la topique tragique. Il y entre ainsi un air de légèreté dérisoire qui affine

de l'esprit qui ne peut que faire honte. Il ne s'agit pas ici de remâcher ce pessimisme trop entendu pour ne pas être écarté de l'esprit ; mais allez donc modifier, docteurs, un sentiment » (p. 111).

peut-être la peinture de la condition humaine, passant de la mise à la question sans cesse recommencée à la question pure, nouvelle torture. En ce clin d'œil artiste, l'écrivain dessine le comble de la séduction littéraire, ce désir d'assimiler jusqu'à la cicatrice étrangère, ou plutôt d'y trouver refuge, de s'y exiler de soi afin de mieux entendre cette subjectivité énigmatique qui sommeille sous le poids de l'identité affichée.

La séduction baroque : démultiplication des miroirs

Si le baroque a longtemps été entendu comme moment esthétique incomplet, laissant attendre l'avènement du miracle classique, repoussoir en somme, qui se dessinait en creux comme négatif imparfait, sinueux, d'une perfection géométrique à venir, la reconnaissance de marques spécifiques permet à présent de définir positivement le baroque comme catégorie esthétique à part entière. Il ne s'entend plus seulement comme un âge d'adolescence stylistique, mais bien comme un art de dire et de penser l'inconstance, de l'intégrer artistiquement, en vue de faire émerger une conscience baroque, d'abord travaillée par une perception aiguë de l'écoulement du temps, faisant osciller entre vision d'un drame existentiel, lié à la fuite, et acceptation de la perte de soi qui l'accompagne, jusqu'à y éprouver une joie paradoxale. État de mélancolie qui poétise le vivre, à chaque instant nimbé d'une brume légère qui tout à la fois colore le moment d'une force inouïe dès lors qu'il est vécu dans la conscience de la perte imminente et ainsi l'emporte en songe, comme n'étant que la réalité fuyante, estompée des choses. Or en cette restriction se joue l'essentiel du baroque : ne voir que l'imminence du mourir, c'est être toujours au plus près du vivre, c'est savourer le suc de l'existence dans l'intensité, aux antipodes de l'ennui, qui tient à une dilatation du temps, devenu uniforme, non plus fuyant, à la manière d'une rivière, mais solide comme la pierre du tombeau, temps lisse, où l'existence est enterrée vivante.

À partir d'une définition restrictive, indéniable, du baroque, seulement entendu suivant le perspective historique et rappelant qu'il constitue, à l'origine et essentiellement, un art de la Contre-Réforme, il est peut-être loisible d'élargir le champ d'action du phénomène, et d'imaginer une permanence du baroque comme mode d'être au monde qui n'est pas près de s'éteindre, en dépit de l'érosion des croyances, baroque transhistorique qui ne retire rien à ce qui a pu être dit sur le moment historique de sa naissance, mais, à l'inverse, montre les résonances qu'il continue d'avoir aujourd'hui, acclimaté en un monde radicalement différent dans les consciences en raison du vertige croissant, suscité par le questionnement scientifique.

Si les approches thématiques ont défriché la voie inexplorée qui mène à ces textes auparavant envisagés comme préclassiques[1], elles n'ont pas réellement permis de dégager les spécificités d'une esthétique baroque transférée du pictural au littéraire (on ne voit guère comment une topique suffirait à distinguer une caractéristique esthétique, puisqu'elle est, par définition, transfert dans le champ littéraire de motifs toujours disponibles, réactualisables à loisir), il est des spécificités stylistiques qui mettent clairement en œuvre cet effet d'instabilité suivant une séduction textuelle qui trouve ses correspondants picturaux. Tels les traitements anamorphiques de l'image, les jeux de multiplication des miroirs faisant aboutir à un décentrement thématique, les déviations métaphoriques par prolifération, au point que le thème se perd, la superposition des contraires au sein de la représentation, valorisant le paradoxe (à la manière notamment des vanités picturales, caractérisées par l'indice de la mort dans la perception du vivant), ou encore la

1. Et notamment les travaux de Jean Rousset qui, le premier, propose d'appréhender positivement le baroque dans *La Littérature de l'âge baroque en France : Circé et le paon,* Paris, Corti, 1954. Si l'auteur n'a cessé sa vie durant de rectifier ses positions sur le baroque (jusqu'à ses *Derniers regards sur le baroque,* 1998), cette poursuite incessante d'un objet qui semble toujours échapper est, en soi, manifestation même de cette séduction spécifique du baroque. Songeons qu'en 1950, dans *La Dramaturgie classique en France* (Nizet), Scherer ignorait le baroque comme catégorie esthétique à part entière. Il n'en reste pas moins que l'orientation thématique des études baroques – et tout particulièrement les diverses anthologies qui se situèrent dans le sillage des recherches de Rousset – masque parfois l'éparpillement sous la seule idée du florilège, le critère ne permettant pas de cerner, à travers une diversité qui semble bien consubstantielle à l'art baroque, si ce n'est une ligne directrice, un trajet serpentin qui autoriserait à grouper les textes.

métamorphose, l'exhibition de l'instabilité dans la répétition-variation de motifs, dans les parallélismes créant un tournoiement lancinant du sens. Si le baroque a dû rester longtemps dans l'ombre avant d'acquérir ses lettres de noblesse, c'est sans doute aussi parce que la critique se penche volontiers sur les textes des théoriciens plutôt que sur les œuvres ; or la mobilité même du baroque ne convient guère à la théorisation réalisée par préceptes, elle donne lieu à des formes d'art poétique éparpillées au sein même des œuvres, le choix étant lui-même affirmation esthétique en acte. Cet évincement théorique a pu nuire à cette myriade de textes qui, d'ailleurs, n'ont jamais fait l'objet d'une revendication d'étiquette, mais sont *a posteriori* agglomérés par la critique qui cherche à tout le moins à cerner cette sphère de l'inconstance.

On comprend donc bien le risque que comporte la proposition d'un élargissement de la conception même du baroque dès lors que la tentative de définition s'est elle-même avérée problématique. Sans doute aujourd'hui le baroque est-il positivement entendu mais à nouveau déformé : en passe de signifier un anticlassicisme qu'on assimile à une liberté formelle et conceptuelle, au prix, cette fois, d'une torsion de l'autre versant, fantasmé comme un bloc anguleux, où l'on vient graver une étrange rigidité, un esprit de géométrie qu'on accuse implicitement de brimer les esprits. Si l'on envisage la possibilité d'une permanence baroque, l'hypothèse reste à creuser avec précaution, et les traces, les vestiges de cette abbaye engloutie ne sauraient être ostensibles (en dépit de la thématique sans cesse soulignée, à travers la métaphore du Paon) dès lors que l'esthétique du mouvement accepté, de l'inconstance délibérée, n'a certes guère été favorisée dans l'histoire littéraire et plus encore dans son enseignement. Si l'on met l'accent sur une constellation d'œuvres réalisées sous le règne de Louis XIV et dans la mouvance janséniste, les romans du début du siècle, d'une inspiration radicalement différente, qu'il s'agisse du rire burlesque de Sorel ou de la philosophie-fiction de Cyrano de Bergerac, sont nettement moins étudiés dans les classes, peut-être avant tout pour leurs modes d'énonciation complexe, résistance à la classicisation qui est le signe même d'une littérature qui dépasse les visées argumentatives. La suprématie de l'esthétique dite classique réduite à quelques phénomènes simplifiés dans l'enseignement explique en partie l'éclipse baroque, la catégorie étant d'ailleurs rejetée de l'analyse pour des textes étiquetés classiques qui, à bien des égards, gagneraient à être observés suivant un regard acceptant le mélange esthétique. On souligne sans cesse la facture classique de l'œuvre de Pascal, en estompant une rhétorique du cœur, qui n'est pas éloignée du tournoiement baroque, en gommant encore l'intégration du point de vue de l'incroyant, suivant un art du mime qui fait entendre, comme une parole absurde, l'acceptation de la fuite vers nulle part[1].

À travers la philosophie et le théâtre de l'absurde, s'est fait entendre en résonance, comme un lointain écho, la voix multiple des moralistes classiques : ainsi des parallèles repérés entre la misère de l'homme sans Dieu chez Pascal et la peinture de l'ennui de la condition de l'homme moderne, chez Camus ou Beckett. C'est que la littérature sans cesse semble ramener à ce moment classique (floraison d'artistes sur deux décennies, en raison aussi d'une émulation tenant à la politique culturelle du roi, quoi qu'on en dise), non seulement comme si l'idéal avait été atteint, indépassable, mais surtout comme si une idée de l'art s'était imposée, solaire, éclipsant tous les autres astres, rendant dérisoires les pensées lunaires. Par contrecoup, c'est l'ensemble de la sphère littéraire qui se voit réévaluée (songeons à Rabelais sévèrement jugé par Voltaire).

Pourtant, plus que comme un espoir, comme l'intime conviction que le baroque vibre encore parce que sa musique résonne profondément dans notre instabilité actuelle, monde protéiforme, il nous semble difficile d'imaginer une œuvre qui, trouvant l'accord entre la forme élue et la circonstance, faisant naître un nouveau style, ne porterait pas en elle les traces de cette parole changeante. *Les Bienveillantes* s'inscri-

1. Voir Pascal, *Pensées,* fr. 681, « Lettre pour porter à rechercher Dieu », p. 478, extrait du discours de l'incroyant : « [...] Je ne vois que des infinités de toutes parts, qui m'enferment comme un atome et comme une ombre qui ne dure qu'un instant sans retour. [...] Et après, en traitant avec mépris ceux qui se travailleront de ce soin, je veux aller sans prévoyance et sans crainte tenter un si grand événement, et me laisser mollement conduire jusqu'à la mort, dans l'incertitude de l'éternité de ma condition future. »

vent dans la lignée baroque par la référence à la suite de Bach qui structure (en apparence) le roman, sans qu'il soit véritablement possible d'entendre, même en des accords discordants, une véritable polyphonie déconcertante, ou un éclatement des miroirs qui brouillerait à jamais la transparence de la Galerie des glaces et rappellerait les subtils jeux d'illusion du jardin de Vaux (les grottes qui semblent donner directement sur le bassin, par perturbation de la perspective).

Roman moderne s'il en est, le texte de Cyrano de Bergerac révolutionne le genre en ce qu'il pense le décentrement, l'instabilité même des argumentaires, qu'il fait voir l'existence en un songe éveillé et condense les manifestations diverses des velléités totalitaires. Une déflagration qui vient après celle provoquée par l'œuvre de Sorel, choc de l'ingéniosité du rire, l'*Histoire comique de Francion,* qualifiée d'abord péjorativement de « baroque » pour la complexité de sa composition énonciative, pour le moins déstabilisante. La liberté du texte, accusé de flirter avec l'obscénité, lui vaut de n'être pas pris au sérieux. Sans doute est-il plus convenable de faire valoir l'élégance raffinée de *La Princesse de Clèves,* mais en écartant les textes pour leur respectabilité douteuse, fictions à lire à loisir mais jugées délicates à transmettre, l'on contourne le noyau dur du littéraire comme trop explosif et l'on oriente l'histoire même du roman vers l'analyse psychologique et les méandres affectifs.

En ces deux textes (d'un autre XVIIe siècle, à l'écart des logiques de cour), le lecteur trouve les ingrédients d'une modernité qui lui parle vraiment, d'un rire qu'on voudrait tant voir réveiller aujourd'hui comme quintessence de l'intelligence, lorsqu'elle se défait de la prétention sérieuse et de la complaisance dans le nihilisme de surface. L'intelligence baroque est compréhension de l'éclatement, de la fissure qui entame les surfaces planes et révèle la pliure, perturbation des mélodies monocordes jusqu'à faire entendre le son à la limite du soutenable harmonique, et, pour revenir à l'origine architecturale et picturale, compréhension de l'erreur même qui fait vivre et mourir l'objet, qui montre dans la respiration du sujet le signe indéniable d'un dernier soupir, imminent. La séduction baroque réside avant tout dans l'exhibition d'une parole fissurée, lyrisme discordant qui divise le son en harmoniques et les égrène au seuil du perceptible, chant où le moi se dépossède de lui-même pour vibrer en tout ce qui meurt de vivre intensément. Elle porte ainsi à son comble d'émotion la voix littéraire, inversant l'ordre éthique, puisque le sujet n'y est plus le lieu d'une maîtrise raisonnée, mais le réceptacle d'échos venus d'ailleurs, répercutés en plaintes voluptueuses. À l'inverse de la focalisation sur la personne, la voix ne cherche plus qu'un point d'ancrage au monde ; errante, elle se situe toujours dans la vérité d'une recherche d'équilibre, parole déplacée, déplaçant l'air et exhibant la fracture, traçant en arabesques le contour précis de chaque empreinte du mourir, et faisant de ce chant un hymne où se consume en beauté toute l'énergie de la vie.

Pour une fable entropique

Dans la conception aristotélicienne du poème se reflète analogiquement l'image d'une création parfaite réalisée par un démiurge : œuvre sans failles, d'où rien ne s'échappe, *cosmos* qui intègre les erreurs dans une logique du vraisemblable jusqu'à les faire apparaître comme plausibles, rectifiées. La centralisation éthique, déterminante dans la construction d'un monde cohérent, constitue la clé de voûte de cet édifice achevé, puisque la validité même de l'univers fictionnel tient à la pertinence d'un point de vue, œil gigantesque, cyclopien, qui contrôle les faits et gestes, les émois, qui préside aux métamorphoses, justifiant par de nouvelles lois, spécifiquement fictionnelles, l'élargissement des limites du sens, autorisant le dépassement de la rationalité, telle qu'elle est entendue en régime « normal » – entendons, suivant les prescriptions doxales en vigueur dans la réalité du lecteur. En cette fiction nécessaire s'exerce ainsi une raison intégrée, qui n'admet pas d'erreur : nulle entorse dès lors qu'une voix recouvre la diversité d'un voile de vraisemblance, feutrage qui amortit les résonances discordantes qui accompagnerait une fiction en liberté, répercutant les échos diffractés de voix entrant en friction, jusqu'à se perdre dans les gouffres du sens. Éviter la cacophonie, tel est l'enjeu qui incite à affirmer l'impératif du sens unifié.

Or ce qui se joue, du côté du lecteur, c'est le droit d'accéder au spectre harmonique, ou de voir à la limite de l'infrarouge, d'affiner sa perception, de repousser les limites du sens commun par une expérimentation imaginative. La fiction contrôlée façonne ainsi un mode de pensée qui écarte la possibilité du débordement, de la démesure du sens, de l'enflure, comme si le monde miroité risquait d'y éclater : en voulant évacuer l'erreur, suivant une logique étroite, le contrôle induit un régime généralisé de l'erreur par torsion-réduction du divers. Peur du vide ou du trop-plein, crainte du désordre vital, d'une régression jusqu'au chaos : le poème rassemble les énergies, évite la désorganisation, le gaspillage comme l'excès du sens. « Rien de trop », règle classique qui vaut d'abord rhétoriquement parce que le triomphe de la mesure dans l'ordre linguistique est signe d'une victoire de la raison dans l'ordre réflexif, d'un équilibre atteint à préserver pour écarter la confusion, défaite de l'esprit, aveu d'impuissance à cerner le sens. Dans son obsession de la rigueur et de la concision, l'esthétique classique née d'une interprétation hyperbolisant le principe de cohérence inscrit dans *La Poétique,* révèle en négatif un monde obscur, un en-deçà du livre qui pourrait bien séduire pour la confusion féconde qu'il recèle, pour le principe de déperdition qui semble y régir les échanges, pour l'aveu d'une impossible équation entre deux gestes pourtant analogues dans leur rapport avec le hasard : d'un côté, le cheminement infini qu'autorise la bibliothèque, amenant à construire des mondes ; de l'autre, l'aventure d'une existence, empruntant les voies qui se présentent dans un monde réel perçu comme éclaté.

L'ouverture du sens est pourtant condition *sine qua non* de la validité expérimentale du livre : à la nécessité d'avouer l'impuissance du langage à cerner la complexité fuyante du monde s'ajoute, comme préalable de l'aventure fictionnelle, l'annonce d'un déploiement analogique, au sein du texte, de la diffraction des points de vue correspondant au refus de l'empire des affirmations. Le questionnement seul autorise le cheminement cognitif qui déplace toujours la limite de l'inconnu, mouvement qui modifie sans cesse la perception même du réel, comme si, dans une perpétuelle anamorphose, le visage du monde se transformait, à chaque fois modifié par la bifurcation-rectification que constitue une nouvelle découverte.

Accepter le principe d'entropie en littérature implique de restituer à la fable le droit souverain d'une écriture intégrant la nécessité vitale de la déperdition d'énergie, du gaspillage sémantique, de l'excès, sans quoi il n'est pas de dynamique ; autre orientation stylistique (à l'inverse de l'idéal classique de concision hérité de l'atticisme) qui accepterait la démesure, non pour instituer le désordre, mais parce qu'elle participe de l'organisation même du sens, comme résidu de transformations successives, suivant un régime non d'acquisition, mais de perte, le texte devenant vestige des mille et une combustions de l'esprit en mouvement. Ce régime de la déperdition ne coïnciderait pas pour autant avec l'asianisme, qui, dans le mouvement d'amplification, n'engage pas l'esprit vers la déroute, mais traduit en style périodique la victoire de la raison au sein même du flot linguistique. Accueillir l'erreur comme le négatif d'un sens à faire advenir, ou encore substituer la concurrence sémantique au diagnostic d'incohérence, tels sont les gestes cognitifs qui confèrent à la parole littéraire un pouvoir heuristique alternatif de la pensée dialectique. En ce mode réflexif, l'essence rhétorique du langage joue à plein, dès lors qu'il ne s'agit plus d'avancer suivant une démarche binaire opposant le vrai au faux, mais bien d'emprunter une voie sinueuse, jalonnée de questions ouvertes, fonctionnant par degré de pertinence, et maniant ironiquement les échelles argumentatives.

Épilogue

LE TOMBEAU DU LIVRE OUVERT

Plaisir qui se perd, mais se trouve encore avec un peu de chance si l'on prend le temps, flânant sur les quais de la Seine, de fureter chez les bouquinistes : saisir le livre fermé, pages encore non coupées, mystère clos qui demande d'abord un effort, la découpe est droit d'entrer dans la pliure. On hésite à tout couper d'un coup : pourquoi ne pas laisser les mots reposer dans l'ombre, les découvrir au fur et à mesure de la lecture ? Loisir de les laisser dormir même si l'ennui vient, et avec lui, l'abandon du livre, sa fermeture. Il est une séduction à rebours, d'une élégance rétro, dans ce geste simple et silencieux, merveilleusement désuet à l'ère des écrans plats, alors que les regards glissent sur les surfaces brillantes, lumineuses, sonores, faisant défiler les images en continu : le livre plonge dans le silence, opaque, d'un jeu de feuilles où tout semble immobile, laissant émaner un parfum de pensée, lointain effluve évadé du tombeau de l'esprit, qu'il est permis de savourer au rythme d'un temps qui semble suspendu, offrant un exceptionnel ralenti à l'heure de l'accélération généralisée. À travers sa propre voix éteinte, le lecteur mime la respiration d'une ancienne parole, dont il cherche les accents, dont il invente les timbres, en une mise en scène d'abord approximative qui s'affine comme si une familiarité vocale s'installait à mesure que se découvre l'intérieur feuilleté du tombeau. L'exacte résonance n'est autre que la perception du style dans son inaltérable subjectivité, quintessence d'une personnalité défaite des attributs dérisoires de la personne.

Il n'est donc pas de rencontre, au sens strict, dans le livre : auteur absent toujours, subjectivité omniprésente pourtant, qui mène le lecteur sur les sentiers de sa propre sensibilité, de son intelligence active. Ce qui séduit dans le livre, c'est aussi cette autre rencontre avec soi-même, substituée à celle qui n'aura pas lieu, quitte à buter sur les limites de l'esprit, à éprouver dans l'ouverture du livre les bornes qui attachent à la rive. Rencontre de l'autre pourtant, sous forme de pensée incarnée dans la sphère de la fable et mise à l'épreuve de l'aptitude à entendre la parole étrangère. En cet espace fictionnel répercutant les échos d'une différence, l'esprit comme le désir, contraints à admettre la distance (de ma voix qui lit et chante le texte à celle, morte ou éteinte, de l'auteur), dessinent un lit de solitude dans les résonances de l'humaine condition.

Lieu où l'on sait ce qu'on dit, la littérature n'est pas une école où l'on valorise le labeur, mais un monde où le plaisir devient chose éminemment sérieuse, essentiel à la réflexion par fable, non comme un moyen mais comme ce qui stimule l'esprit dans son cheminement actif et le rattache toujours aux amarres matérielles. Le plaisir esthétique s'éprouve non comme ce qui ramène à soi, mais bien comme ce qui détache, délivre des ornières de la psyché, et fait avancer vers un inconnu attirant. C'est dire que la littérature ne saurait s'envisager comme un domaine de savoir, cerné par un arsenal de théories explicatives : quelle que soit son orientation, la critique littéraire est geste (qu'on voudrait conscient) dirigé vers un objet insaisissable, car prétendre cerner la littérature, c'est manquer son essence même, ou l'asphyxier dans un discours qui la dessert[1].

Si nous pratiquons la citation, c'est à chaque fois avec le sentiment de la difficulté d'une coupure : car la phrase isolée fait manquer ce que

1. *Cf.* Dominique Rabaté, *op. cit.*, p. 17-25 : « L'insuffisance du commentaire », à propos de Maurice Blanchot.

nous cherchons à laisser éprouver, cette séduction littéraire qui requiert une lecture attentive aux rythmes mêmes du livre, à la dynamique qui engage l'esprit dans un mouvement de pensée, dont la complexité tient, plus qu'à la structure (analogue d'une ossature pouvant être détaillée), à la réactualisation instantanée de la perspective, du point de vue qu'induit le déplacement (le corps du texte danse et l'ossature se plie à ses mouvements ondulatoires). En ce lieu où la puissance de déflagration du mot reprend ses droits, à l'inverse du magma médiatique où la déperdition de sens et de son devient nouvelle loi du discours, la passion littéraire est d'abord récitation de ce que l'on comprend, amour d'un texte qui, en sa complexité artiste, offre une nouvelle transparence du langage.

Sous l'empire métaphorique, se lit la multiplication des miroirs : le texte littéraire propose un déploiement analogique qui décentre les questions, les diffracte pour en faire apercevoir tous les enjeux : plus que le primat de la métaphore, c'est l'emboîtement métaphorique qui, condensant les analogies, construit une ramification du sens, embarquant l'esprit dans une pensée voyageuse, au risque de l'égarement. Savoir lire, c'est d'abord savoir se mettre entre parenthèses, en tant que conscience limitée par des options idéologiques, par l'expérience, par l'idée préconçue du livre, c'est entretenir avec le texte un lien purement érotique, de plaisir, quitte à l'abandonner en chemin, si le texte abîme, entame, voire brise en faisant miroiter ce que l'on ne veut pas éprouver.

À la limite du geste d'écriture, il y a ce que l'expérience radicale de Jacques Rigaut révèle, une mort à soi-même qui coïncide avec la découverte instantanée de la pure jouissance de vivre. Texte admirable où il évoque sa vocation au suicide, débutant comme un poème en prose : « Je serai sérieux comme le plaisir. Les gens ne savent pas ce qu'ils disent. [...]. »[1] La profession de foi érotomane s'articule à un désengagement qui associe l'existence au dérisoire et fait rechercher, à travers le vertige du suicide, la saveur vraie de la vie, à la lisière de la

1. Jacques Rigaut, *op. cit.*, « Je serai sérieux... », p. 20.

mort : entendre le battement du cœur, dans l'imminence du mourir, coïncider avec cette réalité biologique qui ramène à l'origine même du vivre, telle est la quête de l'instant vrai, sans compromission, qui serait paradoxalement ode de la vie[1].

« JE » OU L'INNOMMABLE

Expérience limite, l'écriture littéraire dépasse de bien loin tout ce qu'on peut en dire, et le geste même de commentaire, conçu pourtant comme hommage, déclaration d'amour au texte, ne peut rendre ce qui s'éprouve mais, au mieux, tenter d'inventer un style mimétique (dans une sorte de maniérisme critique) qui donnerait un avant-goût de la saveur séduisante qui seule justifie le désir de « parler de » ce qu'on a lu[2].

Et non parler de soi, qui n'a ni sens ni raison, en littérature : le voile ne cache rien, ni corps ni âme, il est le corps léger, translucide, qui, flirtant avec le vent, laisse entendre une musique subtile. L'espace littéraire autorise la confusion des identités, voire préconise les métamorphoses, comme mode de réflexion ontologique en acte, par expérimentation, retour à l'indécis, à l'émergence même de la forme, toujours en mutation. Sculpture changeante, le personnage littéraire n'a rien d'une statue de marbre ; il glisse, s'effrite, semble se dessiner puis échappe à

1. *Cf.* V. Jankélévitch, *Le Paradoxe de la morale,* Paris, Le Seuil, 1981, p. 120 : « Ce qui vit d'une existence végétative meurt à peine : très tard et très lentement. Celui qui vit doucettement et comme en veilleuse s'éteindra souvent à petit feu : et voilà le lot de l'existence moyenne, d'une existence qui s'écoule à mi-chemin du vivre et du mourir, et n'est jamais ni vraiment vivante ni entièrement morte. En revanche, l'homme qui vit intensément mourra passionnément, et quelquefois héroïquement : c'est le destin des vies brèves, et c'est aussi le destin du héros dont l'existence dramatique est sans cesse menacée, sans cesse reconquise et finalement reperdue. Perdue pour toujours ! » Voir aussi La Fontaine, fable VIII, 1, « La mort et le mourant », ponctuée par cet alexandrin : « Le plus semblable aux morts meurt le plus à regret. »

2. Les *Études de style* de Léo Spitzer nous semblent exemplaires de cette saveur littéraire, la passion du texte se trouvant insufflée dans le commentaire, qui séduit à son tour, comme nouvel objet esthétique.

nouveau, fantôme imaginé que chaque lecture réinvente, au gré des époques de la vie. Nous armant d'un arsenal terminologique, nous pouvons bien déployer tous nos efforts pour soumettre la littérature à nos investigations taxinomiques : le texte avance, librement, réinventant une nouvelle erreur pour nous faire mentir dans nos généralisations abusives.

Notre parti pris antithéorique, notre démarche non exhaustive, notre récitation intermittente se veulent respect de la diversité littéraire et inversion de l'ordre citationnel attendu : en ce livre, nous voudrions avoir fait entendre la polyphonie quasi infinie de la littérature ; que les voix qui s'échappent des textes ne viennent pas servir notre propos comme arguments, mais le débordent, le dépassent pour imposer ce régime de séduction qui seul approche de la réalité du livre, séduisant parce qu'inattendu. Le roman qui s'impose, comme parole d'exception, à venir, d'avenir, ne saurait répondre aux principes en vigueur : il est comme l'erreur d'interprétation de ce qui le précède, la voix en dissonance, non mimétique, qui accélère et perturbe le courant de pensée où il prend pourtant naissance.

Une voix encore, qui nous fascine toujours, comme l'essence même de ce pur questionnement subjectif qui, pêle-mêle, livre au lecteur, à l'orée du roman, la possibilité d'entendre, au-delà du nom, perdu, inconnu, impossible, la pensée en allée dans le labyrinthe du langage :

Où maintenant ? Quand maintenant ? Qui maintenant ? Sans me le demander. Dire je. Sans le penser. Appeler ça des questions, des hypothèses. Aller de l'avant, appeler ça aller, appeler ça aller de l'avant. Se peut-il qu'un jour, premier pas va, j'y sois simplement resté, où au lieu de sortir, selon une vieille habitude, passer jour et nuit aussi loin que possible de chez moi, ce n'était pas loin. Cela a pu commencer ainsi. Je ne me poserai plus de question. On croit seulement se reposer, afin de mieux agir par la suite, ou sans arrière-pensée, et voilà qu'en très peu de temps on est dans l'impossibilité de plus jamais rien faire. Peu importe comment cela s'est produit. Cela, dire cela, sans savoir quoi. Peut-être n'ai-je fait qu'entériner un vieil état de fait. J'ai l'air de parler, ce n'est pas moi, de moi, ce n'est pas de moi. Ces quelques généralisations pour commencer. Comment faire, comment vais-je faire, que dois-je faire, dans la situation où je suis, comment procéder ? Par pure aporie ou bien par affirmations et négations infirmées au fur et à mesure, ou tôt ou tard. Cela d'une façon générale. Il doit y avoir d'autres biais. Sinon ce serait à désespérer de tout. À remarquer, avant d'aller plus loin, de l'avant, que je dis aporie sans savoir ce que ça veut dire. Peut-on être éphectique autrement qu'à son insu ? Je ne sais pas. Les oui et les non, c'est autre chose, ils me reviendront à mesure que je progresserai, et la façon de chier dessus, tôt ou tard, comme un oiseau, sans en oublier un seul. On dit ça. Le fait semble être, si dans la situation où je suis on peut parler de faits, non seulement que je vais avoir à parler de choses dont je ne peux parler, mais encore, ce qui est encore plus intéressant, que je, ce qui est encore plus intéressant, que je, je ne sais plus, ça ne fait rien. Cependant je suis obligé de parler. Je ne me tairai jamais. Jamais[1].

En cette ouverture, Beckett dramatise, à travers une voix sans identité, le geste même de l'écriture, les effets de reprise et de relance phrastiques montrant le questionnement à l'œuvre et l'impératif de la parole embarquée, émanant d'un « je » innommable et essentiel à l'ancrage littéraire. Avancée vers le rien à partir d'un « je » énigmatique qui questionne chaque nom, dans un refus systématique du langage comme il va, l'*incipit* du roman est marche lancinante, d'abord apparemment hésitante, mais progressant vers la double évidence qui fonde le geste littéraire : « je », et « je suis obligé de parler ».

Effectivement, il était vital pour la critique littéraire d'en finir avec les intentions d'auteur, d'appréhender pour ce qu'elle est cette parole embarquée, cette voix non contenue qui s'épuise à dire, à poser des questions, qui refuse avec ironie le régime dialectique binaire du oui ou non, ici admirablement tourné en dérision, saccagé par voie métaphorique, élégance grossière (« façon de chier dessus, tôt ou tard, comme un oiseau ») qui définit une manière spécifique de Beckett, art de faire résonner, en un sourire ingénieux, l'enjeu majeur et la parole mineure, sorte de dérision philosophique qui est façon de philosopher à partir de la rugosité du langage[2].

Or en cette voix qui est aussi personnage viendra se concentrer, dans la suite du roman, la mémoire des figures qui peuplent l'univers

1. S. Beckett, *L'Innommable,* Paris, Minuit, 1953, p. 7-8.

2. *Cf.* S. Beckett, *En attendant Godot,* Paris, Minuit, 1952, p. 11, à propos de la chaussure qui fait mal, motif dérisoire, symptôme de la souffrance inhérente à la condition humaine : ESTRAGON. – « Assez. Aide-moi à enlever cette saloperie. »

de Beckett, comme si cet innommable, pur point d'interrogation, condensait la recherche d'une subjectivité éclatée en instances fuyantes, rencontrées au bord des routes fictionnelles, voix qui portent l'alliage de la plainte et de la vitalité et la marque indélébile de l'intelligence du dérisoire telle que Beckett l'orchestre avec une lucidité ironique.

La littérature n'est pas le lieu des écritures de compromis : le style n'aboutit que lorsque l'écrivain accepte de se débarrasser de soi : la voyance dont parle Rimbaud n'est pas opération miraculeuse, faisant intervenir le surnaturel ; elle implique un renversement radical du regard. N'être plus rivé à soi-même autorise la dérive littéraire comme voyage sans destination préalablement établie ; ni introspection, ni conversion qui ferait éviter le divertissement, mais attention au mouvement vital, insaisissable, recherche d'un septentrion qui sans cesse se déplace dans le ciel :

> [...] Le point de mire fixé se déplace, recule, s'enfonce dans le noir, se fait imperceptible, et l'écrivain n'est lui-même que le jour où il comprend, désespéré, que tout se limite pour lui à une expérimentation de plus ou moins longue durée. Le temps d'une vie. Mirage. Illusion. Et illusion de l'illusion.
>
> [...]
>
> Car lorsque les mots ont fini de couler de soi, c'est qu'ils ont réussi à vous ensevelir vivant. L'homme reste comme englué dans la chrysalide du livre qu'il a écrit. Et sa renaissance à travers le temps est si multiple, si permanente dans les milliers d'esprits, que sa mort à lui est plus certaine, plus immuable, plus définitive que n'importe quelle autre mort. Chaque mot écrit est une tombe ouverte. Remplir des pages et des pages revient à saluer d'un incessant adieu sa propre dépouille sur le bord de la fosse fraîchement creusée. L'entreprise n'a pas de fin, ne peut avoir de fin. De combien de mutilations l'écrivain n'est-il pas secrètement stigmatisé ? [...][1].

Cette expérience absolue que Calaferte raconte dans son roman montre combien la séduction littéraire tient essentiellement à la passion d'écriture qui la précède. Alors qu'aujourd'hui certains éditeurs semblent à la recherche d'écrivains de métier, qu'ils envisagent comme des machines à produire régulièrement du livre, il s'avère que l'invention littéraire reste rage au corps qui saisit dans le flot de la vie et s'impose alors

1. Louis Calaferte, *Septentrion*, Paris, Denoël, rééd. « Folio », 1984, p. 433.

comme la vie même, le projet dépassant, dans son idéalité, le temps qui est donné à vivre, mais se réalisant pourtant en une forme non achevée mais vivante, témoignage d'une passion librement consentie.

S'ENGAGER POUR LA FABLE

La résonance réflexive entre percepts et concepts telle qu'elle a été explorée par Gilles Deleuze[1] devrait amener à reconnaître une autonomie du littéraire et à envisager la littérature comme un mode de pensée alternatif qui trouve en lui-même les raisons de son propre engagement. Penser par fable est en soi subversion qui pose problème dans un monde où seul le critère de l'utile, de l'application pragmatique, prévaut. Le geste littéraire exhibe, dans son admirable gratuité, une insolence absolue ; il devrait même s'entendre comme souveraine violence, violant la loi de l'impératif économique, si le marché du livre n'était pas parvenu à asphyxier la parole littéraire dans ses rets, en le soumettant à la logique de l'offre et de la demande, qui n'a rien à voir avec l'impératif esthétique du *placere,* contrairement aux pseudo-justifications que trouvent parfois les éditeurs, réactivant à contresens la conscience rhétorique qui présida notamment à la création des textes de l'âge classique[2].

Revenons au sens de l'autodafé, essentiel, nous semble-t-il, pour comprendre l'enjeu de la parole risquée. La fiction est paradoxale dans la mesure où elle semble détourner le regard du monde, parfois avec un suprême dédain, mais, en même temps, le miroir qu'elle tend à distance est non démonstration mais simplement monstration ironique de la loi généralisée des erreurs. Paradoxale surtout dans la mesure où, par la feintise qui nourrit sa séduction, elle entend dire la vérité en un élégant mensonge. En son cheminement serpentin, elle est vouée à l'insolence, au refus de la convenance, substituant l'invention de réseaux métapho-

1. Voir G. Deleuze, F. Guattari, *Qu'est-ce que la philosophie ?,* Paris, Minuit, Critique, 1991
2. Voir Marc Fumaroli, *L'Âge de l'éloquence,* Genève, Droz, 1980.

riques complexes au régime doxal du symbole partagé, refusant l'autorité de fait, pour jongler (parfois avec une extrême désinvolture) avec les mots d'auteur. Voix qui ne se soumet pas, la parole du romancier dit, dans son invention jouissive, la possibilité d'autres mondes, en un questionnement ironique ou en un non cynique, ses mots s'inscrivant essentiellement dans la marge. Le texte de Calaferte que nous citions plus haut se poursuit ainsi, définissant une réelle mission littéraire dont *Septentrion* est exemplaire :

> De toute façon, le type qui se décide un jour à brailler plus fort que les autres peut être certain de se foutre le monde à dos. Irrémédiablement. *J'ai trois mille cadavres embaumés sur les rayons de ma bibliothèque. Ecco ! Souvenez-vous des colosses morts dans la détresse de l'oubli.*
>
> Créer, c'est dénoncer. Se retirer. Couper les ponts. Être contre. La révolte, le mépris, le cynisme, le scandale, l'hermétisme, la démesure ou le délire marquent la poignée des grands livres que nous admirons. Les lieux que des hommes de cette envergure ont hantés et sillonnés en profondeur leur vie durant deviennent pour longtemps inutilisables. Ils nous forcent à émigrer de nous-mêmes. À aller voir au plus tôt l'état du terrain dans le voisinage. Leur mission salvatrice de ce monde réside dans un travail de sape impitoyable. Voici le cratère que je laisse après moi en héritage. Sous l'amoncellement des décombres se cache, sommeillante, l'étincelle de tout renouvellement. Ouvrez l'œil et, à votre tour, perpétuez la vie[1] !

Contre le principe d'adhésion (réservé à l'huître et au sot, si l'on écoute Valéry), l'expérience littéraire devient, sous la plume de Calaferte, lieu d'une exploration, voyage dans la géographie de l'esprit qui impose l'exil intellectuel, détache de soi au risque de rompre la personnalité même, aventure qui témoigne pour la pensée, quintessence de la vie humaine, en mouvement. Le geste littéraire ne construit pas des édifices, si ce n'est des châteaux vides, peuplés de courants d'air ; elle questionne la forme jusqu'à restaurer la loi vitale de la germination, du désordre premier. Sous cet angle, l'œuvre est un chantier exhibant les failles, les « cratères », béances où viennent mourir les certitudes des bâtisseurs de systèmes.

Mû par une réelle ferveur poétique, Calaferte trace en son *Septentrion* le chemin qui mène jusqu'au livre lui-même, devenu astre à gar-

1. L. Calaferte, *op. cit.*, p. 433-434.

der en point de mire pour faire face à la tyrannie de la bêtise établie, vautrée dans ses mensonges. C'est un voyage au bout de soi, jusqu'à s'y briser, que l'écrivain trace, intranquille, faisant de sa plume une arme à faire sauter les forteresses du monde comme il va, déployant à plaisir, et jusqu'à l'écœurement, la réalité rugueuse du désir, pour mieux peindre, en une page sublimement ciselée, comme l'envers d'une passion chimérique, l'amour le plus rare[1]. Combat pour l'art, en ce qu'il éloigne de la fange, de la vulgarité contente d'elle-même, des logiques d'épicier, pour l'art en ce qu'il chante la vérité du vivant contre les calculs mortifères.

La littérature est lutte acharnée pour une réalité à révéler, sans cesse recouverte d'un camouflage social, qui ment de ne pas avouer sa dimension théâtrale. Entendons cette illusion comique, forme de mention ironique : « Je n'aime pas le théâtre, dit-elle en mettant du rouge à lèvres. »[2] L'engagement littéraire vise non la clarté comme simplification rassurante d'un désordre affolant, mais la contemplation-récitation méticuleuse de ce qui peut se voir, se discerner, sous les lois du mensonge non avoué.

Le récit, règne des métamorphoses

S'il est une intelligence du récit, elle réside essentiellement dans une acceptation consciente du mouvement, qui implique un déplacement permanent de l'idée : le percept est en perpétuel devenir, nul statisme du personnage littéraire, il avance toujours sur la route incertaine que lui trace la fiction, comme un atome lancé dans un espace aux contours mal définis, à chaque instant modifié. C'est pourquoi la notion même de structure nous semble délicate à envisager en littérature : le texte ne s'inscrit pas dans un plan fixe, mais évolue, et les éléments qui le composent changeant d'état, l'architecture d'ensemble reste à définir à

1. Voir *op. cit.*, p. 324 et s.

2. Olivier Py, *Illusions comiques,* Arles, Actes Sud - Papiers, 2006, p. 77. Définition n° 4 du théâtre dans la série des cent définitions qui terminent la pièce, en un mélange polyphonique.

chaque moment du récit, non comme une constante établie une fois pour toutes au seuil de l'histoire, mais comme une configuration valable dans l'instant de lecture. La genèse d'un texte révèle cette fluidité, à l'inverse d'une permanence que l'étude structuraliste fait éclore, comme forme achevée, à partir d'une vision présupposée de l'œuvre comme totalité organisée.

Cheminer à travers le roman

Texte anti-aristotélicien, *Don Quichotte* se présente comme histoire inscrite dans le flot hasardeux de la vie, débutant dans la contingence et s'achevant en raison de la fatigue du héros (façon pour Cervantès de protéger son livre contre le plagiat, la mort de don Quichotte effaçant la possibilité d'une suite). On chercherait en vain à résumer les pérégrinations du chevalier errant : le livre invente ses histoires comme autant de chemins de traverse rencontrés sur la route empruntée dès la première sortie (chap. II) de l'hidalgo, choisissant de rompre avec ses habitudes. La première partie s'ouvre par cette rupture fondamentale, calque loufoque de celle qui débute les romans de chevalerie : en finir avec les occupations quotidiennes, fuir le *taedium vitae,* cette lassitude qui fait voir la vie comme la répétition ennuyeuse des mêmes scènes, comme un spectacle qui ne peut plus divertir. Une fois armé (moment obligé dans la logique de l'épopée médiévale), don Quichotte s'apprête à affronter le monde. Second épisode crucial, l'autodafé qui fait disparaître la bibliothèque, avant la seconde sortie, celle qui relate l'histoire la plus connue : l'aventure des moulins à vent.

Plus développées, les parties suivantes offrent une série d'épisodes « bataille », « histoire », « aventure », « ennuis », « entretien », « choses étranges », ou « dignes d'être racontées », « nouvelle », autant de termes qui désignent la matière romanesque dans sa diversité, suivant le principe de la confusion féconde. À lire les titres des chapitres, on peut sans doute entrevoir des groupements, dessinant ainsi des moments narratifs, structurant chaque partie.

Le lecteur suit les mouvements du chevalier, le lieu permettant de distinguer des changements de décor : pour exemple, la Sierra Morena (chap. XX à XXVI puis début de la quatrième partie) qui devient le théâtre de la déraison. L'auberge, qui rappelle le roman picaresque, apparaît comme un espace propice aux rencontres, lieu où l'errance semble provisoirement suspendue, refuge où s'inventent des rebondissements savoureux. Cet étrange château de la contingence, élus des voyageurs à jamais en chemin, réapparaît dans le roman comme le signe d'un cheminement sans fin du personnage, que seules la fatigue et la vieillesse obligeront à s'asseoir, à s'allonger, tandis que le livre pour nous se referme.

Si certaines mésaventures se racontent dans un seul chapitre (XXI, la riche conquête du heaume de Mambrin), les récits enchâssés donnent lieu à de plus amples développements : l'histoire du captif occupe notamment trois chapitres (XXXIX à XLI) de la quatrième partie. À parcourir les titres du second volume, le lecteur savoure un subtil plaisir ironique qui se dessinait seulement dans les premières aventures de don Quichotte. Le sérieux de l'intitulé, censé fournir un programme narratif alléchant, disparaît au profit d'élégantes variations sur l'art de ne rien dévoiler, le titre se réduisant à une désignation pure du chapitre à venir : IX, « Où l'on raconte ce qu'on y lira », ou encore : « De choses dont Benengeli dit qu'on les saura, si on les lit avec attention » (XXVIII), et XXXI, « Qui traite d'une foule de choses », « Qui traite de choses concernant cette histoire à nulle autre pareille » (LIV). Singeant les annonces sérieuses, le conteur semble s'amuser à ne rien révéler dans ces énoncés frôlant le vide sémantique. Un des plus étonnants, qui nous ramène à la force de la voix du conteur : « Qui traite de ce qu'on verra si on le lit ou de ce que l'on entendra si on le fait lire » (LXVI).

L'abus de termes dénotant le surnaturel construit parallèlement une litanie insolente, fondée sur la perversion du lexique chevaleresque : caricature plaisante des programmes époustouflants du roman d'aventures qu'est l'épopée médiévale. Aventure « étrange », « incroyable », « inouïe », « extraordinaire », « mémorable », « fameuse », « choses étonnantes » : le récitant s'ingénie à décliner cette rhétorique du merveilleux en usant d'un épithétisme quasi systématique. Ce jeu permanent (et varié) avec le code du roman de chevalerie perturbe le trajet initiatique du « héros » improvisé : n'en déplaise aux adeptes des séquences narratives, dignes descendants des doctes aristotéliciens, don Quichotte s'égare, et nous aussi, dans la géniale confusion des histoires mêlées. Cette acceptation du désordre, hommage à la vie, signale d'emblée la modernité romanesque, en opposition avec l'ordre épique ; non que le roman tourne à l'incohérence, mais parce qu'en sa facture même il montre les piétinements du chevalier, la reproduction des erreurs, les jeux du hasard que le romancier accueille avec joie plutôt que de les congédier.

Au lecteur en déroute sur ces chemins sinueux, Cervantès offre le suprême loisir de redécouvrir les surprises de l'aventure (étymologiquement, « ce qui doit advenir ») dont lui seul détient les secrets. Le lecteur obsessionnel, frustré d'organisation, est contraint d'accepter cette rééducation au désordre vital, cette confrontation aux logiques déstabilisantes de l'imaginaire livré à lui-même. Vous qui entrez ici, abandonnez toute cohérence forcée, laissez-vous guider par la voix espiègle d'un conteur qui vous emmène sur les terres inexplorées de l'imagination. Du livre-tombeau s'échappe une nouvelle respiration ; par ce refus du statisme, le texte n'est plus inscription funéraire gravée dans le marbre, mais parole jetée sur la route du temps, mots en devenir sans pétrification du sens dans la mémoire.

Penser la complexité du monde impose cet abandon d'une image cosmique rassurante, dont la fable littéraire héritée de l'épopée, cohérente, vraisemblable et nécessaire, est l'*analogon* confortant le lecteur dans un confort illusoire, entérinant et alimentant le régime de l'erreur d'appréciation.

De la fable du monde aux séductions du hasard

Comment en finir avec le désir de cohérence, alimenté dès l'enfance par une littérature ayant pour fonction de rasséréner, exhibant des embûches, pour mieux inciter à l'exercice du courage, plaçant, au terme d'un voyage éreintant, le bonheur, comme promesse de récompense ? Conditionnés non seulement dans notre mode de lecture, mais dans notre perception du monde par cet apprentissage littéraire, nous cherchons souvent sans le savoir à restituer dans le réel cette fable miraculeuse qui évacuerait l'angoisse, en traçant un sens clair, en faisant miroiter l'amour accompli. L'essai de Bruno Bettelheim *Psychanalyse des contes de fées*[1] a révélé comment les contes pour enfants proposent une véritable formation-éducation du désir, dimension essentielle du récit merveilleux : histoire qui raconte les mésaventures du désir tout en évitant de susciter l'inquiétude, puisqu'elle promet une issue heureuse au terme d'une séries d'épreuves à passer. Éducation au courage, donc, et préconnaissance des mauvaises surprises qui attendent l'enfant sur le chemin de la vie, mais aussi texte qui rassure, à la différence du mythe, pessimiste dans la mesure où il s'achève généralement par une fin tragique. Ajoutons : texte qui façonne la vision du monde et risque fort d'induire l'effet inverse de celui escompté, dès lors que la réalité n'offre pas l'infaillibilité du calcul d'intérêt. La cohérence de la loi morale telle qu'elle s'exerce au sein du conte ne peut se transposer dans le réel. L'échec y est possible, voire probable, en dépit de l'effort. Plus encore, quand bien même l'issue heureuse serait atteinte (« Ils vécurent heureux... »), ce que le conte omet d'adjoindre, comme suite éventuelle, c'est l'absence de pérennité de la joie, l'enracinement bienheureux se métamorphosant en platitude ennuyeuse, dès lors que cet avènement du bonheur inaugure une continuité temporelle qui piège le désir par annulation du rythme vital. L'histoire qui consacre le bonheur risque fort d'avoir pour suite l'implacable lassitude.

Il est assez frappant de constater combien l'influence de l'histoire dans sa forme canonique reste forte jusque dans l'âge adulte. Quand bien même on ne lit pas ou plus, on porte en soi le rêve d'une vie séduisante comme un beau livre, une fable où le désir peut envisager une quête, un aboutissement, un texte fantasmatique que l'on traîne avec soi comme un lambeau de sens dont on ne saurait se défaire sans risquer la folie. Le *Voyage* de Céline défigure l'image, au vitriol, raison de sa puissance et du scandale qui l'accompagne. Comment dépasser cette séduction des histoires, qui n'en finit pas de mener l'esprit vers une enfance elle-même imaginaire ? Régression non dans le temps

1. Texte publié aux États-Unis en 1976 et traduit en français la même année (publié chez Robert Laffont).

– car la logique de la fable juste n'a jamais été effective – mais dans l'espace imaginaire substitué au réel, lieu où résiderait le sens, où la loi fonctionnerait sans erreur.

À demander toujours au livre de répondre, d'apporter un sens cohérent, univoque, on engage la littérature dans une voie qui limite les possibilités cognitives de l'imagination et on lui confère implicitement une fonction de régulation des désirs : la fable dont l'esprit s'alimente oriente l'existence vers des voies tracées, sans risque d'égarement. Séduction du bonheur, comme sens plaqué sur la diversité des sensations et sentiments qui peuplent une vie, et non désir d'aventure intellectuelle, amenant à repousser toujours les limites du connu. En cette autre forme de séduction, la littérature trouve, nous semble-t-il, un champ d'action plus large, elle devient effectivement mode de pensée alternatif, intégrant la contingence, composant avec le hasard, substitué à la cohérence nécessaire et reconnu comme critère validant l'expérience fictionnelle dans sa dimension réflexive. À choisir entre une fable qui berce et enjôle à la manière d'un narcotique et le poème éclaté qui fait voir jusqu'à aveugler la lumière brisée, diffractée, des points de vue divergents, c'est la vision même du monde qui se joue. Mais s'agit-il de choisir ? En notre parti pris (en faveur des séductions, qui n'évacuent pas le hasard), nous voudrions plutôt rétablir un équilibre que la prégnance structuraliste a perturbé en valorisant un certain type de texte, pour la clarté de l'agencement au détriment d'œuvres dont la complexité structurelle même pose problème, dont le sens n'est pas l'aboutissement mais une donnée problématique appréhendée sous forme de questions multiples dans un dispositif dynamique.

Plus jouissive, moins décevante, dans la mesure où elle est plus conforme à la réalité aléatoire, la littérature ouverte, qui questionne, au lieu de répondre, qui se plaît à exhiber les désordres, les erreurs affectives, restera toujours bien vivante, qu'elle soit ou non reconnue. Car sa séduction plus souterraine, loin des lustres et des lambris, assure sa force d'émotion.

Voyager à travers le langage, librement, loin des automatismes, est sans doute l'aventure humaine la plus fascinante en ce qu'elle engage l'esprit vers une voie poétique sans équivalent, faisant de l'existence un chemin vers un accomplissement jamais atteint, mais toujours visé, maintenant le désir en haleine :

> Le poète se consacre et se consume donc à définir un langage dans le langage ; et son opération, qui est longue, difficile, délicate, qui demande les qualités les plus diverses de l'esprit, et qui jamais n'est achevée comme jamais elle n'est exactement possible, tend à constituer le discours d'un être plus pur, plus puissant et plus profond dans ses pensées, plus intense dans sa vie, plus élégant et plus heureux dans sa parole que n'importe quelle personne réelle[1].

Définition d'une poésie pure qui est ascèse engageant l'énergie d'une vie dans une quête qui n'a pas de fin. Le trajet que nous avons cherché à dessiner devrait tracer un pont invisible entre ce sommet poétique jamais atteint et le massif aux mille et un contours du roman, lieu où, après Cyrano, par le truchement de son personnage, se renouvelle le vœu de voir fleurir une imagination en liberté.

1. Paul Valéry, *Variété,* Études littéraires, « Situation de Baudelaire », *in Œuvres I,* Paris, Gallimard, « La Pléiade », 1957, p. 611.

Index

Adam de La Halle, 190.
Adamov A., 28.
Alain, 67, 87.
Alciat A., 221.
Alcover M., 73, 244.
Antisthène, 11, 20.
Apulée, 151.
Aristote, 41, 43, 45, 49, 54, 101, 116, 120.
Artaud A., 33, 66.
Augustin (Saint), 73.
Aulnoy, 133, 137.
Auneuil, 130.
Austin J. L., 78.

Bach, 59.
Badré F., 14.
Bakhtine M., 82.
Balzac H. de, 45, 98, 233.
Barthes R., 96, 180.
Basile, 134-135.
Baudelaire Ch., 52, 64, 83, 160-164.
Bayard P., 8.
Beckett S., 260, 270-271.
Bergson H., 83.
Berrendonner A., 78, 96, 122.
Bertrand A., 164.
Bettelheim B., 278.
Boccace, 134, 151.
Boileau, 154.
Borges J.-L., 147, 214.
Bossuet, 65.
Boulenger J., 85.
Brecht B., 120.
Breton A., 86.
Bury E., 21.
Butor M., 48.

Calaferte L., 271, 273-274.
Camus A., 4, 15, 25, 116-117, 147, 260.
Canavaggio J., 53, 203-206.
Canetti E., 32, 147, 211-212, 215, 217.
Carpentier A., 185.
Cassin B., 103, 177.
Céline L.-F., 14, 44, 46, 63, 84, 97, 170, 172-173, 195-197, 278.
Cervantès, 31, 53-54, 147, 186, 188-193, 201-210, 275-277.
Chaplin Ch., 23.
Char R., 4, 28-29.
Chateaubriand F.-R., 172.
Chrétien de Troyes, 187.

Cocteau J., 179.
Cohen A., 166-167.
Cohn D., 172, 201.
Comte A., 238.
Comte-Sponville A., 109.
Conrad, 185.
Corneille, 49, 65.
Cyrano de Bergerac, 44, 63, 65, 72, 75, 111-112, 114, 140-141, 147, 243, 249-250, 259, 261, 280.

Dandrey P., 83.
Dante, 81.
Darmon J.-C., 149, 229.
Daumal R., 84, 223.
Delbourg P., 55.
Deleuze G., 81, 142, 230, 272.
Demerson G., 85.
Descartes R., 35, 65, 125-126, 128, 152.
Dickens Ch., 183.
Diderot D., 46, 63, 139, 141.
Donné B., 179.
Dostoïevski, 44.
Dubois C.-G., 195.
Dufournet J., 190.
Dumas A., 183.

Eco U., 33, 43, 47-48, 100.
Einstein, 245.
Emerson, 126.
Erasme, 190, 205.
Ésope, 91.

Fellini, 34, 56.
Flaubert G., 45, 63, 234.
Foucault M., 52, 190.
Fumaroli M., 21, 56, 72, 159, 272.
Furetière A., 130.

Garcia Marquez G., 184.
Garver E., 45.
Gassendi, 78, 127, 232.
Genette G., 99.
Gheeraert T., 50.
Gicquel B., 134.
Gogol, 44, 244.
Goulet-Cazé M.-O., 82.
Gracián B., 14.
Grimaldi N., 237-238.

Hamon P., 223.
Hegel G. W. F., 54.
Heine H., 12.
Hésiode, 90, 146.
Hoffmann, 236.
Homère, 90-91, 159.
Horace, 219.
Houellebecq M., 20, 174.
Huet, 53.

Ionesco E., 122.

Jaccottet Ph., 254.
Jakobson R., 143.
Jankélévitch V., 23, 268.
Joyce J., 43.

Kafka F., 28, 244.
Kant E., 59-60.
Kay M., 69.
Keats J., 97.
Kibedi Varga A., 72.

La Bruyère J. de, 21, 38, 45, 61, 196.
La Fontaine, 5, 14, 18, 35, 53, 56, 58, 63, 65, 79, 81, 89, 91, 95, 124-127, 129, 150, 152, 154-158, 179, 181, 229, 232, 238, 240, 247, 251.
La Force, 133.
La Rochefoucault, 66.

Laurens P., 226.
Legros A., 217.
Leiris M., 29.
Lejeune Ph., 105.
Lhéritier M.-J., 131, 134.
Littell J., 59.

Mac Gowan M., 220.
Machiavel, 14.
Maïakovski V. V., 26, 70.
Marguerite de Navarre, 151.
Marin L., 87, 247.
Martin J.-C., 230.
Marx W., 13.
Maupassant G. de, 171.
Mayer C.-J. de, 131.
Mazarin, 14.
Melville H., 185.
Meyer M., 95, 112, 247.
Molière, 21, 52, 65, 193, 247.
Montaigne, 21-22, 34, 37, 64, 66, 105, 109-110, 154, 211, 216-217, 219, 221-222, 224-225, 227-228.

Nietzsche F., 4, 54, 101, 228, 250.

Orwell G., 122, 141, 147.

Pascal, 66, 68, 125, 163, 221, 255-256, 260.
Perelman Ch., 73, 140.
Perrault Ch., 129-130, 133, 135-136, 151-152.
Petris L., 112.
Pierrat E., 33.
Pintard R., 229.
Platon, 83, 88-93, 126, 212, 239-240, 252-253.
Poe E. A., 43, 47, 146, 182.
Poincaré H., 22.
Ponge F., 168.
Propp V., 62.
Proust M., 14, 19, 45, 63, 97, 197-199.
Py O., 274.

Rabaté D., 151, 266.
Rabelais F., 11, 18, 21, 23, 29, 44, 63, 79, 81, 83, 85, 87, 147, 212, 231, 248-249.
Rachmaninov, 44.
Racine, 49, 65.
Ricœur P., 112, 179.
Rigaut J., 69, 147, 149, 245, 255-256, 267.
Rimbaud A., 118-119, 165.
Robbe-Grillet A., 24, 47-48, 71, 98, 174, 186.
Robert M., 195.
Rosellini M., 111.
Rousseau J.-J., 17.
Rousset J., 258.
Rushdie S., 244.

Saint-Évremond, 53.
Salazar J., 21.
Salem J., 94.
Salmon C., 242, 244.
Sarraute N., 48, 104.
Sartre J.-P., 23, 25.
Scarron P., 53.
Scherer J., 258.
Schopenhauer A., 20, 195.
Schulman A., 188.
Sénèque, 221.
Serres M., 141.
Shakespeare, 50.
Soljenitsyne, 26.
Sorel, 63, 261.
Spinoza, 65, 142.
Spitzer L., 83-84, 268.
Stendhal, 63.

Stevenson, 75-77, 98, 184-185.
Straparola, 130, 134-135.
Tchekhov A., 47, 233.
Todorov T., 13.
Tournon A., 223.

Valéry P., 67-68, 71, 76, 91, 178-179, 201, 226, 236, 273, 280.
Verga G., 171.
Verne J., 182.
Viala A., 33.
Vian B., 66.
Viau T. de, 242.
Vico, 43.
Villiers, 130-131.
Virgile, 155.
Voltaire, 50-51, 62, 65, 139, 141, 251.

Winock M., 25.

Zola É., 171.

Table des matières

Marche d'approche : la séduction littéraire, art de parler de loin, 5

Prologue, 11

Ô mes chers livres, irez-vous au feu ?, 11

La menace d'autodafé ou le livre à la question, 12
Que la culture est obscène, 16
Penser en littérature, 22

Le sourire risqué, raison profonde de l'autodafé, 23
Dangereuse passion littéraire, 31

En finir avec les chefs-d'œuvre ?, 33

Apprendre sans s'en apercevoir, 35
La feinte rencontre, 38

Voies tracées, 41

Questions sur les questions posées à la littérature, 41

Poétique et rhétorique, 41

Le primat de *La Poétique* dans l'espace littéraire français, 49
L'œil de feu du poète, 55
Le cheval de Troie de la fable, 57
Les jugements de goût, 59

L'objectivisation des faits littéraires, 61

Thèmes, *topoï,* catégories esthétiques, 64
Le primat de la structure, 67
Œuvre et fragments, 68
Rhétorique et argumentation, 71

L'obsession du sens comme cohérence, 75
Éloge de la gratuité, 77
Rire cynique et sourire ironique, 77
Lire le délire ?, 82 – *Dans le sillage de Léo Spitzer : faire entendre une voix de poète,* 83 – *Le temps de lire ou l'expérimentation poétique,* 85 – *Voguer au-delà du sens,* 87.
Pour la fable, parole diverse qui déjoue à plaisir les fictions logiques, 88
Rire et sourire : point d'orgue, 96
Voies à explorer ou questions littéraires, 98.
Dépasser le primat de la stylistique, 99
Le lecteur, non co-auteur, mais acteur d'une pensée détachée de la personne, 100

Voies à explorer, 103

Plaisir et pensée. Droit à la parole subjective, 103
De la subjectivité impersonnelle en littérature, 106
Traces rhétoriques : dominances éthique, logique, pathétique dans l'œuvre littéraire, 107
L'*ethos* en littérature, 107
Ethos revendiqué, 108
Ambiguïté éthique et déconstruction de l'autorité narrative, 111
Théâtre et éclatement éthique. Le *pathos,* ressort de la *catharsis* ? Séduction et questionnement de l'*ethos,* 115
Les charmes de l'orchestration éthique : la polyphonie de la fable ou le voile pour lui-même, 124
L'imagination en question et la dominance logique, 125
Couvrez ce voile que je ne saurais voir..., 128
La voix du conte : parole à la mode, parole coupable, 130
Le Cabinet des fées, *consécration ou affaiblissement du pouvoir féerique ?,* 131 – *Le procès des fées ou la chasse aux sorcières de l'abbé de Villiers,* 131 – *Le contrôle de l'instruction comme pétition de principe,* 133 – *De l'ironie italienne au didactisme français : histoire d'une éclipse et fantasme de pure modernité,* 133 – *En sourdine, trop osée, risquée, scandaleuse, la parole insolente des conteuses,* 137.
Philosopher par la littérature : les lumières ne veulent pas de nos ombres fantasmagoriques, 139
Le lyrisme où l'*ethos* exhibé ?, 144
De l'autre côté du miroir, s'enfuir de la prison personnelle, 147
Pour un lyrisme éclaté, l'*ethos* polyphonique et le charme incarné, 149
Là, tout n'est qu'ordre et beauté..., 160
Voix déconcertantes, 164
Parti pris polyphonique et lyrisme renouvelé, 166

Le Parti pris des choses : pour un lyrisme impersonnel, 168
En finir avec l'autorité narrative ?, 170
Déconstruction et neutralité éthiques, 174

Du style ou la matière du voile séduisante, 177

Le plaisir du texte en question, 177

Pour le mensonge qui dit la vérité, 179
Au commencement était..., 181
Faut-il dévorer ou faut-il brûler ?..., 186

Séduction et maladie livresques, 188
L'écriture comme antidote ?, 194

Confusion éthique, 199

Le style, voix silencieuse, 201

La vérité littéraire : la plume de l'auteur à la main brisée contre les médisances du plagiaire, 202
Éros et écriture, 210
Voyager en bibliothèque, 213

Pratique insolente de la bibliothèque. Ouvrir le livre au vent, 217
Une pensée voyageuse, 219
De la vanité des paroles. Les masques rhétoriques, 219
Métaphores du voyage, 220

Le but, le bout ?, 221.

Le texte embarqué, 222
S'ouvrir au monde depuis la Tour, 223
Le Voyage livresque comme initiation, 224

Le souverain détour du livre. Fuir l'aliénation sociale, se désaccoutumer, 225 – *Quête de soi et défaut d'amnésie,* 225.

Voyager dans le sillage de Montaigne, 227

La posture littéraire contre les savoirs d'imposture, 228
Intelligence du dérisoire, 233
La plume et le serpent : histoire d'amour, 235
En finir avec la fable ?, 238
Peur de la fiction comme lieu du chaotique, 241

Le style ou la parole défigurée, 245

« Miroir, miroir, dis-moi que je suis la plus belle » : rhétorique de séduction, 246
L'autre séduction : le lecteur à la question, 248
Séduction des simulacres : penser dans la caverne-bibliothèque, 252
La séduction baroque : démultiplication des miroirs, 257
Pour une fable entropique, 262

Épilogue, 265

Le tombeau du livre ouvert, 265
« Je » ou l'innommable, 268
S'engager pour la fable, 272
Le récit, règne des métamorphoses, 274
Cheminer à travers le roman, 275
De la fable du monde aux séductions du hasard, 277

Index, 281

Imprimé en France
par MD Impressions
73, avenue Ronsard, 41100 Vendôme
Avril 2009 — N° 55 153

MD Impressions est titulaire du label Imprim'Vert®